O ALEGRE CANTO DA PERDIZ

Edição apoiada pela Direção-Geral do Livro,
dos Arquivos e das Bibliotecas / Portugal

O ALEGRE CANTO DA PERDIZ

PAULINA CHIZIANE

8ª impressão

Porto Alegre São Paulo · 2022

Revisado segundo o Novo Acordo Ortográfico da Língua Portuguesa.
Nos casos de dupla grafia, foi mantida a original.

CONSELHO EDITORIAL Eduardo Krause, Gustavo Faraon
Luísa Zardo e Rodrigo Rosp
PREPARAÇÃO Eloah Pina
REVISÃO Rodrigo Rosp
CAPA Humberto Nunes
FOTO DA AUTORA Arquivo pessoal

Dados Internacionais de Catalogação na Publicação (CIP)

C543a Chiziane, Paulina
O alegre canto da perdiz / Paulina Chiziane.
— Porto Alegre : Dublinense, 2018.
336 p. ; 19 cm.

ISBN: 978-85-8318-104-0

1. Literatura Moçambicana. 2. Romances
Moçambicanos. I. Título.

CDD 869.39

Catalogação na fonte: Ginamara de Oliveira Lima (CRB 10/1204)

EDITORIAL
Av. Augusto Meyer, 163 sala 605
Auxiliadora • Porto Alegre • RS
contato@dublinense.com.br

COMERCIAL
(51) 3024-0787
comercial@dublinense.com.br

Ao meu Domingos,
meu primogénito, minha fonte de inspiração

Ao Adérito Leonardo Chiziane,
filho do solo sagrado dos Montes Namuli

1

Um grito coletivo. Um refrão.

Há uma mulher nua nas margens do Rio Licungo. Do lado dos homens.

— Ah?

Há uma mulher na solidão das águas do rio. Parece que escuta o silêncio dos peixes. Uma mulher jovem. Bela e reluzente como uma escultura maconde. De olhos pregados no céu, parece até que aguarda algum mistério.

— Quem é ela?

Uma mulher negra, tão negra como as esculturas de pau-preto. Negra pura, tatuada, no ventre, nas coxas, nos ombros. Nua, assim, completa. Ancas. Cintura. Umbigo. Ventre. Mamilos. Ombros. Tudo à mostra.

— De onde veio?

No céu da vila a notícia corre como as ondas da rádio. Nesta cidadela pacata, quase nada acontece e tudo é notícia. Fala-se do estrangeiro que chegou e que partiu. Da mulher do administrador que engravidou e pariu. Fala-se da chuva que caiu e das sementes que brotaram. Do marido que não cumpriu com os deveres conjugais na noite que findou. Uma mulher nua é notícia de primeira página. E todos saem dos seus cantos em procissão. Vão ver, para crer.

— Quem é essa mulher que tem a coragem de se banhar no lugar privado dos nossos homens, quebrando todas as normas do local, quem é?

A mulher nua olha para o horizonte. O horizonte é uma cortina de palmeiras. Vê uma mancha. É um enxame. De abelhas? Não, deve ser de vespas. Ou de galinhas tolinhas acossadas pela queda de um bago de milho do teto do celeiro. Mas a mancha vai ganhando altura, forma e movimento dos fantasmas. Uma mancha que levanta uma nuvem de pó, como uma manada furiosa, pisando solo seco. Da mancha falante ela ouve sons demolidores como dragões subterrâneos a comandar temores de terra. Sons que lhe diziam coisas. Coisas que ela entendia. Outras que não entendia. Sente cheiro de leite. Ouve o choro de uma criança — ah, afinal é um bando de mulheres, zangadas. Não compreendia por que estavam ali. Não compreendia aquela procissão, nem aquela zanga. O que quereriam elas? Matá-la?

O grupo de mulheres furiosas precipita-se sobre ela como aves de rapina ávidas de sangue. Um grupo numeroso. Era o instinto de defesa comandando a marcha. Inquietação. Dentro das mentes assustadas, os mitos surgem como a única verdade, para explicar o inexplicável. Imaginavam as plantas a secar e a chuva a cair e a arrasar todas as sementeiras. O gado a minguar. Os galos a esterilizar, as galinhas a não chocar nem ovos nem pintos. Aquela presença era o prenúncio do desaparecimento da espécie dos galináceos. Nas curvas da mulher nua, mensagens de desespero.

— Hei, o que fazes aí?

A multidão vê a mulher nua sentada num trono de barro, beira do rio. Na posição de lótus, colocando a sua intimidade na frescura do rio. Vê-lhe o interior desabrochado, como um antúrio vermelho com rebordos de barro. Vê-lhe as tatuagens no seu ventre de mulher madura. Vê-lhe o corpo esguio, pequeno, recheado à frente, recheado atrás, esculpido por inspiração divina. Vê-lhe a pele macia, de café torrado.

Os lábios gordos como um tutano, cheios de sangue, cheios de carne. Olhos de gata. Vê-lhe o cabelo e sobrancelhas macias e fartas como novelos de seda, com gotas de água escorrendo sobre as costas, como contas de lágrimas, na grinalda de uma noiva.

— Escandalosa, sai já daí.

Os pés da mulher nua contaram já muitas pedras no caminho. Palmilharam vários destinos à busca de um tesouro. Como uma condenada a caminhar a vida inteira. Atiraram-lhe pedras por todos os lados onde passou. Expulsaram-na com paus e pedras, como um animal estranho que invadia propriedades alheias. As vozes queriam que ela desaparecesse. Mas desaparecer para onde se ela não tinha onde ir? Compara as pessoas aos chacais, aos abutres. Não vê diferença. Há uma pessoa no abismo pedindo ajuda. A sociedade humana apressa-se a atirar paus e pedras, a pisar a mão com que te expressas por teu último desejo.

A mulher nua levanta a cabeça. Balança os olhos entre o céu e o horizonte na visão clarividente dos poetas.

— Hei, que fazes aí? — grita uma das mulheres.

— Quem és tu?

Ela olha para a multidão, com os olhos no limbo. Deve estar a ouvir a música do amor. Deve estar a viver paixões secretas que lhe vêm do outro lado do mundo. Talvez veja imagens em movimento. Ou sombras falantes. Dentro dela deve haver sentimentos, pensamentos, vozes, sonhos, histórias, canções de embalar, que se apresentam numa amálgama, causando-lhe confusão na mente.

— De onde vieste?

Ela é solitária. Exilada. Estrangeira. Surgiu do nada na solidão das águas do rio. Vindo de lugar nenhum. Os seus pés parecem ter percorrido todo o universo polo a polo. Parece que nasceu ali, gêmea das águas, das ervas, do milho e das árvores dos mangais. A vegetação pariu um ser.

Raiva e espanto no mesmo sentimento. Bem-aventurados os olhos cegos, que jamais verão a cor do terror inspirado por esta mulher nua. Algumas mulheres protegem os olhos da imoralidade. Da infâmia. Olham para o chão. As profanas rogam pragas em grossos palavrões. As puritanas benzem-se e colocam a palma da mão sobre o rosto como um leque. Fazem de conta que não veem o que conseguem ver pelos interstícios dos dedos.

— De onde vieste tu?

As mulheres preparam o sermão do momento, feito de moral e ameaças. Ela escuta. Supera as ameaças com um sorriso.

— Quem és tu? — insistiam as mulheres furiosas.

As pessoas gostam muito de identidades. Chegam a exigir uma certidão de nascimento para uma pessoa presente. Haverá melhor testemunha do que a presença para confirmar que nasci?

— Por que estás nua?

A mulher nua está demasiado cansada para responder. Demasiado surda para ouvir. Desespera-se. Quantas forças uma mulher deve ter para carregar a tortura, a ansiedade e a esperança, quantas palavras terá a oração da eterna clemência a um deus desconhecido, cuja resposta não virá jamais?

— Usa a tua roupa, desconhecida.

A roupa dela esta ali, molhada. Cobrindo os arbustos verdes como um guarda-sol.

— Vá, veste-te já, mulher!

— Mulher, não tens vergonha na cara? Onde vendeste a tua vergonha? Não tens pena das nossas crianças que vão cegar com a tua nudez? Não tens medo dos homens? Não sabes que te podem usar e abusar? Oh, mulher, veste lá a tua roupa que a tua nudez mata e cega!

Ela responde com a linguagem dos peixes do rio. Sorri. Olha para o chão. Para o céu. Com brandura. Com candura. Os olhos emanam muita luz e uma miríade de cores. Ela é simpática. Ela é agradável. Tem dentes muito brancos. Completos. Ela é bonita. Tem sorriso de anjo. O que é que ela vê, para além do horizonte?

— Esconde a tua vergonha, mulher.

A imagem de Maria distorce o sentido mágico da nudez das sereias. Parece trazer o presságio da tempestade à flor da pele. Os corações se dilatam de piedade. De medo. Há mensagens de perigo escondidas nas linhas nuas do corpo. Nos grãos de areia. Na Via Láctea. Nas barbas do sol. Nas pálpebras da lua. Nas pegadas de um pescador qualquer à beira do rio. Nas rajadas de vento. Esta mulher não veio ao acaso. Mensageira do destino mau.

— Ouve, mulher: se não te vestes a bem, vais vestir-te a mal.

Ameaçaram-na. Talvez ela assim tivesse medo e se vestisse. Mas ela acomodava-se ainda mais no seu espaço, sereia rainha em trono de barro. Ela vê os olhos da multidão. Mais escuros do que a noite, os raios do poente moram naqueles rostos. Olhos de lágrimas e de angústias. Os rostos das adversárias. Vê-lhes os pés semeados no solo como se o chão tivesse parido sombras. Sombras ambulantes. Sombras em movimento.

— Mulher, veste-te!

Mas o exército de mulheres estava de mãos nuas. Confiavam na arma da língua. Da persuasão. Da negociação. Era um exército pacífico. Uma das mulheres manda um grito para despertá-la. Outra procura uma pedra para açoitá-la. Outra procura um pau para moralizá-la. Gera-se uma onda de violência no palco das águas. Não há paus nem pedras. Só areia molhada, barro, lama que a multidão empunha como arma contra a mulher indefesa.

As vozes da multidão ululam furiosas como uma onda. Era a superstição e o medo aliando-se como fios da mesma corda. Punhados de areia caem no corpo da mulher nua como chuva de granizo. O seu peito incha com a força do medo. Expira o ar quente que o vento colhe para o infinito. E dá um mergulho no rio e navega na impulsão das águas, como uma ninfa rolando nas ondas. Mergulha para o fundo e para a superfície num vai e vem de lua e nuvem no jogo da banana-ainda-não-comeu. A água solta anéis de arco-íris numa miríade de ondas. Já longe, a mulher nua sibila um riso venenoso, que cai como espada sobre as lanças do inimigo. E celebra o seu triunfo sobre a multidão.

Ali estava a heroína do dia. Protegida na fortaleza do rio. Num trono de água. Que venceu um exército de mulheres e colocou desordem na moral pública. Que desafiou os hábitos da terra e conspurcou o santuário dos homens.

Quando a multidão parte, a louca regressa ao mesmo ponto. Quer ouvir vozes perdidas nas águas do rio. A mensagem chegaria, ela tinha a certeza. Na mesma hora que a emitia. Por telepatia.

Maria das Dores é o seu nome. Deve ser o nome de uma santa ou uma branca porque as pretas gostam de nomes simples. Joana. Lucrécia. Carlota. Maria das Dores é um nome belíssimo, mas triste. Reflete o quotidiano das mulheres e dos negros.

Ah, minha mãe, eis-me aqui à beira do caminho. Ao lado do vento amigo. Na margem de um rio desconhecido. Perseguida por mulheres tristes. Naqueles gritos ouvi também o teu grito, minha mãe. Mãe, estavas naquele grupo? Por que será que não te vi? Por que não me mostraste o teu rosto, mãe? Eras tu, sim, naquele grupo de fantasmas, lançavam zumbidos nos meus ouvidos como um enxame de vespas. Eras tu e o teu grupo de fantasmas, querendo atingir-me, magoar-me, escondidas para desferirem sobre mim os seus golpes de raiva, mas não conseguiram, eu fui protegida pelas águas. Porque sou filha da água. Será que estou nua, mãe? A nudez que elas viam não é a minha, é a delas. Dizem que não vejo nada e enganam-se. Cegas são elas. Gritam sobre mim a sua própria desgraça e me chamam louca. Mas loucas são elas, prisioneiras, cobertas de mil peças de roupa como cascas de uma cebola. Com o calor que faz.

Já não sei bem de onde vim, nem para onde vou. Por vezes sinto que nunca nasci. Estarei ainda no teu ventre, minha mãe? Todos perguntam de onde venho. Querem saber o que sou, porque nada sou.

Eu tenho o destino do vento, e tenho a vida presa nas teias de uma esperança desconhecida. A rosa dos ventos. Tenho o destino dos pássaros. Voando, voando, até à queda final. Tenho destino de água. Sempre correndo em todas as formas, umas vezes nascente, outras vezes rio. Outras vezes suor e outras lágrimas. Dilúvio. Gota de orvalho na garganta de um passarinho. Sou vapor aquecido pela vida. Sou gelo e neve na câmara de um congelador. Mas sempre água, o movimento é a minha eternidade. Sou um animal ferido por todas as coisas. Pelo cantar dos passarinhos, pelo vermelho dos antúrios, pela floração das violetas. Ferida pelo sonho, pela ilusão. Pela esperança e pela saudade.

Quem sou eu? Uma estátua de barro, no meio da chuva. Odeio as roupas que me limitam o voo. Odeio as paredes das casas que não me deixam escutar a música do vento. Eu sou a Maria das Dores. Aquela que desafia a vida e a morte a busca do seu tesouro. Eu sou a Maria das Dores, e sei que o choro de uma mulher tem a força de uma nascente. Sei com quantos passos de mulher se percorre o perímetro do mundo. Com quantas dores se faz uma vida, com quantos espinhos se faz uma ferida. Mas não tenho nome. Nem sombra. Nem existência. Sou uma borboleta incolor, disforme. Das palavras conheço as injúrias, e dos gestos, as agressões. Tenho o coração quebrado. O silêncio e a solidão me habitam. Eu sou a Maria das Dores, aquela que ninguém vê.

As mulheres abandonam o rio e correm velozes à casa do régulo para buscar a solução do enigma. Vão à casa do régulo, mas ele não está, foi à taberna tomar o trago vespertino na assembleia dos homens. A sua velha esposa abandonou os seus afazeres para acudir à multidão assustada. Os olhos de terror convergindo sobre ela. Olhos anémicos, incrédulos. E as vozes falavam todas ao mesmo tempo. Deliravam. A velha senhora não conseguia sequer ouvir o que diziam. O que queriam. Sabia apenas que tinham fome no espírito. Teve que bater as palmas e soltar um grito para impor o silêncio.

— O que houve? O que vos traz aqui?

— A senhora que conhece os segredos deste e de outro mundo, os caminhos do além, os detalhes do mistério do horizonte, acuda-nos.

— Por quê?

— Aquela mulher nua nas margens do rio. Parecia uma deusa, ou um demónio!

— Qual mulher?

— Uma desconhecida — grita uma delas como uma possessa. — Por que é que ela veio e se alojou exatamente do lado dos homens? Ela é leve, ela nada como um peixe. Será humana? Sereia? Ninfa? Fantasma? A senhora que vê tudo, diga-nos que desgraça vem a ser esta: haverá chuva? Seca? Doenças nos rebanhos? Conflitos piores que a guerra?

As vozes das mulheres eram bandeiras de medo ondulando na tempestade. Não viram nada de real. Viram o papão. Por isso produzem ruído e discursos confusos.

Projeções fantásticas das histórias à volta da fogueira, as meninas bonitas, bondosas, obedientes, trabalhadoras casam-se com príncipes dourados, têm muitos filhos e vivem felizes para sempre. As meninas maldosas, mentirosas, desobedientes e preguiçosas, no final da história são castigadas, não arranjaram marido, nem filhos, vivem solteironas e infelizes para sempre, e acabam enlouquecendo. Crenças. De dádivas e destinos. Pragas. Profecias. Castigos.

— Disse chamar-se Maria — explica uma das mulheres.

— Será mesmo esse o seu nome? — pergunta a mulher do régulo. Toda a Maria tem outro nome, porque Maria não é nome, é sinónimo de mulher. Mas digam-me: como era ela?

— Ela tem forma de gente mas não é gente. Parecia anjo do mal. Mensageira de desgraças. Parecia um fantasma, um ser de outro mundo — diz uma.

— Ela trazia nas asas os ventos das marés bravas — dizia outra.

A mulher do régulo reconhece rapidamente as razões da zanga coletiva e responde com um arco-íris. Histórias de vida soltam-se dos arquivos da memória como *files* de um computador. Cada um tem o seu percurso, cada um tem a sua história. A presença dessa alma penada tinha uma razão óbvia. O mundo está às avessas, devasso. A humanidade é expulsa a uma velocidade assustadora, e as pessoas se tornavam selvagens, canibais.

— Calma, criaturas. Não houve presságio nenhum na guerra que foi, mas morreu gente. Não houve anúncio na seca que findou, mas houve tormenta. Não houve profecias misteriosas antes da praga de gafanhotos que dizimou os campos e nos matou de fome.

A voz da mulher do régulo era chuva fresca. Tinha o poder de serenar multidões. Era o poder das ondas mansas embalando as embarcações na valsa da brisa.

— Ah, senhora! Se visse a forma misteriosa como ela veio! Insultámo-la e respondeu-nos com gozo no rosto. Lançámos pedras e ela escapou como um peixe. Não era pessoa deste mundo, não.

— Coitada, não passava de um rato à procura de uma toca. Ou uma mandioca. Era um ser solitário em busca dos seus semelhantes. Por que a expulsaram?

A multidão começa a arrepender-se. Ela tinha a forma humana, viram. Que nascera do ventre feminino, como elas, como os sapos, os peixes, as algas dos pântanos. Que a mulher tinha a sua história, as suas marcas, as suas cicatrizes. Nela se espelhava a fragilidade da existência. A multiplicidade dos caminhos. Doenças, mágoas, lágrimas. Sonhos derrubados, ansiedade, desespero. Só Deus sabe de onde ela veio. Só Deus sabe as lágrimas que ela chorou. Só ela pode contar as alegrias que o coração colheu. Os caminhos que percorreu. Só Deus sabe como é que ela aqui chegou. Talvez navegando no dorso das tartarugas. Na carapaça dos crocodilos. Na boca dos peixes, no rendilhado das algas. Na corrente da brisa.

— Ela trazia uma boa nova escrita do avesso — garante a mulher do régulo. — Mensagem de fertilidade. Essa maluca era a verdadeira mensageira da liberdade, minha gente.

A multidão se espanta e a mulher do régulo sorri. Da boca adocicada ela solta os melhores acordes. Dos braços pequenos abre-se um manto confortável como as asas de uma águia, onde a multidão de mulheres se aninha como rebentos de pássaros. Do seu peito solta-se um sopro de coragem que a brisa transporta para cada um. A multidão ouve a sua voz a penetrar. O sorriso a desabrochar. A mente a vadiar na paisagem dos princípios. O medo a escapar. Os ânimos se acalmando. O espírito a serenar. A princípio a voz ouvia-se perto. Depois longe. Mais longe ainda como alguém falando de amor no mais profundo dos sonhos. Era uma canção que recordava às mais novas todas as coisas antigas, dos princípios dos princípios, no conto do matriarcado.

Era uma vez...

No princípio de tudo. Homens e mulheres viviam em mundos separados pelos Montes Namuli. As mulheres usavam tecnologias avançadas, até tinham barcos de pesca. Dominavam os mistérios da natureza e tudo... eram tão puras, mais puras que as crianças numa creche. Eram poderosas. Dominavam o fogo e a trovoada. Tinham já descoberto o fogo. Os homens ainda eram selvagens, comiam carne crua e alimentavam-se de raízes. Eram canibais e infelizes. Um dia, um homem jovem tentou atravessar o Rio Licungo, para saber o que havia. Ia afogar-se quando aparece a linda jovem, sua salvadora, que meteu o homem no seu barco. Como houvesse frio, a jovem tentou reanimar o moribundo com o calor do seu corpo. O homem olhou para o corpo dela, completamente aberto, um antúrio vermelho com rebordos de barro. Ali residia o templo maravilhoso, onde se escondiam todos os mistérios da criação. E depois...

A velha senhora era uma exímia contadora de histórias. Ela sabe as circunstâncias exatas em que se deve usar uma imagem e outra. O que deve ser omitido e o que deve ser dito. Os momentos que marcam e os momentos de pausa. A beleza da história depende da tonalidade da voz, dos gestos da contadora. Contar uma história significa levar as mentes no voo da imaginação e trazê-las de volta ao mundo da reflexão. Por isso impõe uma pausa. E suspense.

— Por que olham para mim? O que querem de mim? Que me ponha aqui a dizer indecências na presença das crianças que trazem nas costas? Não, não digo mais nada, de resto, vocês já sabem o vem a seguir. Agora, voltem para casa, para cuidar das crianças. Voltem!

As mulheres riem-se, a tranquilidade já foi conquistada. Aquela história encerra dentro de si mundos maravilhosos. Por isso querem ouvir aquilo que já sabem há dezenas de anos. As cenas de amor e traição. Da liberdade e luta. De atração e rejeição. Absorver a doçura das palavras que emanam daquela boca e sonhar como as crianças.

— Ah, grande mãe, conta, termina esse conto, tão bonito!

— Pronto, já que me pedem, termino. Os homens invadiram o nosso mundo — dizia ela —, roubaram-nos o fogo e o milho, e colocaram-nos num lugar de submissão. Enganaram-nos com aquela linguagem de amor e de paixão, mas usurparam o poder que era nosso. Uma mulher nua do lado dos homens? Ó gente, ela veio de um reino antigo para resgatar o nosso poder usurpado. Trazia de novo o sonho da liberdade. Não a deviam ter maltratado e nem expulsado à pedrada.

Algumas mulheres recordam o conto e sorriem de esperança. A mulher do régulo reconhece que a fantasia das suas palavras surtiu efeito. Aquela louca simboliza o mundo novo da guerra, das doenças, da exclusão social, ao qual todos se encontram sujeitos.

— Ah! Mas então, de onde terá vindo?

— E nós de onde viemos? — pergunta a mulher do régulo.

— De longe — respondem ao mesmo tempo.

— E onde fica o longe?

Todas buscam a resposta no silêncio. Os olhos vogam no horizonte, em silêncio. A mulher do régulo sugere algumas respostas.

Longe é a distância entre o teu percurso e o teu cordão umbilical. Longe é o útero da tua mãe de onde foste expulso para nunca mais voltar. É a distância para o teu próprio íntimo onde nem sempre consegues chegar. Longe é o lugar de esperança e de saudade. Lugar para sonhar e recordar. Longe é o além para onde muitos partem e deixam eternas saudades. O longe é gémeo do perto, tal como o princípio é gémeo do fim. Porque tudo muda na hora da meta. O ali será aqui, na hora da chegada. O futuro será presente. O amanhã será hoje.

— De onde viemos nós? — aguarda a resposta que não vem, e afirma: — Éramos de Monomotapa, de Changamire, de Makombe, de Kupula, nas velhas auroras. O poder era nosso. Lembram-se desses tempos, minha gente? Não, não conhecem, ninguém se lembrou de vos contar, vocês são jovens ainda. Unimo-nos aos changanes, aos ngunis, aos ndaus, nhanjas, senas. Guerreámo-nos e reconciliámo-nos. Fomos invadidos pelos árabes. Guerreados pelos holandeses, portugueses. Lutámos. As guerras dos portugueses foram mais fortes e corremos de um lado para outro, enquanto os barcos dos negreiros transportavam escravos para os quatro cantos do mundo. Vieram novas guerras. De pretos contra brancos, e pretos contra pretos. Durante o dia, os invasores matavam tudo, mas faziam amor na pausa dos combates. Vinham com os corações cheios de ódio. Mas bebiam água de coco e ficavam mansos e o ódio se transformava em amor. As mulheres se parecem com coco, não acham?

As mulheres violadas choravam as dores do infortúnio com sementes no ventre, e deram à luz uma nova nação. Os invasores destruíram os nossos templos, nossos deuses, nossa língua. Mas com eles construímos uma nova língua, uma nova raça. Essa raça somos nós.

Foi assim que viemos.
De longe
Daquele lugar de onde partimos
Para nunca mais voltar.

Somos de diferentes gestas. Diferentes ventres. Diferentes lugares. Uns nascendo nos canaviais, outros na estrada. Uns no alto mar. Outros em camas douradas dos príncipes. Uns fugiram de casas de luto cobertas de fogo. Fogo posto. Por demónios. Demónios que incendeiam as águas dos rios. Outros nasceram da solidão dos guerreiros, solidão de heróis. Heróis vencedores e vencidos. Somos heróis do Atlântico, heróis da travessia dos mares bravos, para a escravatura na Guiné, Angola e São Tomé. Temos o sangue dos franceses, brasileiros, indianos de Goa, Damão e Diu, desterrados nos palmares da Zambézia. Viemos da nobreza e da pobreza. Viemos em passos silenciosos dos fugitivos, em passos agressivos de conquistadores. Nascemos diferentes vezes com diferentes formas. Morremos várias vezes, silenciosamente, como os montes na corrosão dos ventos.

O pensamento coletivo viaja para o longe, para lá onde não se pode voltar nunca mais. Para o tempo das lutas sangrentas, tempo de sofrimento. Com bandos de gente correndo para cá e para lá. Matando-se. Odiando-se de dia, na hora do combate. Amando-se de noite, na pausa de fogo e deixando marcas de passagem. O ódio gerando amor na morte do sol.

Cada um recorda o seu próprio percurso. As pedras do caminho. Percursos alegres, tristes, desesperados, espinhosos. E começam a pensar na louca do rio com brandura.

— Regressem às vossas casas e esqueçam a louca que foi com as ondas. Lembrem-se que somos todos filhos do longe, como essa Maria que viram nas margens do rio. Lembrem-se sempre de que a nudez é expressão de pureza, imagem da antiga aurora. Fomos todos esculpidos com o barro do Namuli. Barro negro com sangue vermelho.

2

A louca do rio olha para a igreja no alto da serra, que lhe abre os caminhos da memória. Parece que já estive aqui. Mas quando? Em que circunstâncias? Nesta igreja eu entrei, eu rezei, em algum momento da minha infância. Que lugar é este?

Anos de memórias confluem na sua mente. Em pequenos pedaços como gotas de água formando um rio. As imagens obscurecidas pelo tempo revelam-se uma a uma, recortadas e baralhadas como as peças de um puzzle. Como se um arqueólogo de memórias escavasse fotografias antigas. Sinto que já estive aqui, mas quando?

Olha para a paisagem com mais atenção. A cordilheira. A cabeça do monte alto coberto com o chapéu de nuvem. Uma nascente, um rio, a crescer para o desconhecido. Já escalei aquele monte. Que buscava eu?

De repente se lembra do José, seu pai falando da vida nos montes. E recorda que partiu para a grande viagem tendo percorrido todo o perímetro da terra e regressado ao ponto de partida. Tudo começou na manhã em que saiu de casa com os três pequenos ao colo. Há muitos anos. E parece que tudo aconteceu ontem, como se o pesadelo de vinte e cinco anos de peregrinação não passasse do pesadelo de vinte e cinco horas. Nos contos de fadas a bela adormecida dormiu cem anos que não passam de cem segundos.

O tempo correu, sim. Quando partiu, não tinha calos nos pés. Nem cabelos brancos. Nem imagens tenebrosas nos arquivos da memória. Quando partiu, não conhecia tantas estradas, nem paisagens nem pessoas. Não conhecia ainda os terrores da vida. O tempo passou, sim.

Mas como é que tudo começou? Começou ou terminou? Na vida nada é princípio, nada é fim. Tudo é continuidade. Mas tudo começou no dia em que o pai negro partiu para não mais voltar. Tudo começou quando o pai branco amou a sua mãe. Tudo começou quando nasceu a sua irmã mulata. Tudo começou quando a sua mãe vendeu a sua virgindade para melhorar o negócio de pão. Tudo começou com uma relação que envolvia sexo e amargura. Filhos e fuga. Torpor e ausência. Escalada de uma montanha. Soldados brancos na defesa do império de Portugal. Dinheiro e virgindade. Magia. Fortuna.

Lembra-se de tudo, da terra e do mundo. Onde a cultura dita normas sobre homens e mulheres. Onde o dinheiro vale mais que a vida. Onde o mulato vale mais que o negro e o branco vale mais que todos eles. Onde a cor e o sexo determinam o estatuto de um ser humano. Onde o amor é abstração poética e a vida se tece com malhas de ódio.

A imagem do marido é a fórmula de amargura, não quer recordá-la. A mãe é a fórmula de traição, nem quer revivê-la. A família era uma constelação de pretos, brancos, mulatos à mistura, baseada em hierarquias e falsas grandezas. Por isso fugiu de tudo e aprendeu os segredos da solidão. A sorrir a brisa. Conversar com o vento e a beijar as estrelas.

Sente-se atraída por aquele lugar e decide ali ficar para repousar do cansaço de todas as caminhadas. Sem saber que naquele momento escrevia o prefácio para a nova vida.

Olha para o mundo de cima. As casas ricas da cidadela, os casebres. Os fumos das cozinhas espiralando-se no ar, como cogumelos gigantes, pilastras, segurando o teto do céu. Colinas. Árvores vaporosas dissolvendo-se no espaço. Está presente e ausente. Olhar de encantamento de gata brava, que mata ratos na calada da noite. Absorve todos os aromas da natureza. O cheiro do rio. Das águas paradas dos charcos. Da frescura das algas e das pedras. Cheiro das flores de nenúfar. Cheiro da verdura fresca dos arrozais.

A mulher do régulo busca a frescura do entardecer nas ruelas da vila. Talvez venha buscar a solidão e inspiração, trazida pela brisa da tarde. Talvez contemplar o pôr do sol. Encontra Maria, vogando na margem do rio, completamente nua. Uma onda magnética abate-se sobre as duas mulheres. Que palavras podem trazer de volta uma louca na mais profunda ausência? Que utilidade pode ter a sua presença diante de um caso perdido?

— Olá, Maria. A tarde está quente, não é?

— É.

— Diz uma coisa, Maria, o que fizeram de ti para ficares assim, movendo-te sem ruído pelas ruas, sem rumo, sem nome, sem teto? O que fazes pelos caminhos, presa ao solo como uma lesma, vegetando, despertando sentimentos de piedade, repulsa, infâmia, de nojo e de raiva perante a tua imagem nua? Que destino é o teu, que alimenta indignações, tiranias, levando pauladas e pedradas de qualquer pessoa, competindo por pedaços de alimento com cães, ratos, gatos, nas latas de qualquer esquina? Que vida a tua, que se alonga sucessivamente numa luta permanente contra as trevas, contra as feras animais e humanas, contra os ofídios traiçoeiros dos caminhos? Diz-me, Maria, de onde vens. O que comes. Quem te mata, quem te tortura.

Gotas de luz se acendem tímidas no rosto de Maria. A voz da mulher do régulo é o remédio doce que lava as feridas da solidão. Ela respondeu a todas as perguntas com um sorriso.

— Onde dormes, Maria?

— Eu?

Ela deve dormir ao relento, no abandono total dos desprovidos de terra. Deve ter a mente povoada de dragões, dinossáurios, paisagens medonhas. Deve sofrer de pesadelos terríveis que a destroem acabando por transformar-se nisto. Ultimamente têm aparecido muitos dementes desfilando na vila. Abandonados na tranquilidade do dia. No torpor dos sons e das músicas à beira dos mercados. Eles gostam de frequentar lugares públicos, caminhando só entre a multidão. As sociedades modernas produzem cada vez mais loucos e marginais como produtos de luxo. As famílias abastadas preferem, cada dia mais, oferecer uma boneca de pelúcia para o filho e não um irmão de verdade. Preferem ter em casa cães e gatos como companheiros de solidão. Porque o gato e o cão não reivindicam. E preferem afastar cada vez mais humanos para a loucura e a marginalidade.

— Diz-me, Maria. Onde repousas o corpo quando o sol dorme? Comeste alguma coisa, hoje, Mariazinha? Não queres vir comigo para um lanche?

— Não tenho fome nenhuma — responde a louca com voz distante.

A mulher do régulo lê o perfil de Maria. Parece uma mulher com dignidade. Com bons hábitos. Com berço. Ela baixa os olhos quando fala, timidez típica das mulheres educadas. Fala baixo. E fala bom português. Parece vir das aldeias. Do interior, as tatuagens no corpo são coisa do campo. Do interior ela não vem, podem crer. Deve vir da cidade. Da grande cidade. É muito asseada, não come à mão. Pede esmola. Pede pão com queijinho. Com manteiguinha. Tem o paladar fino das pessoas da cidade. Quando tem fome abandona as margens do rio e vai até às ruas da vila pedir, mendigar a sobrevivência. Educadamente. Ajoelhando-se para receber a esmola dos homens. Baixa a cabeça numa vénia para receber a esmola das mulheres. E lança olhares de ternura às crianças de colo. Mas onde será a sua terra? Ninguém conhece o ventre que a pariu. Nem as mãos firmes que a elevaram ao céu na cerimónia da lua. Ninguém, a não ser o vento solitário sussurrando na brisa.

— Vamos conversar, Maria. Fala-me de ti, dos teus. Diz-me tudo o que te apetecer, que estou aqui para te ouvir. Tens família?

A confusão de raças na sua mente de criança, debaixo do mesmo teto, numa mistura difícil de misturar, como leite e limão na mesma chávena.

— E por que é que estás aqui? A tua família onde está? Como é que te separaste deles até chegar aqui?

— No dia em que o pai negro partiu, a minha mãe não chorou. Embriagou-se. No dia em que o meu pai branco partiu, a mãe chorou e desmaiou.

— E como era a tua mãe?

— Muito bonita. Amava os brancos. Ela queria ser branca.

Na referência à mãe, um sintoma de ódio e de traição.

A mulher do régulo tenta desenhar imagens da mãe da louca. Não há gente boa neste mundo. Nem má. A vida é um permanente risco em busca de oportunidade. O assassino achou que era melhor matar. O ladrão achou que era bom roubar. A mãe da Maria achou que era bom atirá-la ao abismo. De quem é a verdade?

A mulher do régulo olha-a. Ela é uma alga. Medusa. Flor

de nenúfar. Os seus olhos parecem lua, que se mostra, que se esconde, que vai e volta. Ela sofre da doença da lua. A lua estava dentro dela. A lua é mesmo ela. A luz dos seus olhos expande-se nas curvas das colinas. Na estrada dos pássaros que voam cruzando espaços no céu. A sua morada é o infinito nublado e colorido. Parece um estandarte do barco à vela triunfando sobre as águas. A sua real doença parece ser a ansiedade extrema. Tomara que ela encontre no mundo tudo o que busca, para sossegar a sua alma.

— Tens lindas tatuagens no ventre. Posso vê-las? Quem as fez?

A velha arqueou as sobrancelhas olhando para o ventre de Maria com interesse redobrado.

As tatuagens belas, geométricas, pareciam uma teia, malha, cinto de renda bordada à mão, cobrindo apenas o ventre. Analisa os relevos. As saliências. Reentrâncias. Decifra a mensagem de cada símbolo e reconhece as origens de Maria. São tatuagens lómwè. Ela é oriunda das montanhas, e naquelas veias corre o sangue sagrado das pedras. Era a filha da terra, regressando da grande viagem, chamada pelos espíritos. Para curar-se nas águas do Licungo ou para escalar o monte do repouso eterno.

As tatuagens remontam ao tempo do esclavagismo, a velha sabe. Os povos africanos tiveram de carimbar os corpos com marcas de identidade. Cada tatuagem é única. É marca de nascença. No corpo, desenhando-se o mapa da terra. Da aldeia. Da linhagem. Em cada traço uma mensagem. Árvore genealógica. A tatuagem ajudou à reunificação dos membros da família, em São Tomé. Na América. Nas Caraíbas. Nas ilhas Comores, em Madagáscar, nas Maurícias e outros lugares do mundo. Mudaram-se os tempos, os africanos não precisam mais de tatuagens, terminou o tempo da escravatura.

A mulher do régulo sabia agora a origem de Maria. Mas nada podia fazer para ajudá-la. A velha senhora concretiza a ilusão da existência ao ver a corrosão e a morte do edifício julgado perene. As famílias estavam destruídas, estavam dispersas, por causa das guerras, das migrações. Nos tempos novos a sociedade se autocorroía em nome de uma modernidade arrastando centenas de semelhantes à marginalidade e à loucura. O mundo adotou novos desafios e combate novos inimigos.

Olha de novo para o rosto de Maria. Veste um sorriso virginal, fulgurante. De olhar fixo na lua ou em algum lugar. A velha senhora estende-lhe a mão. Para abraçá-la e dar-lhe algum carinho. Mas Maria esquiva-se.

— Maria, diz-me o nome de pelo menos um dos teus antepassados.

— Não me lembro.

— De onde vieste?

— De longe.

— O que procuras tu?

— Os filhos que perdi.

A mulher do régulo procura dentro de si uma palavra, uma resposta. Conheceu muitas histórias, mas nenhuma igual àquela. Maria deve ter sido casada e repudiada. Por esterilidade. A obsessiva ideia da mulher mãe afasta a mulher estéril da categoria humana.

As loucas criam fantasias e projetam no espaço histórias inverosímeis. Pode uma mãe recordar o rosto dos filhos perdidos há mais de vinte anos? Quanto tempo dura uma memória? Podem os pés humanos percorrer o perímetro do mundo? Quantos passos se percorrem, em mais de vinte anos? Perder um filho é uma dor que mata. Perder três, é algo que sepulta no mais profundo dos infernos. Não, esta história não pode ser verdadeira. Será que reside na fantasia dela?

— Ah, Maria, brava mulher, que caminha só e enfrenta qualquer perigo, a busca do tesouro perdido no tempo. Criança que as mãos maldosas arremessaram ao deserto. As mulheres do mundo inteiro orgulhar-se-ão do teu heroísmo.

— Acha?

— Claro! Agora, Maria, veste a tua roupa, aqui as noites são frias. Estás nas montanhas, muito perto de Deus. Tens que te vestir.

A mulher do régulo dá razão a Maria. Na Zambézia ainda há gente que não conhece algodão nem seda. Nem artifícios. Adultos de tangas e crianças de traseiro ao vento. A mulher do régulo lembra-se das roupas das esposas dos antigos feitores. Saias longas de mil folhos, no intenso calor dos trópicos. E achavam imoralidade a nudez e a liberdade das pessoas da terra. Os tempos mudaram muito. Até os padres aprenderam dos negros a dar um mergulho nu à beira do mar. As mulheres brancas aprenderam das negras a andarem de tangas, a que chamam minissaias, colantes. Agora são esses europeus que gostam de andar por aí de tangas enquanto o povo veste, com rigor, as roupas antigas.

— Maria, tens que te vestir.

— Para quê?

— Para te protegeres e seres igual às outras mulheres.

A nudez de Maria era o regresso ao estado de pureza. Da transparência. As mulheres ficam escandalizadas, porque o nu de uma se reflete no corpo da outra.

— Ah!

Nas cidades humanas a liberdade é proibida. O ser humano tem que andar sempre vestido, documentado, calçado. Por andar sem rumo, a polícia prende por vadiagem, como se alguém conhecesse de facto o rumo de cada passo. Por que é que tem de se andar num rumo exato se todos os lugares são lugares para andar? Por que é que tenho que caminhar a horas certas se todas as horas são horas para caminhar?

— Devias esconder o corpo.

— Para quê?

Para quê, se não tem nada a esconder debaixo das roupas? Ela não tem nada para esconder, sim. É filha de uma gota de água do rio transbordante. Nasceu das algas. Dos pântanos. Dos peixes voadores que desovam nas pedras dos montes. Nasceu nos canaviais e nos campos de arroz. Nasceu no deserto quente, sem suor nem humidade. Por isso gosta de água. É amante da água. Ela veio como espuma nas ondas do rio. Ela veio de parte nenhuma.

— Quando é que regressas a casa, Maria?

— Regressar? Nunca. Estou muito bem aqui.

Ela tem razão. Todo o lugar é bom para nascer. E morrer. O ventre da mãe é o único ponto de partida para todos os caminhos do mundo.

3

A cidade de Gúruè tornou-se um lugar de peregrinação. Cada dia chega gente nova, interessante. Este ano chegaram o padre Benedito e o Dr. Fernando. Dizem que são irmãos. Desde que a guerra terminou, as chegadas aumentaram. Com a construção da estrada asfaltada, Gúruè ficou ainda mais perto do mundo.

Há muitos forasteiros que chegam à cidade das montanhas cobertas de antúrios vermelhos com rebordos de barro. A beleza da terra e dos campos de chá atrai muitos imigrantes. Aqueles dois não parecem românticos, e muito menos pesquisadores de ouro. Eles vieram, sim, por razões diferentes. Vieram de longe, como quem regressa triunfante à terra mãe.

O povo venera o padre Benedito e tece mitos à sua volta. Dizem que é mágico. Só o seu olhar cura todas as amarguras, por isso o povo inteiro desfila diante dele para ser apanhado no ponto de mira dos olhos milagrosos. Ele é um homem de ternura, de paixões profundas, de humildade extrema. De sorriso aberto e o peito fechado. Durante a missa, sorve as próprias palavras com a sofreguidão de um declamador. E dizia coisas belas. De fé. De poesia. Quando fala da família, do pai ou da mãe, chora. Talvez recorde momentos da crueldade deste mundo. Talvez lhe tenha falecido o pai em algum combate. Talvez a família tenha perecido num massacre. Alguma coisa de grave aconteceu em sua vida. Ou não aconteceu nada. Pode até ter sido assim instruído, as igrejas modernas exploram as emoções dos crentes em atos teatrais.

Conheceram antes padres velhos e brancos. Padre preto e jovem é coisa dos tempos da independência. Para aquele povo, a procriação é a essência da vida e a vida sexual é tão vital como a gota de água. Ser padre é importante, reconhecem, mas mais importante ainda é gerar um herdeiro para segurança social nos momentos difíceis. Morreram muitos homens na guerra civil e há muitas viúvas por consolar, muitas solteiras esperando amor, é um crime grave um homem dormir sozinho, seja quais forem as motivações da sua crença. Fazia dó ver as jovens espevitadas diante daquela santa presença, a tentar abordar o macho para as coisas da terra, para acabarem frustradas como abelhas embatendo nas vidraças frias de uma janela.

Não havia nada de anormal no comportamento das mulheres. As novas crenças é que são estranhas, contraditórias. Os deuses bantu ordenam a virilidade e a fertilidade. No sexo, a transcendência. Os deuses celestes ordenavam também a fertilidade e a multiplicação, mas alcançam a pureza do corpo no celibato. Por isso as famílias negras não aceitam de bom grado que um filho seja ordenado. Todo o homem belo deve deitar sementes ao solo. E germinar. Encher a terra como as estrelas do céu, porque a eternidade é filha da fecundidade. Por isso as mulheres perguntavam as origens daquele jovem padre.

— Senhor padre Benedito, o senhor é daqui?

— A terra é de Deus. Como as andorinhas eu sou daqui, dali, de qualquer lugar.

— Ah! Padre Benedito, o senhor é homem mesmo?

Ele sorria. E comparava aquele linguarejo ao alegre canto das cotovias saudando o amanhecer. Expressão da liberdade. Aquelas mulheres falavam como quem brinca, mas ambos sabiam que o melhor veneno tem gosto de mel.

— Não sei. Sou filho de uma pedra. O que acham de mim?

— O senhor nunca se apaixonou?

— Já.

— Então? Quem prova deste vinho nunca mais dorme sozinho.

— Eu não bebo, vocês sabem.

— Que pena, senhor padre!

As mulheres procuravam libertar as tensões no coração gradeado daquele padre, assediando-lhe a carne fraca, jovem e fresca. As mais atrevidas abriam-se dizendo com toda a liberdade o que lhes ia na alma.

— Vamos lá, senhor padre. Faz lá um pecadinho, um só de vez em quando, não faz mal nenhum. Pode até ser comigo, se quiser, vamos lá, ó senhor padre!...

— Deus tem olhos grandes, vê tudo.

As mulheres querem provar que elas existem e a sua presença é mais importante que todas as crenças e juramentos deste mundo. Para que o padre conheça a real dimensão das necessidades do corpo. Há parcelas do organismo que não se alimentam de arroz, nem de remédios e palavras divinas.

— Senhor padre, escolheu essa vida assim por vontade?

— Foi o destino. O chamamento.

— Ah, que pena, senhor padre! Que desperdício! Tanta beleza só para servir a Deus? Não, não devia ser assim. É uma tentação. Devia ser proibido ordenar padres tão bonitos — porque atrapalham as freiras, as donzelas e as mulheres casadas. Ah, senhor padre! O senhor devia ser mais caridoso e matar a sede do mulherio solto pela cidade!

O Dr. Fernando, irmão mais novo do padre, aparentava uns trinta anos. Contrastava com a elite burguesa da pequena cidade, que se socorria das futilidades deste mundo, exibindo carros de última moda e joias grotescas de novos-ricos, na afirmação de grandezas imaginárias. Andava sempre de jeans. De sapatilhas e camisa de manga curta. A pé ou de bicicleta como um camponês qualquer. Não ostentava nada. Nem um anel de ouro no dedo. Nem palavras complicadas na boca. Acessível e transparente como as águas do Licungo nascendo no alto do monte. Quem o quer o tem. Apenas o seu saber e a força, porque o coração vive numa fortaleza inacessível.

O médico acreditava na magia dos montes. Nos mitos que se contam do sagrado e do profano, do mágico. Por isso escalava, regularmente, para se inspirar no fantástico residente no pico do Namuli. Acreditava também na magia de amor, e tratava os doentes com a terapia de amor e remédio. O povo venera o médico e diz que tem mãos mágicas. Basta ser tocado por ele para ser curado. As mulheres aproximavam-se cheias de desejo. Apertavam o cerco.

— Doutorzinho lindo, o senhor tem esposa?

— Não, sou solteiro.

— Tem namorada?

— Não, não tenho nenhuma.

— Porquê, doutor?

Eles espantavam o mundo. Não se pode viver sem uma gota de água. Aqueles dois viviam no mar seco, num deserto sem alma fêmea a espantar os pesadelos das noites. O povo busca explicações e tece fantasias sobre mordeduras de coelhos, causadoras de impotência sexual, condenando homens e mulheres a noites de eterna infância. Faz condenações imaginárias dos pais de ambos por terem criado coelhos na puberdade da rapaziada, acabando por estragar o brilhante futuro das criaturas. O povo cria fantasias nas quais não deposita fé nenhuma, e por isso as mulheres não desarmam.

— Mas o senhor doutor é homem mesmo?

— Sou da família dos anjos, não tenho sexo.

— Ah, nós podíamos arranjar uma donzela para o senhor experimentar. Ou mesmo eu, se me quiser, é claro. Aqui o frio é imenso, doutor.

— Os anjos não sentem frio.

— Você e seu irmão são tão atraentes. Encantadores. Têm braços suficientes para enrolar uma mulher até se sentir dentro de uma concha. Ah, quem me dera ser levada nas ondas desses braços. Doutorzinho lindo, no dia que o senhor quiser!...

Na caçada do amor as mulheres sabem que é preciso esperar as noites de frio intenso e sem lareiras acesas. É preciso esperar que a fé decante e o desejo ressurja nítido, com a leveza do azeite no copo de água. É preciso aguardar que o bicho homem se revolte e domine todo o raciocínio. Nesse tempo, o padrezinho e o dourtorzinho vergarão, porque homem nenhum sai vitorioso na luta contra as leis da criação. Quando esse momento chegar, eles buscarão o resguardo, a sombra para serenar a sua fúria de lobos. E os filhos nascerão, mesmo que eles não os queiram. Sortudas serão as mulheres que estiverem por perto, nesse instante.

Aqueles dois irmãos são despidos de sentimentos mundanos, de posses, de belezas de mulheres e vaidades do quotidiano, são gente sã, que inspira a moral de todos os habitantes. De olhos flutuantes procurando algo que voa, que alivia, que tira a mente das nuvens e fixa os pés no solo. Têm uma aura de ausência, de leveza, parece que lhes falta algo indescritível para completar a existência. Talvez o lado feminino, que completa o masculino, não o corpo, mas o lado sagrado, transcendente, que faz qualquer um sentir aquela alegria de viver, até no vestir, no sorrir. Parecem frágeis como crianças crescidas na orfandade. Eles se aproximam das mulheres, oferecem sorrisos e flores. No gesto de oferta parecem buscar uma relíquia perdida nos olhos dessas mulheres. Eles sonhavam com as mulheres, sim, mas mulheres de outra natureza, outro pensamento. Talvez uma mãe, ou uma irmã. Talvez um útero onde se pudessem proteger das vergastadas da vida.

Estão sempre um ao lado do outro, unindo-se numa espécie de resistência contra o tempo. Protegendo-se mutuamente para que a separação não aconteça. Sempre juntos, a ver o pôr do sol no final de cada jornada. Conversando coisas das suas origens e de um mundo que só a eles pertence. Eles dizem que são dali, mas nada sabem da geografia da terra, nem da história nem das linhagens. Devem ser filhos de famílias abastadas, famílias antigas, que emigraram. Alguma coisa se saberia se o cozinheiro do padre não fosse mudo e o curandeiro não fosse tão sisudo, nada deixando transpirar. Podiam ao menos espreitar os lençóis para confirmar se eles eram homens ou apenas santos. Algumas pessoas juntam-se de novo e correm para a casa do régulo em busca de uma resposta.

— Senhora esposa do nosso régulo, mãe de todas as mães, que conhece a história deste povo desde a criação do mundo, diz-nos algo sobre estes jovens. De onde vieram eles?

— Outra vez a mesma pergunta? Não entenderam a minha explicação? Querem saber de onde eles vêm? E nós, de onde viemos? Está bem, mais uma vez vos digo. É aqui, nos Montes Namuli, o berço da Zambézia inteira. Eles vieram, sim, para nos lembrar tempos em que a terra era nossa e as montanhas pariam vida. Embora muitos digam que nascemos num éden distante e de um casal estrangeiro, vieram estes para nos lembrar a morte lenta dos nossos mitos. Dos tempos em que não havia fome, quando o paraíso original vivia no ventre do nosso monte e era aqui o berço da humanidade e de todas as espécies do planeta. Vieram para nos fazer renascer. Para nos reunir em comunhão com o grande espírito e repousarem no solo sagrado dos montes, porque aqui tudo começa e tudo termina. Zambézia tem fronteiras? Não, porque aqui é o centro do cosmos. Todo o planeta terra se chama Zambézia. Os Montes Namuli são o ventre do mundo, o umbigo do céu.

4

Delfina está acocorada diante das águas. Na confluência entre o rio dos Bons Sinais e o mar do Índico. Tentando decifrar os mistérios da noite no marulhar das ondas. Despertara ao cantar do primeiro galo e para ali se dirigira. Para ver o Sol a nascer e iluminar a sua mente. Traz o rosto denso e a mente cheia de inquietações. Nos seus sonhos dos últimos tempos uma paisagem de montes se revela com todo o seu poder e para os macuas, lómwès, chuabos, sonhar com os Montes Namuli é sonhar com o destino. É um chamamento de chegada ou partida. Princípio ou fim. Porque os Montes Namuli são magia. Poesia. Profecia. No coração de Delfina o suspiro de ansiedade. Chegou a minha hora, do princípio e do fim. Será hoje? Será agora?

Fica ali, até muito depois de o Sol nascer, como um monumento na praça. Mendiga prostrada na esquina de uma rua, esperando a sentença do destino. Exausta de tanto marchar nos caminhos do deserto. Aprendeu com quantos espinhos se faz uma dor. Conhece o tamanho do rosto pelas lágrimas que caem dos olhos à boca. Conhece a partitura da música do choro. A dimensão de um grito, pelo número de vezes que chamou por Maria das Dores vagueando nos confins do universo. Ou no fundo da terra. Conhece o número de grãos de sal em cada lágrima. Sabores? Conhece apenas o fel, o vinagre e o álcool. O velho coração de bêbada sonha com alegrias sem fim no dia em que Maria voltar.

Há anos que espera o regresso de Maria no dorso das ondas. Contando o tempo que viverá entre o limbo e a saudade. Mas a cura das suas mágoas reside para além do horizonte, e para a alcançar terá que vencer o tumulto das ondas mansas que brilham ao sol como espelhos. Pensa. Em partir para Gúruè, cidade dos Montes Namuli cobertos de antúrios. A estrada é boa. A viagem é longa. Trezentos e cinquenta quilómetros. Para dialogar com os deuses dos montes, em direto, sobre o paradeiro da filha perdida. Delira.

"Eu tinha uma filha. Ou tenho, já não sei. Era uma menina, linda. Nasceu em 1953, mas parece que ainda ontem brincava de mamã cuidando dos irmãos mais novos como bonecas. Partiu em 1974, como uma nuvem, e se esfumou no imenso palmar, já não a encontro. Procurei-a de palmo a palmo. Conferi as multidões, uma a uma.

Ah, Maria das Dores, procurei-te. No dorso das ondas. Nas colinas e ilhas celestes vagueando na atmosfera. Nos grãos de areia. Não te encontrei. Foste-me arrebatada pelo bico de uma cegonha, para o alto dos montes, não te encontro. Hoje, véspera do novo século, ainda estou aqui, chamando por ti.

Quero saber de ti. Para onde partiste. Há vinte e cinco anos que sonho contigo e te vejo em toda a gente que passa. Vejo-te a brincar. A crescer. Com fardamento escolar. Lembro-me dos dias em que olhavas para a lua, enquanto penteavas os teus cabelos fartos como novelos de seda.

As minhas noites são cobertas de montes, ultimamente. Sinto que estarei contigo em breve, no além ou neste mundo. Estou cansada de ouvir a minha história, fossilizada em moldes de barro pelas cantigas do povo. Estou cansada da justiça popular que me acusa e me condena, continuamente.

Sou das que hibernam de dia, para cantar com os morcegos a sinfonia da noite, sou feiticeira. Tive todos os homens do mundo. Dois maridos, muitos amantes, quatro filhos, um prostíbulo e muito dinheiro. O José, teu pai negro, foi a instituição conjugal com que me afirmei aos olhos da sociedade. O Soares, teu padrasto branco, foi a minha instituição financeira. O Simba, esse belo negro, foi minha instituição sexual, o meu outro eu de grandezas imaginárias, que me deixou para ser teu marido.

Reinei. Aterrorizei. O único tormento que sofri nesta vida maldita foi a dor de te ter perdido. Vinguei-me de tudo. Roubei o amor dos homens, deixando frio nas camas das outras mulheres. Destruí famílias. Arrastei muitas virgens para o abismo e fiz fortuna no meu prostíbulo. Tomei todas as poções mágicas contra a pobreza e afastei todas as rugas do meu rosto. Bailei nua nas noites de lua e hipnotizei os homens da terra inteira, cumprindo o meu supremo destino. Sou eu, tua mãe, quem te colocou nas mãos uma herança de espinhos, e icei uma forca contra o meu pescoço.

Por culpa da minha mãe que me fez preta e me educou a aceitar a tirania como destino de pobres e a olhar com desprezo a minha própria raça. Por culpa do Simba, meu amante e teu marido, que me alimentou de feitiços e fantasias destrutivas. Por culpa da natureza que me deu beleza sobre todas as mulheres. Por culpa do José, pobre e preto, que me alimentava de farinha e peixe seco, enquanto eu, Delfina, queria bacalhau e azeitonas. A culpa é do Soares, que me elevou aos céus e me largou no ar. A culpa foi minha. Por ter desejado ser o que jamais poderia ser. A culpa é do mundo, que me ensinou a odiar.

Ah, meu Deus, traz de volta a minha Maria das Dores. Meus deuses, meus espíritos protetores, levai-me ao Namuli, meu monte, meu berço, ventre da minha mãe!".

5

A tarde era amena. Até as perdizes repousavam as vozes, depois da refeição do meio-dia. Os homens e as jiboias no natural gesto de preguiça, rebolando nas sombras para digerir o repasto do dia.

O médico faz o maior esforço do mundo e dá um passeio digestivo a caminho da clínica onde os doentes o esperam. Vê Maria das Dores sentada à beira da estrada. De cócoras. Ausente. Um sentimento de inveja o assola. Um suspiro mudo se solta: mas quem me dera ser como ela. À deriva e sem compromisso. Dormir e acordar sem ninguém que a espere. Eternamente parada no relógio do tempo. Não será isso felicidade?

— Boa tarde, Maria.

— Bom dia.

— Já não é bom dia. Passa do meio-dia.

— O dia tem vinte e quatro horas, doutor. Bom dia!

— Ah, sim, tens toda a razão, mas mesmo assim, boa tarde, Maria.

Uma resposta mecânica. Natural e autêntica. Sem aquelas vénias nem salamaleques hipócritas com que o povo saúda um doutor. O médico fica surpreendido. Detém-se um instante. Porque as palavras da louca se revestem de algum mistério. Provocam interrogações e exigem respostas, e o médico não tem tempo para conversar. Convida-a a segui-lo.

— Que fazes tu aí?

— Nada!

— Não queres vir comigo?

— Para onde?

— Acompanha-me neste passeio até à clínica. Não é longe. É ali, naquela subida.

Maria não se faz rogada. Ergue-se e caminha ao lado do médico, no percurso do desconhecido. Naquela cidadela tudo é perto. Em poucos minutos alcançam a clínica e sentam-se um diante do outro. Sem barreiras nem formalidades. As imagens da vida fixam-se quando não se espera. Apenas acontecem. Basta os olhos registarem na objetiva imagens esquecidas no tempo. Falando de nada ou de alguma coisa. Inconscientes da importância daquele encontro na vida dele e dela.

— Diz-me o teu nome, Maria.

— Meu nome?

Ela fica em silêncio. A máscara das sombras brinca naqueles olhos, porque a mente viajou para outras galáxias. Para ela se reencontrar num todo terá que subir ao alto dos céus, caminhando muitos anos-luz até lá, com andas de bambu e escadas de pau.

— Mas eu sou Maria.

— Só?

— Sim.

— Maria é nome de mulher, nome de mãe.

O que sente um homem diante de um ser andrajoso, misterioso e de todo enlouquecido? Curiosidade? Nojo? Piedade? O médico olha para Maria. Que mundo existirá dentro dela? Que imagens, que pesadelos, existirão dentro dela? Que correntes a levaram para esta existência sombria?

— Para que queres tu o meu nome?

— Para conhecer-te.

— Para quê?

— Para sermos amigos. Para me aproximar de ti e poder chamar-te sempre que te encontrar. Para te levar a casa pela mão, quando a noite cair. Não é bom uma mulher andar só na penumbra isolada dos caminhos, e tu andas sempre só. Não tens medo dos homens maus, Maria? Não tens medo das feras? Nem dos violadores de mulheres?

Maria ouve a voz do rapaz saindo de um lugar distante. Uma mão que faz eco no lugar mais sagrado do seu eu. Uma voz surgindo do sonho antigo, renascendo de um lugar distante.

— Diz-me então onde moras. Quero saber onde fica a tua casa.

— Para quê?

— Para poder visitar-te.

— Visitar-me?

— Sim. E levar-te um pouco de lenha para a tua fogueira e afastar a cacimba nas noites de frio. Para trazer-te uma sopa quente e um cobertor. Para não apanhares artrites, nem sinusite nem gripe.

O médico esforça-se por reconhecer os traços de humanidade onde os outros a julgam perdida, como um menino pobre, no monte de lixo, tentando resgatar os desperdícios, os restos de alimento para o próprio conforto. Porque ele sabe que confortar o outro é confortar-se. É dormir de coração feliz, por ter ajudado alguém a ser alguém.

Maria era uma peregrina em busca de uma voz distante.

— De onde vens, Maria?

— Eu?

— Sim. Tu.

Pergunta típica do primeiro encontro. Porque as pessoas são como as árvores. Têm raiz. As pessoas são mesmo árvores. Alegres e frescas como flores do campo. Umas são árvores em terras áridas. Como ela. Outras, sedentas, sem folhas nem humidade, de ramos nus como mãos rogando aos céus.

— Venho de longe.

— Longe?

— Sim. De um lugar sem nome.

— Ah!

Ele quer dizer algo, mas não consegue. Porque é difícil alguém falar de si próprio. Quem fala de si sempre mente. Colocando palavras doces sobre momentos amargos. Colocando flores e velas em lugares escuros, para esconder os espinhos do percurso.

— Fala-me da tua história de vida.

— Não tenho história nenhuma — responde Maria.

— Ah, mentes. Cada um tem a sua história — insiste o médico —, cada dia tem a sua história. Ah, Maria, tu tens a tua história.

As verdadeiras histórias estão nas telenovelas. Estão também nos livros. Diz Maria, para despistar a curiosidade do médico.

Maria sente vertigens na mente. Os médicos são gémeos dos padres. Curiosos. Querem saber tudo o que os outros fazem. No consultório. No confessionário. Uns usam palavras para as doenças da alma e outros usam remédios para as doenças do corpo.

— Fala-me um pouco da tua infância.

— Da minha infância?

Maria recua no tempo e celebra a infância. Do ventre materno foi a primogénita. Ela era o orgulho, o delírio, nos braços da mãe. Era a flor, a festa no coração do pai, que a erguia ao alto na saudação à lua, gritando triunfante a plenos pulmões: eis a minha filha, minha rainha, alma da minha mãe!

— Fala-me do teu nascimento.

— Ah?!

Das origens guarda as mais doces memórias. Diz que não é uma preta qualquer. Não nasceu no matagal nem no canavial. Nem ao gosto do acaso nem por acidente. Ela foi desejada, esperada, o seu nascimento celebrado. Veio ao mundo nas mãos de uma parteira branca, no hospital dos brancos. Foi criada com leite, mel, beijos e muito carinho. Cresceu no berço de ouro e na alcofa de rendas. Gerada por um preto, criada por um pai branco. Um dia o pai negro partiu, o pai branco chegou e a vida mudou.

— E a tua casa de infância?

— Ah, a minha casa.

Recorda a casa do pai preto. De forma cónica, como um cogumelo dos contos da Alice no País das Maravilhas. Árvores frondosas e um verde muito verde. Mosquitos. Comida com fartura. Risos e sonhos. Felicidade pura. A casa do pai branco, muito bela. No bairro dos brancos. Com janelas largas e vidro fosco. E jardim com muitas flores. Eletricidade. Mobílias mais altas que as pessoas, que à noite se confundiam com os fantasmas. Comida boa, e muita tristeza.

— E a tua mãe?

— Ah, a minha mãe!

Maria conta como ela era surda. Não ouvia os choros das crianças nem os apelos do mundo. Mas ouvia o tilintar das moedas caindo no solo a quilómetros de distância. Ouvia o chocalhar das pulseiras e dos brincos de ouro que tilintavam nos braços, nas orelhas e nos tornozelos. E ouvia o comando da própria mente. Era cega. Via a sua imagem ao espelho. E mais nada. Era muito bela, a sua mãe.

— E o teu pai?

— Tive dois pais. O pai negro era um homem de bravura. Usurpou a mãe dos braços de um branco, numa batalha mortal. O homem branco era um homem de envergadura. Recuperou a minha mãe dos braços do meu pai negro. O meu pai negro era muito alto e muito belo. O meu pai branco era muito doce e muito meigo, baixo e redondo, como um barril de vinho tinto.

— Dois pais e uma mãe?

— Sim.

— Como foi possível?

Uma história transcendente. Com malhas de sedução e de traição. Maria conta essa história. Sem muitos detalhes porque ela não os conhece. Tudo aconteceu há muito, muito tempo. Muito antes de o pai dormir com a mãe para ela nascer. Era uma vez.

O preto e o branco amavam loucamente a mesma mulher. Colocaram no desafio nomes como honra, virilidade, para camuflar a cobiça, e ambos a disputavam como um troféu. Ela é a minha rapariga, minha preta, dizia o branco, eternamente minha. O preto replicava eu sou o Adão e ela a minha costela geradora da vida, será a minha esposa, eternamente minha. Marcaram o duelo para uma noite de lua, sem padrinhos nem testemunhas. Antes do combate ambos juraram vitória, usando as mesmas palavras: por essa negra matarei, ou morrerei. Por essa negra viverei, vencerei. Foi assim. Lutaram. O branco com punhos de raiva e o preto com punhos de ferro. Fizeram piruetas no dorso da terra, na dança da morte. Desalojando as ervas do seu ninho. Rebolando nas poças de lama, reduzindo-se a nada, cumprindo antigas profecias. És barro e lama. Do pó vens, ao pó voltarás. Os dois no chão ganhando a cor do pó e do barro, num ato de regresso às origens. Talvez para nascer outra vez. Na primeira geração éramos da cor da terra: todos negros. Com o tempo, as raças se modificaram: pelo clima, pela comida, pelas formas de vida, a humanidade se diversificou. Por isso hoje estamos aqui, numa salada de raças.

O combate prolongou-se até ao cantar dos galos. Nos socos do branco, a cegueira do amor. Nos socos do preto, o ciúme, a raiva contra a raça dos marinheiros, o ódio pela colonização, pela escravatura, pelo chicote dos capatazes. A lua parou para assistir ao milagre da noite. Um preto sovando um branco num duelo de amor. Inédito. Incrível. Bravo! O nome José dos Montes será registado na memória da Zambézia como um produtor da História.

O branco estava moído num puré de cenoura quando a madrugada chegou. Cansados de tanta luta, sentaram-se lado a lado. Por amar a mesma mulher os dois homens se irmanam, abraçando-se como só a fraternidade sabe abraçar. Sussurrando um para o outro palavras cansadas. O branco, esmagado de dores, suspirava: pode um homem conquistar o amor pela força dos punhos? Ah, Deus meu, por que me trouxeste ao Éden? Por que me puseste diante dos olhos a fruta mais apetitosa da existência, se nem a posso segurar?

Do alto, a Estrela de Alba vem e ilumina as suas mentes. Olham-se. Reconheceram em si dois miseráveis, caçadores de borboletas. Arriscando-se a matar e a morrer por algo que nem se apalpa. Apertaram-se as mãos e selaram um pacto, prometendo guardar segredo sobre aquela luta. Não vale a pena tanta guerra. Nas coisas do amor, todas as raças são iguais. Coração preto, coração branco, a mesma loucura, a mesma fantasia, e nas veias o mesmo sangue vermelho. Por que lutamos? Por que nos maltratamos assim tanto?, rendia-se o branco. Fica com ela, se quiseres, mas não me mates. Deixemos que seja ela a decidir com quem fica. Ela me escolherá a mim, argumentou o preto. Conheço aquela borboleta, rapaz, disse o branco em jeito de profecia. É um inseto voador. Sangue de piranha. Pode escolher-te hoje. Por quanto tempo?

As previsões do branco concretizar-se-iam mais tarde. Os dois sucederam-se alternadamente no coração e no corpo dela. Ao branco amante sucedeu o preto como primeiro marido. A que se sucedeu o branco como segundo marido. E de novo o preto como amigo, amante, marido, ou qualquer coisa indefinida. Os dois amando-a até ao infinito. Por ela sofrendo até ao abismo. De tão amada ela acabou abandonada, cumprindo o adágio popular: quem de sentimentos mata, de sentimentos morre!

No final da luta ampararam-se e ergueram-se como bons inimigos, e caminharam ao pé-coxinho como gémeos siameses ligados pelo amor.

Ambos sabiam que a mulher de verdade é a que caminha de pernas fechadas. Guarda o amor no cofre do peito. Segura a mão do seu homem e ampara-o na construção do mundo. Sabiam, sabiam tudo. Sabiam também que eram vítimas dos poderes mágicos de uma sereia negra. E viveram todo o seu percurso como heróis na dança do preto e do branco.

— Que história, Maria!

— Foi assim que tudo aconteceu, doutor. Foi mesmo assim.

— Interessante!

O médico esperava ouvir uma história de amor que começa com flores do jardim e acaba com espinhos e tormentos, porque é na paixão que reside a loucura da maioria das mulheres. Esperava ouvir histórias de príncipes e princesas, de castelos e sonhos. Mas enganou-se redondamente. Maria fala das histórias de outros mas não da sua. Começa a interessar-se por aquele relato. Na família da louca reside a raiz do problema.

— Como chegaste a este ponto?

— Ah, doutorzinho bondoso!

A louca recua no tempo. Recorda aquele entardecer de fim e de princípio. Dos braços do homem de sua mãe, que seria, afinal, o homem da sua vida. Dos seus olhos nascem lágrimas que correm como dois caudais abundantes até às portas da eternidade. Era a gestação do Licungo e do Malema, rios gémeos de caminhos opostos, filhos dos Montes Namuli. Que encerram mitos sagrados do feminino e do masculino, muito anteriores à criação humana.

Diante das lágrimas o médico enternece-se. E desenha um mapa de prováveis diagnósticos. Esta mulher deve ser de Quelimane, onde as sereias se batem pela posse de um homem branco para colher o sémen, gerar um filho e encher o mundo com o colorido da nova raça.

— Que ventos maus te arrastaram para este percurso? — insiste o médico com redobrado interesse.

— Ah, coisas da vida.

— O que é a vida?

— Quer mesmo saber?

— Claro!

— A vida é amar e sofrer. Percorrer à cabra-cega os labirintos do mundo. Calcorrear estradas, ruas, caminhos. É ver rostos humanos, rostos vivos, mortos, inanimados e abortados.

O médico aprende os contrastes do mundo. A mulher que, à distância, parecia doida varrida, de perto se reconhece respeitável e humana. Com palavras coerentes e ideias claras. Contrastando com os indivíduos que ao longe parecem lúcidos e de perto se revelam doidos e tiranos.

— Antes mesmo de perceber as coisas deste mundo — diz a louca —, as luzes se apagaram no meu caminho.

— Porquê?

— As luzes do palco não iluminam o dia inteiro. Caiu a luz caiu o pano. Caí eu.

— E o que buscas nos caminhos, Maria?

— Tudo o que nunca tive. Tudo o que ganhei e perdi.

— Eu também, Maria. Eu também. Nesse ponto todos nós somos iguais, não somos?

O médico sente-se diante de uma eremita e não de uma louca. Somos todos peregrinos na eterna busca. Seguindo os trilhos do acaso até ao ocaso das nossas vidas. No fim de um caminho, o início de outro. Corpo e alma acasalando-se, divorciando-se, reconciliando-se, imitando o amor do sol e da lua.

— Sabia que eu ia viver assim.

— Quem?

— A minha mãe.

Reparou que o rosto de Maria mudava de expressão. Sobe-lhe à mente uma vaga de turbulência que lhe altera tudo. Os gestos em movimento ascendente. Os olhos de quem busca algo no fundo da memória. Viu a mente a transmigrar para outro espaço, outro tempo. A louca entra em possessão. Matoa. Madjini. Mandiqui. Ou simplesmente epilepsia. Solta uma voz esganiçada, como do lobo das cavernas:

— Foi aqui — grita a louca.

— O quê?

— Foi desta sala que eu parti.

— Para onde?

A louca vencera a barreira do tempo. Estava na orla de passado antigo, cumprindo os ditames de sóis mortos. O médico entra em pânico. Metempsicose é arena de curandeiro. A louca identificava aquele lugar, e ali buscava alguma coisa que teve e perdeu. Talvez tivesse sido dali que partira para os caminhos da lua.

— Onde estão eles?

— Quem?

— Os meus meninos.

— Aqui somos apenas dois. Mais ninguém.

Maria abandona a cadeira e percorre o corredor do hospital. O médico persegue-a. Percorrem os quartos. Os berçários. Os consultórios. De repente a louca para e acusa:

— Onde está o doutor?

— Sou eu.

— Não, não és, vamos, diz-me a verdade, rapazinho negro. Não fica bem mentir. Roubar é pior ainda. Eu também brinquei de doutora e de enfermeira e até de cozinheira. As pessoas brincam assim quando são pequenas. Estás crescidinho, não podes mentir, diz-me, onde está o doutor?

— Qual doutor?

— O branco. O velho. O careca. O português. Dizia-se também que era padre.

— Ah!

Há um momento de lucidez na mente da Maria. Recorda. Havia soldados nesse tempo. Estava no coração de uma guerra. Pretos e brancos no mesmo exército, acossados por soldados invisíveis, que apareciam de noite e só atacavam de surpresa. Libertadores ou terroristas. Guerrilheiros ou guerreiros. Lembra-se de ser transportada por soldados brancos para aquele hospital onde os médicos e enfermeiros eram brancos.

— De onde tiraste essa bata branca, menino negro? Sai já daí, o teu lugar não é esse. O teu lugar é na entrada, no corredor, transportando macas, limpando o chão e trocando os lençóis fedorentos dos doentes. O teu lugar é na lavandaria, na cozinha. Agora diz-me: onde está aquele médico branco? E a freira branca?

O jovem médico recorda. No passado, os empregos obedeciam às hierarquias raciais. A memória da mulher encalhou como uma nau na areia do tempo. Não sabe que a guerra acabou, os brancos partiram e se mudou a bandeira. Não sabe que ainda houve uma nova guerra e uma nova paz debaixo da nova bandeira.

— O doutor branco partiu e não volta mais, Maria.

— Para onde?

— Para a sua terra.

— Onde?

— No ultramar.

— Ultra quê?

— Ultramar. Do outro lado do mar, lá no Norte do equador. Somos agora independentes. A nossa terra já está no mapa do mundo.

Os brancos estavam aqui, ao lado dos pretos. Amando-se e odiando-se como marido e mulher dentro de uma casa. Mas a zanga e o divórcio sucumbiram ao milagre do tempo: o ódio de ontem transforma-se num novo amor e a saudade na emergência de uma nova união. Onde está o meu branco? Onde está a minha negra? Ele esteve aqui. Ela esteve aqui. Antes daquele tempo. Depois daquele tempo. Onde está?

— Vou já até lá. A pé.

— É longe! Para lá chegar terás que vencer o mar.

— Onde há um desejo, há um caminho. Chegarei. A minha vida será essa a partir de hoje. O descobrimento do caminho para lá chegar.

— Descobrimento? Porquê?

— Eles levaram todo o meu tesouro.

— Tesouro?

— Sim. Os meus três meninos. E substituíram-nos por

outros que não choram nem mamam. Há quanto tempo eles foram?

— Há trinta e um anos. Eu sou o médico e tenho a idade da nova nação.

— Trinta e um anos? Só? Acha que foi muito tempo?

O médico tenta olhar para o tempo, o seu tempo. Distante e nublado. Noite densa, compacta, sem pontinhos no céu. O doutorzinho ainda não sabe como se medem as distâncias do tempo. Nem da vida. Conhece apenas o longo percurso da infância dos orfanatos. A sopa de abóbora dos colégios. O feijão insípido sempre armado de larvas e de gorgulho. A batata fardada dos lares universitários, que se coze e se serve sempre vestida, para preservar o pudor e a virgindade dos nutrientes. Os discos voadores das fatias de pão, servindo de pedregulhos para as fundas, e que fizeram memoráveis fisgas de pássaros. Da distância recorda o café maquilhado com leite azedo. O óleo amargo, trajando as cenouras com paladar de sabão. Do tempo recorda as alfaces vaidosas, com brincos de azeitona, pulseiras de tomate e anéis de cebola. Nada mais do que isso. Nem terra natal, nem defunto, nem antepassado. Nem pai nem mãe. Numa vida feita de livros e missas. Estudando todas as linhas e parágrafos para não reprovar e manter o lugar no colégio. Para ter sempre onde comer um prato de sopa. Ter uma cama e um cobertor. E ter amigos. E a proteção da freira, sua madrinha. Do passado eles têm apenas uma memória. Foram trazidos ao mundo no bico de uma cegonha.

— Ah, menino bom, menino doce. És o mais inteligente de todos os que conheci. Menino bonito, vá, jura-me pelos teus antepassados, teus santos: não mataste o branco?

— Eu? Alguns foram mortos pela História. Por mim não, eu juro.

— Lindo menino! Não se pode matar um homem, mesmo que seja um branco. Nunca!

— Não, não matei. Nem matarei. Quando partiram eu ainda era menino. Juro.

— Não voltarão?

— Não, nunca mais.

— Evita a palavra nunca, menino. O sol que vai depois volta. A noite também. Até os mortos renascem em novas encarnações. A palavra nunca fecha as portas do céu, menino, evita-a.

— Porquê?

Maria explica. O assassino encarna o espírito da sua vítima. O preto que matou o branco partirá de joelhos para a terra do branco. Para pagar a dívida de sangue na árvore dos antepassados do morto. Os brancos que mataram voltarão. Para se ajoelharem e pedir o perdão dos nossos antepassados. E serão recebidos nas nossas palhotas como irmãos. O sangue derramado irmana, faz um nó, e nem a morte pode separar.

— Tens a certeza, Maria?

— Absoluta! Foi sempre assim desde o princípio do mundo.

A louca persegue vozes de fantasmas perdidas no silêncio do tempo. Grita. De medo. De raiva contra o tempo que foi e não volta mais. Lança todo o seu desespero nos corredores do hospital e o médico confirma. Foi daquela clínica que ela partiu para o infinito. A louca levanta-se. Corre. O médico corre atrás dela, sem saber que corria atrás do próprio destino. Consegue segurar a louca que foge sem saber que segura nas mãos o próprio destino. Cuida dela até serenar completamente.

O médico compreende. A louca é uma mulher de bem, tentando enfrentar o mundo com mãos de mulher. Caída na miséria, mas enfrentando o fardo com coragem. Sozinha. Na lua. Percorrer os caminhos à toa não significa loucura. É uma mulher até culta, vivendo exilada do mundo. Transmigrando para outros caminhos, para outras estrelas. Em nome da felicidade a mataram. Quebraram por dentro a balança do tempo, da mente. As agulhas já não acertam o tino. Por isso caminha lentamente, à deriva, para atingir as portas do paraíso. Sobe as escadas do templo e encontra ruínas e desolação. Chafurdando no entulho das ruínas antigas.

Gera-se um instante mágico entre a louca e o médico. O mundo solta mistérios e deixa-os suspensos na gravidade. Maria vê e ouve: a voz do doutorzinho é tão doce que desperta os sentimentos adormecidos na mente. Os seus olhos, faroizinhos de encanto. O seu sorriso, lua cheia, límpida, fresca, romântica, rostinho de bebé. Ai, quem me dera segurá-lo nos meus abraços, aleitá-lo, como meu menino. Vê nele uma máscara de tristeza, o enigma. Solidão de um menino sem mãe. Nos olhos do médico, a imagem de uma mulher terra, onde assentam todas as árvores e todas as raízes. Árvores com flores, sem flores, arbustos, ervas, frutos. Sonha. Corpo de mulher. Sobre ti. Sol e sorriso. Rio e sangue. Amargura. Flores em arco-íris. O princípio, o fim, o universo inteiro.

Mais uma vez o médico assiste ao sofrimento humano perante o silêncio do mundo. Aquela pobre mulher, açoitada por todos como uma coruja, não passava de um passarinho perdido na estrada. Coitada! Trata de Maria como trataria da própria mãe, se a tivesse. Vou dar-lhe uma camisola e uma capulana, a esta louca. Somos todos árvores com raiz ao léu. Vítimas da tempestade que se chama vida.

Dia de Páscoa. Mães e filhos estão engalanados, à volta do santo batismo. A igreja cheira a leite, cheira a fraldas. Cheira a goma e a incenso. Cheira a perfume barato. A louca do rio espreita pela porta. Apura os ouvidos para as palavras que a penetram como gotas de chuva, como se aquele padre entrasse no seu íntimo e farejasse a dor que a corrói.

Aquela missa era um poema de louvor à mãe. E o padre Benedito pregava e encantava.

— Gosto muito de batismos — diz o padre. — Quando vejo crianças no colo das mães, morro de inveja. Quando vejo uma criança desobediente, fico triste, eu não tive a quem obedecer. Quando vejo um filho a maltratar a mãe, sofro infinitamente, não tive mãe que me tratasse. Aprendi, pela carência, a importância de uma mãe. Gostaria de ter uma mãe, para alegrar a minha existência e preencher este vazio, esta ausência. Que me transmitisse a sabedoria das coisas terrenas e das coisas pequenas. Que me oferecesse um sorriso, uma flor, e muita ternura.

A louca escuta aquele padre e espanta-se: quem terá sido a mãe que gerou este filho e o perdeu? Como pode uma mãe separar-se de um filho tão maravilhoso? Recorda com saudade os pequenos nadas. Colocar o bebé no peito. Sorrir para ele. Mudar-lhe a fralda. Acariciá-lo. Deitá-lo suavemente no berço e vê-lo adormecer. Falar dele com orgulho aos amigos, parentes, a toda a gente que passa. Ele é chorão. Simpático. Comilão. Dorminhoco. O choro de ontem era de angústia, mas o de hoje é uma cantiga, uma birra, para fortalecer os pulmões. A louca queria gritar, eu também sou mãe de mãos vazias. Os meus filhos foram levados pelo vento, pela terra ou pelo mundo e a saudade é a minha única loucura.

Agora o padre fala de amor e de coisas celestes.

A louca escuta e reage. Não, padre, não me fale de amor, que o ódio preencheu todo o meu percurso. Fale-me antes das noites negras e sem lua. Fale-me de mães como a minha, que transformam o corpo das filhas em celeiro e dinheiro.

O padre volta a falar da mãe. Diz que cada mãe conhece o nome das estrelas, porque ela é também uma estrela. Ela é sonho, invocação, poesia. Olha para a louca do rio espreitando pela janela. Emociona-se. Esta pobre mulher talvez tenha sido mãe. Talvez tenha perdido todos os filhos nas estradas da vida.

Maria estremece, grita. Talvez a inspire a vergonha de não ter conseguido segurar os filhos nos braços, como as mães diante do altar. Sente o conforto de um abraço caindo-lhe nos ombros. Era o médico que a amparava para a livrar daquela agonia. Quando a missa terminou, a louca sentiu-se rodeada de atenções dos fiéis. O padre Benedito dedica-lhe uma oração breve e convida-a para as missas, encorajando os crentes a conviver com ela, porque é tão humana como os demais. Loucos são parentes, dizia ele, podem ser filhos, netos, pais, irmãos, qualquer um pode enlouquecer. Diz que todo o ser humano é louco, e a terra um planeta de loucura. Diz ainda que a louca não perdeu juízo nenhum, nada perdeu. Apenas partiu para longe, deixando este mundo de vaidade, de maldade, para habitar paraísos distantes. Por isso ela vive naquele mundo de pureza, no alto, no trono da liberdade.

6

O José dos Montes não contaria esta história se estivesse aqui. Não, não contaria. Nenhum homem conta com prazer a história da própria derrota. Quando se é prisioneiro, uma muralha entala a garganta e as cordas vocais se calam. As amarguras formam nuvens negras, que acabam em chuva de lágrimas.

A história de José começa assim. Que não é a melhor maneira de começar. Porque começa em outro lugar.

Era uma vez uns navegadores que se fizeram ao mar. Iam a caminho da Índia, em busca de pimenta e piripiri, para melhorar o paladar das suas refeições de bacalhau e sardinha. Quando passavam pelo Oceano Índico, começaram a sentir vontades. De repousar. Ou de urinar. De pisar a terra firme e olhar para o mar. Talvez. Ou foram atraídos pelo maravilhoso canto das sereias. Atracaram.

Descobriram que a terra era imensa, com hipopótamos, crocodilos, elefantes e muitos pretos. A terra tinha onze sereias. O'hipiti, que chamaram Ilha de Moçambique. Nampula. Inhambane. Cabo Delgado. Zambézia. Maputo. Niassa. Tete. Gaza. Sofala. Manica. De todas as sereias, a Zambézia era a mais bela. Os marinheiros invadiram-na e amaram-na furiosamente, como só se invade a mulher amada. A Zambézia bela, encantada, gritava em orgasmo pleno: vem, marinheiro, ama-me, eu te darei um filho. Eu e tu, sempre juntos, criando uma nova raça. Em todo o lado deixaremos marcas do nosso amor. Deixaremos um mulato em cada grão de areia, para celebrarmos a tua passagem por este mundo!

No princípio de tudo, os povos da terra acreditavam em Zuze, o deus do mar. Acreditavam que no fundo do mar residiam todas as maravilhas da terra prometida. Achavam que o mar era a residência de todos os espíritos bons. Foi por isso que olharam para os navegadores como fiéis mensageiros do Grande Espírito, por terem a cor clara de alguns peixes das águas profundas.

Então, os reis trajaram os melhores enfeites para receber condignamente os mensageiros dos deuses. Com batucadas, danças e tudo. Puseram as donzelas mais lindas a requebrarem-se na dança do tufo e do nhambarro. Por outro lado, os súbditos do reino desfilavam com galinhas, cocos, bananas, papaias, ouro e marfim para oferecer os visitantes do fundo do mar. Fiquem aqui, marinheiros, e fecundem estas donzelas, rogavam os reis, soltem algumas das vossas sementes nestas terras para a eterna celebração da vossa passagem por estes trópicos.

Levaram os visitantes aos currais, com vénias e salamaleques, implorando: escolha um novilho, marinheiro, escolhe uma cabra malhada, um carneiro branco, para serem sacrificados em tua honra! Prepararam poções mágicas à base de coco e deram aos marinheiros. Qualquer visitante que beba dessa poção esquece o caminho de regresso. Fizeram tudo para os visitantes não saírem dali. Mas os teimosos marinheiros partiram sem despedida. Bruxaria de preto não faz efeito no branco, comentaram amargamente. Como estavam enganados! Pouco depois os marinheiros regressaram, arrasados por uma paixão dourada. Com canhões, espingardas, chicote e muito vinho, para fazer a limpeza da terra e entorpecer os incómodos. Tinham achado a terra prometida.

Os navegadores correram de aldeia em aldeia, derramando sangue, profanando túmulos, pervertendo a história, fazendo o impensável. A Zambézia abriu o seu corpo de mulher e se engravidou de espinhos e fel. Em nome desse amor se conheceram momentos de eterno tormento e as lágrimas tornaram-se um rio inesgotável no rosto das mulheres. As dores de parto se tornaram eternas, os filhos nasciam apenas para morrer, eram carne para canhão. O povo tentou, inutilmente, transformar os corações em pedra para fugir à dor, à morte, à opressão.

Havia lógica em tudo aquilo. O homem apaixonado tudo arrasa para possuir a mulher amada. É a vida. Primeiro o prazer do amor, na gestação da dor. Com enjoos e vómitos para temperar a gravidez. O corpo transformado, rasgado, ferido. O sangue fluindo, no parto da nova nação.

Foi assim que começou a história do José muitos séculos antes do seu nascimento. É por isso que está ali, sentado nas dunas, falando com os barcos, com o mar e com as ondas. Recordando coisas da sua infância. Questionando. A fisga escondida atrás do celeiro ainda existe? O meu gatinho negro, prenda da avó, existirá? E o galo bravo que cobria a capoeira da casa e da vizinhança? E a minha mãe? Estará viva, a minha mãe? Ninguém lhe responde. Boceja e suspira. Ah, que saudades do meu monte, meu berço, dos braços da minha mãe.

Sonha.

Em construir uma casinha no alto do monte e casar-se com uma dama cozinheira de bons petiscos, temperados com coco, cravo e canela. Com pimenta e piripiri trazidos pelos marinheiros. Uma dama bem recheada de corpo, a quem irá colocar missangas coloridas, na cintura e nos tornozelos. Que tome banho no rio e tenha sabor a algas e a flora dos rios. Imagina-se no umbral da porta, a ver a lua a chegar, romântica, redonda. Acender uma fogueira e iluminar a casa. Jantar com afrodisíaco. Preparar-se para o amor. Vê-la a deitar-se nua, na esteira de juncos, bem pertinho da fogueira branda, e iniciar a dança da serpente, com requinte ensaiado na escola de sexo. Depois deitar-se ao lado dela, penetrar devagar na casa de todos os mistérios, apagar a fogueira do desejo com a chuva da sua carne. E semear-se. Sonha em ter um filho mulher. Porque as mulheres nascem com uma mina de ouro dentro delas e caçam o sustento no suor dos homens. Não deseja um filho homem, que nasce escravo, que é deportado, que caça o sustento nos perigos das matas, se torna ladrão e engrossa a população das prisões. Homem nasceu para sofrer e morre longe, por isso não o deseja.

Um prurido escorre na palma da mão, e José massaja com a ponta de uma unha. A massagem chega ao coração despertando doçuras na mente — sinal de sorte. Sorri. Os nervos humanos têm o poder mágico de detectar as marés da bonança e da tormenta. É um sinal, pensa ele, de boa sorte, dizem. Hoje terei notícias. O sol não cairá antes que eu receba a minha boa surpresa. Mas que boas notícias podem acontecer na vida de um condenado?

Talvez seja a mensagem do futuro flutuando no ar, chegando-lhe aos neurónios como ondas maravilhosas. Acende-se na mente o sonho de liberdade.

José quer ficar ali sentado até a noite cair. Para ver a lua a chegar, das águas do mar. Quer contar com quantas estrelas se faz o manto da noite. Quer eleger a estrela que o levará aos caminhos da liberdade. Adora o marulhar das ondas no escuro. Adora ver as gaivotas desenhando estradas geométricas, saudando a noite que vem. Uma voz de sereia se ouve das águas profundas. Apura o ouvido. Era o murmúrio suave de uma onda suicidando-se no casco ancorado de um barco morto.

— Olá, condenado.

Vira a cabeça lentamente em direção à voz e não vê ninguém. Esfrega os olhos e lança-os novamente ao grasnar intenso das gaivotas.

— Hei, condenado!

Uma mulher surge do nada como uma deusa. Traz nos olhos uma flecha de trovoada para fulminar o coração dos homens. Deus meu, como é linda! Toda ela tecida de doçura. Foi de certeza trazida pelo cupido. Deve ser a Santa Valentina dos Desesperados. Meu Deus como é bela, como brilha!

— Por que não me respondes, condenado?

José olhou. Desdenhou. Aquele tipo de mulher não era de confiar. São as eternas caçadoras de pão no suor dos homens. O suor dos brancos e dos negros assimilados tem sabor a dinheiro, mas o suor do condenado é mau cheiro. Catinga de preto.

— Condenado!

Naquela voz tentação e súplica, como um pássaro sedento chorando por uma gota de água. José tapa os ouvidos.

— Fala comigo, condenado!

No começo, a voz dela era branda. Depois azedou e finalmente tornou-se agressiva. Desta vez José viu-se obrigado a responder.

— O que queres de mim, se nunca te vi?

— Ah, condenado! Então veja-me lá.

— O que queres que veja em ti, se não te conheço?

— Então conhece-me lá.

— Para quê?

— Para sermos amigos. Para conversarmos de vez em quando. Andas sempre sozinho, condenado. Não precisas de mulher?

— Vai, borboleta, vai e poisa esse corpo imundo nos braços dos marinheiros.

José compreendeu. Pelos gestos. Pelo olhar. Pelas curvas do corpo, balançando como folhas de palmeiras. Era um convite para o amor de um instante, que arde como um penacho dissolvendo-se logo em cinza e poeira. Um tumulto, um mergulho e depois nada. Aquele tipo de mulher tinha amor para vender e não para dar. Ele não tinha dinheiro para pagar.

— Tens os pés cheios de lama, condenado.

José olha-se. Os pés e as mãos têm a cor da terra.

— E daí? O que tens a ver com isso?

— Vem comigo, que te darei um banho.

Então ouve a voz da solidão e do desespero. E descobre que tem corpo e não está morto. Afinal a mulher é mesmo isto. Manta de fogo na noite de frio. Sal da vida. Gota de água no inferno do mundo. Lasca de fogo no coração deserto.

— Não. Não gosto de mulheres como tu.

— Ah, condenado!

— Não gosto de mulheres da tua laia.

— Não gostas de mim? Pobre preto! Castrado! Escravo! Bruto!

José olha para ela com muita raiva. E sente no corpo o incubar de uma tormenta que o fará explodir em todas as direções como as águas furiosas do rio e derrubar todas as comportas.

— Por que me provocas?

— Porque és cobarde. Castrado. Tens medo de enfrentar uma mulher. Não és homem, condenado.

A rapariga lançara um pano vermelho aos olhos do touro bravo. José solta fogo pelas narinas. E entra na tourada. Olhou para todos os lados e não viu sinais de gente, a noite caía. Agarrou-a furiosamente e espetou-se nela como uma lança de guerra, transferindo toda a eletricidade para aquele corpo. Gemia. Em pleno orgasmo, José suspira a palavra mãe, único ser que o liga ao mundo. O pai desapareceu, como ele, pelos caminhos do mundo.

Não, não era amor que ele fazia. Era guerra. Ateando sobre ela uma lança de fogo, como um violador da floresta deserta. E ela descobre naquele instante que encontrou o homem que lhe apagaria o fogo da ansiedade. Que lhe faria esquecer a existência de outros homens na superfície da terra. Descobriu também que o homem ideal é um tesouro inalcançável. Descobrir um é sorte de poucos e ela logrou essa sorte.

José emergiu das águas como um náufrago. Um toque mágico o transportou para a vida nova. Porque o amor é mesmo isto. Secreto como a raiz de uma brisa. Germinando em qualquer lugar, florindo em qualquer matagal e morrendo em qualquer espaço. Porque é gémeo da lua que se esconde nas nuvens e brinca com os corações românticos o jogo da cabra-cega, vai e vem ao gosto das marés, tatuando nos corações as marcas da sua passagem. Quando o instante de amor acontece toda a vida se renova.

— De onde vens, condenado?

— Eu?

Na mente de José recordações da paisagem da infância, com o canto das perdizes saudando o amanhecer. Saudades do toque das marimbas ao luar, imitando o canto das cotovias. Ah, minha terra, meu monte, braços da minha mãe!

— De onde vim?

— Sim, de onde vens?

O seu percurso é igual ao de todos os condenados. Foi caçado e acorrentado como um criminoso, sem saber o mal que fizera. Vivendo no acampamento dos condenados, esses retalhos humanos habitados pela solidão, que esquecem a ideia de regresso quando a noite cai, enroscados à volta de uma fogueira em boémias de desespero, sem néons nem mulheres baratas. Apenas fogo e álcool. E cheiro de tabaco virgem. E soruma. E bebem sura, muita sura, para em seguida se enroscarem em danças embriagadas, urrando como loucos desorbitados, desabando os pés sobre a terra que ergue densas nuvens de poeira, rogando preces a deuses imaginários, libertando suores que lhes curam a eterna tristeza. Todos eles foram arrastados pela mesma corrente para estas terras. Para rebentar pedregulhos e plantar cocos como zombies da história.

— Estás silencioso, em que pensas tu?

— Eu?

Nada tem de presente. Nem de futuro. Apenas um passado de tristeza enrolada na memória. Não sabe em que ano nasceu. Não saberá. Nem se existe ou se alguma vez existiu. É um grão de areia bailando ao vento. Arrastado a pé na marcha mais longa da sua vida, caminhando descalço, durante anos. Gúruè, Mocuba, Lugela, Ile, Macuse, Milange, Quelimane, lugares e gentes desconhecidas. Descobriu que a terra era um lugar imenso, muito maior do que o olhar dos mortais. Que o horizonte se renova à medida que se alcança. Que o ponto de chegada é sempre um ponto de partida. Que a dor torna o homem mais duro, que a saudade não mata, apenas fere.

— Quantos anos tens?

— Ah? Quantos anos?

Quantos? Quantos passos marcam os pés descalços em toda a existência? Quantos sonhos cabem na cabeça de um homem vivo? Quantas lágrimas existem nos olhos de uma mulher? Quantas injúrias pode um coração sofrer? Quantas gotas de sangue cabem no corpo humano? Quantos anos ele tem? Quantos anos teve de liberdade e quantos foi prisioneiro? Não sabe e nem quer saber. São tantos. Quando saiu da terra natal era impúbere, mas hoje tem dentes do siso e muita barba. Já comeu muita farinha podre e muita sova boa.

— Como te chamas?

— Eu?

Ah, quão longos são os caminhos do mar. Quão árida é a travessia do deserto. Quão distante é o além dos nossos antepassados. Quão bela é a terra que nos viu nascer. Quão confortável é o útero de uma mãe.

— Há quanto tempo estás aqui?

— Eu? Quanto tempo?

Ele não responde, porque ela sabia de tudo, ela sabia. Ela é chuabo e nasceu no meio de um palmar. O grito do seu nascimento fundiu-se ao grito de morte dos condenados, chicoteados nos troncos até perecer. Nasceu no meio do sofrimento e por isso sabe de tudo, sabe que um condenado não tem nome nem pátria. Os marinheiros civilizavam o povo arrancando-lhes os olhos da cara. Cristianizavam fornicando as mulheres nas matas. Construíram o novo mundo com espadas, canhões e chicote. Pacificaram a terra arrancando a língua da boca. O chefe dos marinheiros gritava aos quatro ventos: esse é ladrão, prendam-no. Esse é forte, acorrentem-no, vendam-no. Esse é teimoso, matem-no. Esses são venenosos, são lúcidos, pensam, conspiram, alcoolizem-nos. São todos vaidosos, preguiçosos, vadios, mentirosos, escravizem-nos.

— Quando te voltarei a ver, condenado?

— Quando? Porquê?

Voltar? Ele queria, sim, voltar ao tempo da infância. Aos tempos dos mitos em que acreditava que no fundo do mar florescia a vida, e que o Deus maior montara nas profundezas do mar um trono de diamante. Aos tempos em que tudo o que vinha do mar era bento. O peixe. A trovoada. As nuvens. Que o mar era o centro da criação divina, onde a terra acabava e as nuvens se formavam. Ele queria tanto voltar aos tempos em que o mar era estrada, paraíso, segredo e mistério.

— Gostei de te conhecer, condenado.

— Hã?

Ela ergue-se. Dá dois passos e tenta partir. José volta a derrubá-la, como uma enxada fendendo a terra. Remexe-lhe o corpo com mãos de plantador. E o corpo dela ganha a suavidade porosa da terra fértil, por onde o rio da vida passa. Ele era barco e marinheiro e ela o mar alto. E navegam suavemente. Removem os obstáculos do caminho e voam para além das estrelas. José liberta todos os acordes da canção de amor sem saber que iria percorrer os mesmos sons na canção da dor.

Despertam do sonho e olham para o mundo. A lua foge em despedida, o sol está perto. Separam-se sem palavras nem beijos. Tinham a certeza de que se encontrariam, como dois prisioneiros habitando a mesma jaula.

7

Foi numa tarde dessas. O Moyo estava na sua palhota, rodeado de frascos grandes e pequenos, de plástico, de esmalte, de vidro, que ia enchendo de sabedorias e de mistérios. Preparava as ervas e raízes que iria usar no dia seguinte, para ajudar os inúmeros clientes que procuravam a saúde do corpo e da alma. A palhota cheirava a seiva fresca. Ia fazendo votos para que não lhe aparecesse nenhum cliente noturno, o dia fora demasiado cansativo.

José dos Montes apareceu numa breve visita para ver daquela boca o fluir da sapiência milenar dos patriarcas e projetar sobre ele a imagem do pai que nunca teve. Se o meu pai estivesse vivo, seria assim tão bondoso como o Moyo, suspirava em silêncio.

Moyo é uma pedra basilar de muitas vidas. Homem baixinho. Rechonchudo. Que maneja os objetos mágicos com as mãos de um artista, sem pressa, como se fosse seu todo o tempo do mundo. Com varinhas mágicas rendilhando vidas e almas de gente que vem de todos os ângulos para depositar-lhe nos ouvidos as mais incríveis confidências. Sempre despenteado, estilo rastafári. Um olhar que massaja de frescura qualquer coração em chamas. Um homem que tem para todos um sorriso de menino, uma palavra de ternura.

— Boa tarde, Moyo!

— Tu aqui?

A amizade entre o José e o Moyo não aconteceu por acaso. Passaram por aquelas mãos muitas gerações de escravos, de condenados. A todos ofereceu de presente uma palavra de esperança. Era muito respeitado pelo povo e temido pelo sistema. Por duas vezes as mãos de Moyo trouxeram José aos arrastos do além para este mundo. A primeira quando foi mordido por uma cobra medonha. A segunda quando sofreu o castigo de chibatadas no tronco, por ter tentado fugir do acampamento. O seu corpo estava transformado num puré de sangue que Moyo devolveu à vida, apenas por magia. Cuidou-o pacientemente, como uma mulher velha bordando em ponto de cruz. E embalando-lhe a alma com histórias de encantar, de homens, animais, monstros e tudo, como se de uma criança se tratasse. José dos Montes deve a vida àquele homem. Que o trouxe do além para este mundo. Que reconheceu nele um menino sem pai nem mãe, nem eira nem beira, nem esperança. Alimentara-o durante meses sem nunca pedir nada em troca.

— Onde tens andado, José dos Montes?

— Por aí.

— Andas distraído, na lua. Estás apaixonado?

— Eu?

As palavras de Moyo caem como o martelo da justiça e fazem eco no seu peito. Penetram no íntimo com a facilidade de quem descasca os gomos de uma laranja. Os olhos de José fogem da sentença e escondem-se no vazio. Ele protege a saudade que sente daquele amor de um instante. Porque estava apaixonado, sim. Por um sonho ou por uma miragem. A imagem daquela mulher preenchia-lhe a memória.

— Estou apaixonado, sim.

— Que maravilha! Conta lá essa história.

— Eu amo essa mulher!

— Que sabes tu do amor?

— Apenas o que sinto.

— Diz-me onde a encontraste que te direi a tua sina. No trabalho? O teu futuro será de labor e fartura. Na igreja? A tua vida será de austeridade e moral. No cais? Putas, contrabando, marinheiros, vícios e desespero. Como se chama?

— Não sei. Nem me lembro do rosto dela.

— Como é ela?

— Muito bonita. Parece a lua. Mar. Brisa. Estrela do céu.

— Ah!

— Ela é o nascente, o poente. Um suspiro escondido nas entranhas.

— Compreendo. Amas uma imagem, um vulto, um fantasma. Amas uma miragem, uma sombra, uma forma indefinida. Onde a conheceste?

— Perto do cais.

— A que horas?

— Ao anoitecer.

— Ela convive com os morcegos. Pirilampos. Vampiros, ah!

O amor apresenta-se com muitas roupagens. Por vezes amam-se as formas. Por vezes os gestos, os atos. Em nome do amor se atrai a graça ou a desgraça. Porque o amor é uma armadilha de rato. Por amor se recolhe a víbora num baú de ouro e se coloca num trono dentro de uma casa. Em nome do amor se atrai a miséria que nos fará cair de vergonha aos olhos do mundo. Pode ser um ladrão, assassino ou drogado. Desde que tenha belas formas e diga amo-te, isso basta para te enterneceres e esqueceres todos os crimes. Em nome do amor o leão veste a pele de cordeiro.

— Eu amo essa mulher, Moyo.

— Não se ama o desconhecido. Onde está ela?

— Não sei, perdeu-se. Ajuda-me a procurá-la, Moyo!

— Escuta a voz da experiência, rapaz. A escultura mais

bela pode trazer no peito um ninho de vespas. O melhor seio nem sempre é o mais belo, mas o que produz bom leite.

Moyo poisa os olhos no horizonte, concentra-se. A verdadeira predição não precisa de búzios nem conchas. É um radar captando sinais do futuro que emana das nuvens ou de outro planeta. Basta haver luz, do sol ou da lua.

— Vejo-a. É muito bela, muito linda, é aquela nuvem branca, não vês? E vem ao teu encontro, sorrindo, caminhando descalça no campo de flores. Agora vejo-te ao lado dela, a tua imagem é branca, mas tem mudanças rápidas. Pareces um monte, um planalto, um abismo. Escureces como a tempestade dos séculos, és chuva e tormenta. A tua voz fúnebre ouve-se num abismo intransponível. Por quê? A tua imagem desaparece no escuro. A mulher dança nua, ao sol e à lua. Vejo-a. E vejo-me. Que faço eu na tua estrada?

Os joelhos de Moyo tremem. No rosto a mudança de humor e uma pergunta de espanto:

— José dos Montes, quem és tu?

— Eu?

— Que sorte me trazes tu, que destino?

— O quê?

Moyo estremece. Esquece o presente e viaja nos caminhos do futuro.

— O que estás a ver, Moyo?

— Vejo-me na tua senda, soltando guinchos fúnebres, a que não respondes. Vejo-te chamando por mim, estendo a minha mão, mas não te alcanço. O que procuras em mim?

— Eu? Nada, sei lá!

— Cala-te, não me podes responder agora. Só no futuro, entendes?

— Futuro?

— Agora vai, deixa-me sozinho com os meus pensamentos.

— Estás a expulsar-me?
— Não. Nada disso.
— Não me expulses, Moyo. Poderei voltar?
— Voltarás. A água nunca esquece o seu caminho.

8

Delfina faz o seu passeio matinal. Senta-se à beira do mar, pensando em nada. Ou em alguma coisa. Vê barcos e pirogas. Gaivotas. Lança os olhos para o infinito. A mesma paisagem original, vista a partir da infância. Quando abriu os olhos para a vida o mundo já era assim. Um filme sem enredo. Negros a ser castigados. Carga. Descarga. Chicote. Greves e mortes. Imagens que lhe inspiram melancolia e tristeza. Caminha pelas estradas alcatroadas, com leveza. Apreciava os casarões coloniais. Apartamentos. Prédios. Hotéis. A vida dos brancos é fantástica. Eles mataram as árvores, mataram os bichos e construíram cidades luminosas. Fascina-os a eletricidade, que torna as noites sempre iluminadas apesar de ofuscar o brilho da lua. A imagem dos casarões antigos projeta um futuro de grandezas na sua mente e ela jura: terei a grandeza das sinhás e das donas, apesar de preta!

Ela tinha a certeza que sim, ela tinha. Convicção nascida da intuição, de pressentimentos infundados, de uma estrela elétrica ou da vela do farol distante. Do nada. De um oráculo qualquer. Um dia terei uma casa destas, eu juro. Nesta vida, eu serei alguém. O coração de Delfina constrói cidades de néon. Com muita comida e muito vinho. No seu sonho é senhora e habita uma cidade de pedra. Com vestidos de renda. Criados tão pretos como ela que tratará como escravos. Um marido branco e filhas mulatas a quem irá pentear os cabelos lisos e amarrar com fitinhas de seda. Terá a grandeza das sinhás e das donas, apesar de ser negra, ela sente. Receberá favores do regime. As mulheres negras que casam com brancos sobem na vida. Comem bacalhau e azeitonas, tomam chá com açúcar, comem pão com manteiga e marmelada.

Olha para as ruas. Raparigas da sua idade, filhas dos negros assimilados, vão para a escola, aprumadas. Calçadas. Aprendem coisas que também poderia aprender se o pai aceitasse mudar de vida. Mas a porta da escola fechou-se. Porque é negra e é bela. Donzela. *Lampariga*, de acordo com os linguarejos malandros dos homens, porque a rapariga brilha como uma lamparina. A mesma freira perseguia-a, acabando por expulsá-la da escola da missão. Porque era recheada, bonita e atrapalhava a concentração dos rapazes. Na igreja ficava no banco de trás. A freira expulsou-a de novo. Distraía a atenção dos fiéis e enchia os padres de desejos pecaminosos. A freira sabia dos seus segredos e arrepiava-se de medo de contaminação pelo demoníaco e proibido. Tudo por causa daquele dia em que a mãe a atirou como uma gazela na jaula de um carnívoro. O velho branco estava no quarto escuro esperando por ela. Segurou-a. Apalpou-a. Sugou-a. A mãe sorria lá fora, tomando um copo de vinho e esperando por ela. Foi um momento de conflito intenso, em que não conseguia entender a alegria da mãe perante o pecado original.

Pediu ao pai para ser assimilado, a fim de ter acesso à escola oficial, onde as professoras eram mulheres normais e não freiras esquizofrénicas. Mas o pai disse que não. Porque os assimilados eram assassinos. O pai de Delfina disse não à assimilação, sem saber que a libertação da pátria seria na língua dos brancos e sem imaginar ainda que os filhos dos assimilados iriam assumir o protagonismo da História.

Delfina fervilhava de revolta: porque é que os pais interferiam nos sonhos das filhas? Umas vezes é para casá-las cedo, outras para fazê-las trabalhar nos campos, e no caso dela foi para ser inaugurada por um velho branco a troco de um copo de vinho.

Cansa-se de passear na cidade e desce as ruas dos subúrbios, de regresso à casa. Sons pálidos chegavam-lhe aos ouvidos como o ladrar de cães à distância. Eram crianças repetindo melopeias ensinadas pelos adultos, inspiradas por corações azedados pela vida, assanhadas pela fome. A sua passagem pelas ruas inspirava sarcasmos, palavras sujas, poemas, para as cantigas de roda.

Centopeia, centopeia
Não diz à minha mãe
Que dormi com o Sousa, o branco
Por causa do chá e do açúcar

Na cidade alta, eram assobios malandros dos marinheiros. No subúrbio as cantigas de escárnio. Sente um ódio repentino pelas crianças que lhe flagelavam os ouvidos, pelas mulheres com olhos presos no umbigo e na vida alheia. A diferença residia ali. O pobre coloca o chicote na mão, o pobre coloca o chicote na língua. Tudo dói.

Centopeia, centopeia
Não diz à minha mãe

Furiosa, Delfina subia à montanha da vida, olhava as crianças de cima e cuspia sobre o mundo. Porque era célebre. Era ela o motivo das conversas de bar e das discussões entre os casais. Era ela a negra mais bela, mais bem vestida, mais apetecível. Sempre de saia curta. Blusa apertada e cabeleira postiça. Com sapatos altos picotando o chão de barro.

Uma carteira de verniz, balançando ora na mão esquerda ora na mão direita. Rebolona. Sensual. Uma abelha amealhando o seu pólen.

Borboleta, borboleta
Não diz a minha mãe

Eram crianças descalças, à deriva. Sem eira nem beira. Sem passado nem futuro. Talvez sem pai e sem nome, erguendo nuvens de poeira até as cordas vocais ficarem entupidas de tanto engolirem a poeira da terra. Os ouvidos de Delfina cansam-se de palavrões e o peito enche-se de raiva. Explode.

— Digam também que não dormi com os maridos das vossas mães, porque são pretos fedorentos, não tomam banho, cheiram a tabaco e a catinga, vamos, cantem. Sabem o que vocês sentem? Inveja da minha beleza, da minha liberdade. As vossas mães dormem em esteiras frias e eu, Delfina Borboleta, tenho aos meus pés todos os homens do mundo. Vamos, cantem mais alto, cantem!

Gaivota, gaivota
Diz então à minha mãe

As crianças são malvadas, sim. Com a sua inocência conseguem urdir a tortura dos adultos. Vozes violentas mordendo os tímpanos como zumbidos de vespas. Delfina precipita-se sobre elas com a intenção de lhes dar uma surra, mas elas fogem em revoada como gaivotas do cais para continuar os insultos dos ramos mais altos. O que elas cantam? As palavras que repetem? E os gestos que fazem? Pornografia no som e na palavra. E também no gesto. As crianças são horríveis e imorais, por vezes. Conseguem transformar em horror a paz de um adulto. Solta uma lágrima e continua a marcha, entristecida.

Mergulha num murmúrio plangente e monologa com o seu destino. Vocês não sabem o que significa uma vida igual à minha. Um corpo sem segredos, que se pega, que se paga, que se monta e se desmonta. Se o corpo da mulher se gastasse eu já não teria nada lá dentro, de tanto vender à procura de sustento. Que imbecil é esta gente. Deviam olhar para o próprio umbigo, mas olham para mim, como se eu tivesse alguma relação com a sua desgraça. A minha vida é fácil? Meu Deus, esta gente não sabe o que diz. Finjo, por orgulho, que sou feliz. É por orgulho que lanço ao mundo este olhar de rainha. Cada homem que me sobe é uma pá de terra que me cobre. Cada moeda que recebo é uma picada na alma, dói. Não se pode ser boa moça num mundo de injustiça. Numa luta desigual, vale mais a pena a rendição que a resistência. O que querem eles de mim? Que me levante ao cantar do galo para ir semear arroz? Que me entregue nas plantações de palmeiras como escrava, para receber no fim da canseira uma chávena de sal? Não! Prefiro oferecer as doçuras do meu corpo aos marinheiros e ganhar moedas para alimentar a ilusão de cada dia. A natureza deu-me um celeiro no fundo do meu corpo. Uma mina de ouro. Para explorá-la com trabalho duro, pensam que não trabalho? Pensam que é fácil a vida que eu levo? Não é fácil suportar o gemido convulsivo de qualquer um sobre o meu corpo, expelindo-se, renovando-se, libertando-se. Não quero morrer fechada na escuridão, prefiro de longe esta vida de ilusão. A culpa de tudo foi do meu pai que disse não à assimilação e não me quis libertar desta humilhação. A culpa é da minha mãe que me iniciou nos segredos do travesseiro quando eu ainda sonhava em conquistar o meu diploma de professora numa escola indígena qualquer.

Regressou a casa com muita dor no peito. Amargura na boca. Desânimo. Atirou a carteira para o colo da mãe como quem atira um feixe de lenha sobre o chão, para aliviar o cansaço do corpo. Serafina se espanta.

— Estás nervosa, o que se passa?

— Estou cansada, mãe.

— De quê?

Delfina lança um suspiro fundo, que mais parece uma baforada de fumo da lenha fresca no início da combustão. Para oxigenar os pulmões e ganhar leveza na fala.

— Eu nada sou, mãe. Nada do que faço tem sentido. Não pude estudar. Não posso sonhar. E quando faço algo para melhorar a vida o mundo inteiro zomba de mim e me trata como uma criminosa. As filhas dos assimilados são tratadas com mais respeito.

— Pensas que não sei o que sofres, Delfina? Ah, se eu pudesse abrir o meu peito e mostrar a ferida que tenho por dentro. Ser negra é doloroso. Negro não tem deus nem pátria.

— Estou cansada de ser insultada na rua, mãe.

— Ignora as bocas do povo, não chores, minha filha.

Momentos de dor e de revolta. A cegueira da mente transtorna o colorido nos sonhos das crianças. A mágoa mata. As lágrimas curam. Mágoa e lágrimas se abraçam na manifestação do sofrimento. Quando a mágoa é funda, as lágrimas correm para lavar a tristeza. Os momentos tempestuosos da vida arrastam para o fundo do vale. Só sai do abismo quem sabe voar. As mães deviam iniciar os filhos a navegar no voo do espírito, deixar a mente vaguear nas nuvens. Olhar o mundo do ponto mais alto da fantasia e jurar: hei de chegar ao pico do mundo!

— Um dia vou mudar o meu destino, a mãe vai ver. Esses pobres pretos ver-me-ão a surgir das cinzas coroada de ouro. Com o mundo na palma da minha mão, cravejado de diamantes. A mãe verá esse dia, eu juro!

O silêncio impõe-se perante a estranha revelação. Serafina é percorrida por um forte arrepio. Sonhar alto é coisa de louco, as pessoas normais não voam, a filha foi possuída por um demónio e está a enlouquecer. Suspende a respiração para não ser afogada pelo espanto. E fica muito tempo assim. Só a custo consegue respirar outra vez. Leva as mãos ao ventre. Para medir com os dedos a dimensão do sonho que se incubava no seu corpo, afinal demasiado pequeno para tamanho sonho. Delfina é um ser estranho, um ser novo que se revela, não saiu de mim. Talvez tenha encarnado a alma de grandeza dos reis mortos, das donas e sinhás e de tantos espíritos errantes que vagueiam pela Zambézia. Fixa os olhos na imagem da filha. Mede-a. Ela está com o corpo em terra mas a cabeça habita universos desconhecidos. Diamantes? Os sonhos de uma mulher não atingem o brilho dos diamantes. Diamantes são estrelas. E a mulher não tem asas, nunca consegue transpor a fronteira entre o céu e a terra. Só os loucos.

A gestação une a mãe e o filho pelo cordão umbilical num corpo só. O parto separa-os e tornam-se dois. Dois caminhos, dois destinos, dois mundos. Delfina seguia a sua senda.

— Não sonhes alto que te magoas. Ah, Delfina! Para nós, negras, sonhar alto é proibido.

— O que eu digo é verdade, a mãe não acredita?

Serafina se convence. A filha no ventre era empréstimo. Teve-a nos braços por empréstimo. Depois a terra a leva no seu regaço por lugares desconhecidos, para o horizonte, e por fim a engole.

Delfina crê nesse dia. E escreve com palavras amargas todas as marcas do seu percurso.

— Mãe, por que me fez assim tão escura?

— Oh, nasceste de mim.

Serafina sente uma mágoa no peito. Medo de ver a sua filha em queda livre depois de um sonho maravilhoso. Sente um nó no peito e pede a Deus que lhe dê longa vida para amortecer a queda da filha caso a sorte não a acompanhe.

— Conheço muitas pessoas que sonharam alto e caíram fundo. Refreia as tuas ambições, Delfina.

— Hei de vencer, mãe.

Os seres humanos palmilham o chão ao lado das serpentes. Não nasceram para a liberdade, por isso invejam a liberdade dos pássaros. Só têm os olhos para mergulhar na ausência distante. Voam para o céu com os pés na terra, e o melhor voo faz-se quando os olhos se fecham. É por isso que os amantes se beijam de olhos fechados. As bruxas e os magos flutuam em tapetes voadores, peneiras e vassouras mágicas. A transcendência humana é filha da fantasia.

— Por que não me fizeste com um branco, mãe? Felizes são as mulatas e as brancas, que nasceram com diamantes no corpo.

— Para quê essa tortura? És preta e ainda bem. Os marinheiros brancos são excêntricos, são predadores do exótico e tu és linda! Não faltará um branco para morrer de amor por ti, minha filha.

9

Eram um homem e uma mulher no princípio do mundo, defrontando-se no espaço circular de uma palhota. Fazendo parar todas as máquinas do tempo e os movimentos dos astros. Colocando desordem em todas as coisas do mundo para voltar a reordená-las. Por todos os lados, marcas de uma luta violenta. A cama de bambu foi quebrada. Os pratos quebrados. Os cobertores e os lençóis espalhados. As roupas interiores rodopiando no espaço como bandeiras desfraldadas. Gritos. Uivos. Suspiros. É isso o amor. Corpos em esgrima, na batalha original. Sem vencedor nem vencido. Onde o abraço e o beijo selam a trégua, promessa de um novo combate.

— Delfina, é assim que te chamas. Procurei o teu nome entre as estrelas do céu. Encontrei-te.

— Finalmente juntos, meu José. A culpa foi tua, por me recusares. Desprezavas-me. O resultado foi esta ansiedade, esta angústia, ah!

Andavam pelas ruas, incautos. De repente o amor mostrou o colorido das suas asas e a doçura do seu paladar. Saborearam--no. E deixou a saudade no céu da boca. Porque o amor é ladrão da paz, ladrão de corações. O amor é poderoso, vence com firmeza o cérebro e a consciência, reina sobre todos os sentidos. Abre novos caminhos e marca encontros com o destino.

— Delfina, Delfina, o que fizeste de mim?

— E tu, José, o que fizeste de mim, o que fizeste da minha vida?

Olham-se. E saboreiam o gosto da derrota dos sentimentos. Na expressão de amor o grito de revolta, de socorro, como dois marinheiros afundando-se na lagoa de águas profundas. Reconhecem-se náufragos do amor maldito. Que lhes colocou nos corações armadilhas de ratos, quando ainda não se encontravam preparados para o encontro com o destino, porque no amor todo o indivíduo se anula.

— Tu provocaste-me, procuraste-me, perseguiste-me. Devia ter adivinhado que vinhas, afinal, roubar o meu sossego. Não consigo mais dormir, desde que te conheci.

— Provoquei-te, sim. Porque não fica bem a um homem belo andar tão só. Porque há muito te desejava.

— És uma vadia que mal conheço. Pedra solta no meio da estrada. Agora a minha cabeça está cheia de pensamentos, o meu coração está preso.

Na voz de lamento, a expressão de desespero. Ela também argumenta, com mestria, porque vítima da mesma trama.

— É. O mesmo acontece comigo e já não sei o que fazer. Mas ouve, José — responde Delfina angustiada —, também não me agrada perder a minha melhor energia com um condenado, quero que saibas disso. Mas não consigo tirar-te do pensamento, não consigo.

— Ah, Delfina. Se soubesses o que é andar, dormir, sonhar e acordar a pensar na mesma mulher. Ver tantas borboletas a passarem e não agarrar nenhuma porque a minha virilidade murchou, só a tua imagem conta, como se fosses alguma rainha, estrela ou deusa, digna da minha veneração.

Naquele ato se desmontam os castelos na lua. As fantasias suspensas nas nuvens caem como gotas de chuva e perdem-se na areia. Julgavam-se acima das paixões comuns, senhores de todos os destinos.

— Tomei algumas poções mágicas, daquelas que matam as paixões — esclarece Delfina —, não resultou.

— Eu também consultei o Moyo. Sabes o que me disse? Que representas a minha desgraça. Que devia largar-te e partir.

— Mesmo assim me procuraste. Porquê?

Procuram-se. Por causa da ansiedade e da angústia. Porque amor é a expressão de fogo. Amar é mergulhar no corpo alheio e flutuar até ao infinito. Mas o fogo de amor não se apaga, só se alarga, como o buraco de ozono na atmosfera poluída. Progredindo. Como uma palmeira seguindo alturas desconhecidas. O amor é fresco e fugidio como uma brisa. Intangível. Um jogo de cabra-cega. E quando se alcança dura um instante e se despista. Quando se expulsa, fixa-se com a força gélida das salamandras.

— Devias saber, José, que desde que te conheci olho para os meus clientes como miseráveis, malcheirosos, já não me agradam, porque para mim és o único. Estou a perder negócio, eles acham-me nervosa, distraída, desinteressada. A minha receita baixou, José. Tudo por tua causa.

— Se soubesses o que sofro. No fim de cada jornada, corro só para te ver. Vês estas marcas nas costas? Fugi do acampamento e levei o castigo, chicotadas no tronco. Olha para as minhas costas, Delfina, olha, feridas frescas, fui chicoteado hoje mesmo e voltei a fugir. Sou o mais maltratado dos condenados. Tudo por tua culpa, Delfina.

— Meu Deus, por que é que tinha que te amar a ti? Conheço homens com poder, com dinheiro. Homens de verdade, com nome, sombra e dinheiro no bolso. Mas o meu destino traiu-me, condenado.

— É. Também vivi com tantas mulheres... Várias. Que morrem de amores por mim. Violei tantas pela estrada fora, e que depois se entregavam de amor, dispostas a dar-me filhos e construir família. Tinha que me apaixonar por ti, prostituta do cais, borboleta de marinheiros?

Ambos se enganavam, ele e ela. Aquela relação transcendia a simples partilha de tempo. Era o destino consumindo a sua hora, escrevendo a sua história. Estavam na horta da vida, semeando um no outro pedaço de ternura. Hoje, no olhar. Amanhã, no beijo. Depois no abraço. Gota de mel na voz. Suavidade no tato. Uma doçura em cada instante.

— Eu só queria um momento. Uma aventura. Queria mostrar o meu poder de homem e vingar-me. Descobri agora que o sexo é uma ratoeira.

O melhor era depor as armas e render-se. Descobrir uma fórmula inteligente de se libertar daquela angústia.

— Então casemos, assim o amor acaba. Quando o amor terminar, cada um seguirá a sua estrada.

O casamento é o único recurso disponível para acabar com o tormento. O amor é um prato de sopa que se come quente. Arrefecido não presta. Por isso deve ser consumido logo, antes que arrefeça.

— O quê? — pergunta José, incrédulo. — Casar?

— Sim. Casemos para destruir este amor.

Quando o amor é demasiado ardente é preciso casar. Destruir as lanças do Cupido. O amor é uma rosa que dura apenas um ciclo. Um castelo de areia à beira do mar. Nuvem crescente que chove e se esfuma. Espuma branca no interstício das ondas.

— Casar assim, sem mais nem menos?

— Que mais? Que menos? Vamos casar e pronto!

— É um desafio?

— É!

— Então casemos — responde José —, unir-nos-emos

em casamento, eu e tu, perante o ulular espantado da multidão de convidados emocionados pelos nossos beijos. Das gargantas do mundo sairão discursos hipócritas de felicidades para aqui, longa vida para ali, quando, no fundo, tu e eu o que queremos é um remédio para queimar esta doença e partir em liberdade.

José respira fundo e suspira. Que seja o que Deus quiser. Que a onda me leve como um camarão moribundo para o pântano, para o mangal, para o cesto magro das varinas ou para o prato gordo das rainhas. Ou mesmo para o manjar rústico dos marinheiros.

— Agora vamos.

— Para onde, Delfina?

— Para a casa dos meus pais, anunciar o nosso noivado.

— Já?

— Existe outra hora?

José faz uma análise breve. Para onde vou eu, se nem sei quem sou? A minha existência é uma aventura permanente. Um morrer e renascer do ventre da vida, continuamente. Eis-me aqui incendiado por dentro, completamente, mas lá vou eu. Porque dói a partida e a saudade. Dói também a ansiedade. Dói, na presença, o medo de perder. É melhor aceitar o desafio de agarrar o tempo, agarrar o corpo, agarrar o amor antes que fuja. Os dois levantam-se e caminham em passos largos. Ele enlouquecido e ela histérica, completamente embriagados de amor. Entram numa ruela e chapinham numa poça de água. Passam por uma mata. Deixam para trás uma palhota, outra palhota, árvores grandes e pequenas. Cheira a húmus, cheira a fertilidade, cheira a verde fresco dos arrozais. Acontecera o que José nunca previra: o destino acabava de colocar-lhe no dorso a sua sela e o amor cavalgava-lhe como o seu novo dono. Mas é belo morrer de amor.

10

O vento arrasta até aos ouvidos murmúrios doces como o gorjeio das fontes. Largou o trabalho na horta, ergueu-se e olhou para longe. E vê uma imagem fulgurante, inédita. Espantosa como uma aparição romântica das noites de lua. Mas não era noite, era dia. Não havia lua, havia um sol abrasador que tornava a tarde quente, infernal. Serafina se intrigou. Limpou o suor da testa com a palma da mão. Esfregou os olhos para ver melhor. Era a sua Delfina, caminhava de mãos dadas com um estranho, muito sorridente, ao encontro dela.

— Olá, mãe!

— Hã, o que foi?

Delfina arrastava para casa um cavalo nobre pela mão, seu troféu de conquista, exibindo no rosto o orgulho de heroica domadora, romanticamente domada de paixão. As mãos dadas estavam firmemente seladas. Formavam um nó. Nó górdio. As conchas espalmadas uma na outra com as linhas da vida, da sorte e do destino unidas numa só. Como dois rios num estuário, derramando-se na imensidão do mundo. Mãos dadas massajando o coração de um e do outro. Nas mãos dadas, a confidência. A confiança. A segurança. Das juras de amor, é a expressão mais sublime. Serafina recorda então a canção antiga: dá-me a tua mão e eu te darei a minha. Assim venceremos os fantasmas e os espinhos dos caminhos! Depressa concluiu que aquela presença masculina trazia um mistério.

— Algum problema?

— Não!

Lê as mensagens secretas no perfil do estranho. Expressão de bravura, de um ser que nasceu para vencer todas as batalhas. Jovem. Braços fortes, musculosos, dos heroicos construtores do mundo. Homem de bela forma, sem adornos, natureza pura. Que enlouquece completamente qualquer mulher, mas que a vida transformara num simples plantador de coco.

— Quem é esse homem? — pergunta D. Serafina, com ar de surpresa no rosto.

— José. Meu noivo. Quero apresentá-lo. Vamos casar.

— Casar?

Largou a enxada e inspirou um pedaço da brisa. A filha trouxera várias visitas de homens brancos, do que Serafina não desgostava porque lhe deixavam nas mãos moedas soltas, garrafas de vinho, lenços de seda roubados no guarda-roupa de uma esposa. Por vezes traziam, até, um cabaz com um bacalhauzinho seco e umas azeitonas. Aquele preto, o que daria em troca?

— Casar? — pergunta de novo Serafina.

— Sim, casar.

A mãe solta um grito de espanto. Amargo espanto. Como se uma espinha de peixe se entalasse na garganta. Engasga-se. Tosse. E retoma o discurso com voz rouca.

— Com esse preto?

— Oh! Não entende! A mãe é ainda mais negra que ele!

— Melhora a tua raça, minha Delfina!

Repete inconscientemente o que ouvia da boca de tantas mães negras. E dos brancos. Casar com um preto? Confirmando que o sexo é uma arma de combate em tempo de guerra. Casar com um preto?

Palavras comuns na boca dos marinheiros. Que os próprios negros adotam como verdades inquestionáveis. As frases ouvidas gravam-se na mente e materializam-se. E as falsidades ganham a forma de verdade. Serafina absorveu a vida inteira as injúrias nos gritos dos marinheiros, que acabaram semeadas na consciência. Na arena da consciência luta contra ti próprio, numa batalha sem vitória. O estigma da raça deixou sementes cancerígenas, que se multiplicam como a raiz de um cancro, e matarão gerações, mesmo depois da partida dos marinheiros.

— Mesmo assim me espantas. Vais casar com alguém que mal conheces?

— Oh, mãe! O que significa conhecer, para mim, que vendo o corpo ao primeiro cliente?

— Ah, Delfina, poupa os meus ouvidos às tuas imoralidades.

— Imoralidades que te sustentam, minha mãe!

Serafina admirava aquela filha. Tinha tudo para ser rainha. E deve ter sido numa encarnação passada. Ou será ainda, naquela que há de vir. Porque é inteligente, bela, agressiva. Supera todos os obstáculos e supera-se a si mesma, se o obstáculo for ela própria. Tem um traseiro bom para colocar num trono. Rosto para ser exibido na moldura de um espelho. Um pescoço fino para colares de diamantes. Cabelos fartos, bons para aconchegar grinaldas, coroas, diademas. É daquelas que reconhecem a futilidade da vida e vivem-na em toda a sua extensão.

— Estamos apaixonados um pelo outro, mãe.

— Delfina, desde quando falas de paixão? E onde aprendeste se nunca te dei essa lição?

José não sabia como se pede a mão em casamento. A sua vivência não permitiu semelhante experiência. Baixa os olhos e procura abrigo na sobra da areia. Descobre em si um pobre preto candidato a noivo, de mãos vazias. Sem anel, nem carteira. Os calções de condenado nem sequer tinham bolsos. Ele é um noivo descalço, escrevendo trajetórias indeléveis com a planta dos pés, marcas do destino em papel de barro. Devia ter pedido a proteção de Moyo para ser padrinho, naquele instante. Mas ele não aceitaria.

— Amamo-nos, mãe.

— Amar essa desgraça? Um condenado?

Serafina perde todos os freios do peito e o coração galopa. A chegada daquele rapaz escava cicatrizes. Ele é portador de um passado, dos tempos em que Serafina sonhava, suspirava e se desesperava. Pelo filho que vem, pelo filho que parte. No nascimento de um novo negro a repetição da história.

— Amar um homem. Mais homem que todos os homens. Porque é o meu homem.

— Delfina, porque me afrontas?

As palavras de Delfina levam temperos de revolta. Ela sabia que segurava na mão algo de bom. Homem viril na família não havia nenhum, todos desapareceram misteriosamente. Restava-lhe um pai velho e uma mãe cansada que ela suportava nos ombros adolescentes. E mesmo assim, achava que a vida era boa.

— Jamais te afrontarei, minha mãe.

— Não é o que parece.

Os raios de sol incidem com uma força dolorosa e José preparava-se para maiores injúrias. Ou agressões. Estava disposto a tudo suportar por amor. Açoites, pauladas, pedradas, facadas que obrigassem a empreender a fuga de cão com o rabo entre as pernas. As palavras daquela mulher eram intensas como trovoadas. Densas como dardos. Tudo para lhe fazer crer que a felicidade é dádiva dos poderosos e o amor uma relíquia a que só os poderosos têm acesso.

— Condenado, como te chamas? — pergunta Dona Serafina.

— José.

Serafina fica com os olhos presos à imagem de José. Barro esculpido. Filho dos matagais e dos palmares. Nascido no ventre negro da escravatura. Aquela imagem desperta fantasmas, ressuscitando sóis antigos, numa viagem ao passado. O pátio da casa sitiado. Celeiro em chamas. Gente em pânico à procura de abrigo na sombra de um grão de areia. Terra em lágrimas. Gente em debandada, apanhada, acorrentada. Bastonadas de sipaios. Gritos lancinantes de filhos desaparecendo no mapa do tempo. Corpos caindo como fruta madura. Os muzambezi resistindo, avançando, matando e morrendo aos gritos: pátria ou morte, mas nunca a escravatura! Três crianças arrancadas dos braços de Serafina ao som das balas, na noite fúnebre dos sipaios. Dentro do coração da Serafina, a contradição. É assolada por um desejo irresistível de abraçar, afagar e mimar aquele jovem com ternura de mãe. O desejo é derrubado por espíritos adormecidos na tatuagem da memória. Vira-se para José e fala num tom agressivo.

— Que nível tens tu para casar com a minha Delfina?

— Eu?

— Vamos, responde-me, homem maldito!

— Responder?

As palavras embatem furiosas como chicotadas na mente e José estremece de surpresa e espanto. Os seres humanos se transformaram com a chegada dos marinheiros. A espada do regime expulsou o amor no coração das mães.

— Já viste a tua imagem ao espelho? — pergunta de novo Serafina.

— A minha imagem? Ah!

José conhece o reflexo do seu corpo nos tremores orgásticos das mulheres violadas nas matas, suspirando és lindo, és macho, és homem. Conhece a imagem projetada nas ondas concêntricas dos charcos nos campos de arroz, que se irmana aos vermes, sanguessugas e outros chupassangues malignos escondidos nos lodaçais. Sente em si um ser repelente. Por causa da sua farda de condenado. Da sua pele que impregnou o odor lamacento dos pântanos. Dos pés enormes, que caminharam descalços uma infinidade de quilómetros pisando pedras, cobras, ervas, que percorreram vales e montanhas, florestas e desertos. Por causa dos braços rijos que quebraram pedras e construíram estradas. Por causa das cicatrizes de chicote. Manchas de sarna. Das mãos calosas que plantaram cinco mil palmeiras. Ou dez mil. Ou cem mil. Plantaram arroz, chá, sisal e algodão, cana-de-açúcar e feijão, e fizeram a grandeza do império. Naquele instante olha-se por dentro e identifica-se: sou um homem de bem, um homem bom. De braços fortes, pés descalços. Dei o melhor da minha força na construção do mundo. De tanto dar, acabei assim de mãos vazias.

— Minha Delfina, esperava que me dissesses: tenho um amante branco! Olha que eu aceitaria, pois na nossa mesa não faltariam migalhas de vinho, bacalhau e azeitona. Agora, um condenado?

— Gulosa! Preguiçosa! Só pensas no teu prato e no teu sossego. Não pensas em mim, não.

Delfina refila. Como todas as crianças, nada sabe desta vida, deste mundo. Não experimentou ainda que a gestação é longa e a morte rápida. Que as mulheres negras aprenderam a olhar a gravidez com angústia e a auscultar a voz do futuro na boca das conchas. Viverá? Será rijo como ferro, segredam os búzios. Será livre ou escravo? As conchas respondem a rir, no eterno silêncio das pedras. Talvez este viva, prognosticavam as mães, profetizas do futuro. Talvez este escape à deportação, rezavam. O que partiu para o desconhecido, no barco dos negreiros, voltará? Que seja uma menina, uma borboleta para alegrar os meus olhos. Delfina ainda não sabe que as mulheres negras inventaram a cantiga e a dança como rituais mágicos contra a amargura.

— Delfina, perdeste o juízo? Sabes o que significa esse passo?

— É a manifestação do amor, minha mãe.

— No teu sim reside todo o destino. Pensa muito, antes de dar este passo.

— Já pensei, mãe — responde Delfina com voz de guerra e de paz. De certeza na vitória, produzindo desespero no coração da mãe.

— Pensa também em mim. És o meu pão e o meu sustento.

Uma dor antiga regressa e poisa suavemente no ventre de Serafina. A mesma dor que se prolonga desde o nascer do mundo, quando os filhos abandonam o ventre, abandonam os braços, abandonam a casa, abandonam a terra. Porque viver é chegar e partir.

— O que é o amor para a mulher negra, Delfina? Diz-me: o que é o amor na nossa terra onde as mulheres se casam por encomenda e na adolescência? Diz-me o que é o amor para a mulher violada a caminho da fonte por um soldado, um marinheiro ou um condenado? As histórias de paixão são para quem pode sonhar. A mulher negra não brinca com bonecas, mas com bebés de verdade, a partir dos doze anos. A conversa de amor e virgindade é para as mulheres brancas e não para as pretas. Por que me falas de amor? A paixão é perigosa, Delfina, não te fies nela. O amor é caprichoso como as marés, vai e vem, esconde-se, aparece, voa. Se queres construir um lar sólido não te fies no amor, porque quando ele se esvai destróis tudo e partes à procura de outro. É por isso que para nós, negras e pobres, o amor e a paixão deviam ser proibidos.

A alma de Serafina balança no vazio que se avizinha. Os caminhos do sofrimento, de volta o fel antigo. Ela está no mar alto e luta com bravura e tenta moldar o que a natureza não permite. As mãos humanas travam tudo menos o vento e a dor. O amor é ainda mais soberano, as mãos humanas não o atingem.

— Mãe — Delfina tenta suavizar o momento e acalmar a contenda —, esta união é apenas para consumir a paixão.

— Não percebi.

— Nenhuma paixão resiste ao matrimónio, não é isso?

— É, sim.

— Por isso deixa-me casar, mãe. Para matar o amor.

José para de respirar e esconde os olhos no solo. Firma os pés no chão como uma árvore velha contra a fúria da tempestade. A mão dele procura refúgio na mão dela. Para navegarem na mesma onda caso o barco se afunde. Ela aconchega-se mais no peito dele, demonstrando por gestos o que as palavras não completam.

— Delfina, nem para mentir serves, tu não me enganas, não. Amas perdidamente esse preto, esse verme. Vejo isso nas tuas palavras, nos teus gestos.

— Sim, amamo-nos. E muito. Onde está o mal?

Naquele momento, Serafina sentia em si uma vaca leiteira cansada de aleitar o mundo. Do passado de desespero desenha um futuro ainda mais sombrio.

— Não bastam os pretos teus irmãos, condenados e deportados para o desconhecido, para nunca mais voltar? Oh, Delfina, já chorei muitas lágrimas nesta vida. Vamos, arranja um branco e faz filhos mestiços. Eles nunca são presos nem maltratados, são livres, andam à solta. Um dia também serão patrões e irão ocupar o lugar dos pais e a tua vida será salva, Delfina. Felizes as mulheres que geram filhos de peles claras porque jamais serão deportados.

— Viveste as tuas amarguras, minha mãe. Quero também viver as minhas, para ter uma história a contar aos meus — responde Delfina tentando consolar a mãe entristecida.

Serafina entendia. Mas só queria uma geração diferente, que pudesse caminhar sem medo, livre do chicote e do trabalho forçado, que pisasse o solo com orgulho, mesmo que olhasse para trás com vergonha das suas origens, desprezando o ventre que a gerou e o peito negro que a aleitou. O seu desespero espalha no ar o cheiro de tristeza.

— Diz-me, condenado. O que significa para ti o amor, se vieste do desconhecido e estás destinado a morrer a qualquer momento? Por todo o lado vejo ódio, morte, sangue e raiva. Os homens do mar vingando-se contra uma raça. Em nome desse amor acabamos nesta desgraça. Diz-me, condenado, para que serve o amor? De onde vieste tu, condenado? Caminhaste por vales e montanhas. Conheceste mulheres de todo o tipo. Atravessaste rios e mares só para vir roubar-me a minha Delfina? Não, não aceito esse casamento.

José persegue, no chão, a esperança escondida num grão de areia. Na lágrima de um pirilampo. Por todo o lado há trevas, o sol nunca existiu. Para iluminar a sua estrada terá de deixar a noite cair e colher os pontinhos de luz piscando dos olhos de uma estrela.

— Tu não amas esse preto, Delfina, não, não podes amá-lo. Ele prendeu-te com a força das suas bruxarias.

— Pode até ser, minha mãe — responde Delfina um pouco desconcertada pelo azedume do ambiente.

— Tu conhecerás a pobreza, Delfina! Devias arranjar um branco velho, fazer filhos e seres uma concubina.

— Que Deus responda às tuas preces, mãe. Saiba porém que preto é gente. Pode ter poder e dinheiro, mãe.

— Riqueza no preto é sorte, no branco é destino. Antes um branco pobre que um preto rico.

Serafina, magoada, solta pragas. Quando no futuro não há esperança, é melhor que o amor se aborte hoje. Que morram as florestas antigas e a terra receba sementes novas. De palmeiras. De sisal, algodão e chá. Que se apague a felicidade no coração dos amantes, para que não haja desilusão nem espinhos amanhã. Que se esterilizem todos os ventres negros, que se castrem os testículos dos homens, para que as mães negras não semeiem os corpos dos filhos na terra, ficando com as mãos vazias, a dor no peito e as marcas do parto no ventre.

— Delfina teimosa, vais mesmo casar? Já imaginaste a dor que me colocas no peito? No quarto que deixas vazio? Na cadeira livre da tua presença? Que farei com o teu prato, teu copo, teu pente, teu espelho? Que farei de uma casa vazia sem o teu sorriso?

José começa a entender aquela mulher derrotada, que se anula, que se renega. Que não acredita na própria existência, e nem se defende, e que se entrega à autoeliminação como um cordeiro na fogueira da imolação. Assustada como um rato com a emergência daquele casamento. Não era a raça que rejeitava, mas a dor antiga que a magoava. Estava possuída pelos fantasmas dos homens do mar e tentava eliminar, com tinta vermelha, as marcas de uma raça.

— És linda, filha, mereces melhor sorte. És uma negra daquelas que os brancos gostam. Tens lábios gordos com muito tutano, cheios de sangue, cheios de carne. Sobrancelhas fartas como novelos de seda. Dentes de marfim e olhos de gata. Tens o peito cheio e um traseiro de rainha, bem modelados e recheados. Vais desperdiçar todo esse tesouro nas mãos de um preto!

Todos se espantam com a atitude de Serafina. De dizer a um estranho o que a ninguém dissera antes. Revolver todos os segredos que o silêncio esconde e só a morte varre.

— Preferes ter-me à venda, minha mãe?

— À venda não, mas à renda.

— Faz-te bem saber que a minha vida se vende a metro. Ou a quilo.

— Vida de negra é servir, minha Delfina. Nos campos de arroz. Nas sementeiras e na colheita de algodão, para ganhar um quilo de açúcar por mês ou uma barra de sabão que não cabe na palma da mão. Uma negra é força para servir em todos os sentidos. Foi uma grande sorte teres nascido bela, senão estarias a penar sob o sol abrasador, onde sanguessugas invisíveis provocam doenças e mortes nos pântanos. Tens sorte, tu serves na cama, tens mais rendimento. Por que deitas fora a tua sorte?

O pai de Delfina esforça-se por suavizar o momento, amainar a contenda. Tenta acalmar a fervura com palavras cálidas, ternas.

— Serafina, acalma-te, por favor. Por que maltratas esse rapaz? Não podes dizer essas maldades.

— Posso e digo. Sabem o que significa carregar um filho no ventre para depois sentir o vazio nos braços, a dor no peito e a saudade na alma? Se vocês conhecessem a ansiedade da espera, nove meses de enjoos, vómitos, dores! Se vocês soubessem o que é um parto, como é difícil e como dói parir sozinha, porque o pai dessa criatura foi deportado para qualquer canto deste mundo, numa noite sem lua, criar o bebé sozinha com o leite do teu sangue, para surgir alguém que nem sabes quem é, arrancar o mais precioso de ti, deixando a dor, o silêncio, o vazio, será que entendem? Sabem vocês o que significa desafiar o perfil difuso das palmeiras no manto da noite, a caminho da maternidade, do posto médico ou de um curandeiro qualquer, em busca de uma panaceia para as febres da criança que não cessam para depois, a qualquer momento, surgir um temporal dos homens do mar que te levam tudo, deixando-te entre lágrimas?

A alma de Serafina solta-se na torrente das palavras como um barco encalhado. Voa para o alto como um pássaro de asas quebradas. Todos a veem. A sua mágoa é real, autêntica. Sofre como só uma mulher pode sofrer. Com sabor a sangue e a lágrimas. Com sabor a mordeduras no umbigo, num clamor de todas as mulheres do mundo, enlouquecidas pelas mordazes dores de parto.

— Se conhecessem as insónias, velando o sono de cada criança, olhando para as estrelas do céu, e depois abrir o corpo para um companheiro ocasional, fazer amor que nada tem de amor mas de ódio, só para voltar a engravidar, satisfazendo a teimosia do ventre de não fechar as comportas da vida! Alguma vez perguntaram o que sente uma mãe ao ver os filhos partir para a escravatura? E tu, Delfina, escolhes o caminho do sofrimento. Vais casar com um preto, parir mais pretos e mais desgraças. Com tantos brancos que te querem bem. Não custa nada eliminar a tua raça para ganhar a liberdade. Temos que resistir, Delfina, temos que resistir. Temos que nos submeter à vida que nos impõem, acreditar no Deus deles, esse ser invisível e sem forma concreta. Tenho ódio dessas sinhás e donas todas mulatas, tenho ódio dessas brancas piedosas, sempre dispostas a elaborar belos discursos sobre a mulher africana, a sofredora, a analfabeta, a pobrezinha.

De onde vêm as estradas, as plantações e toda a sua grandeza? E as casas belas, quem as constrói? E a boa cozinha? E as roupas brancas, engomadas, perfumadas? Das mãos dos condenados como o José, frutos dos partos das mães negras. E o que recebemos em troca? O desdém, o insulto, a marginalidade. Quem somos nós, mulheres negras, neste regime sem esperança? O fim da mãe negra é ficar encostada ao umbral da porta num choro eterno, perante a indiferença do mundo, colocando flores em túmulos imaginários dos filhos que perdemos. Ah, minha Delfina! Neste momento, choro os meus filhos perdidos no mundo. São três. Vieram do mais sagrado de mim, vieram de longe! Vocês não sabem o que sofri para os trazer ao mundo. Nesse tempo, vivia a duzentos quilómetros da maternidade. Aos seis meses percorri toda essa distância a pé, e tive de ficar à espera mais três meses para garantir um parto seguro. O vosso pai construiu uma palhota num bairro fantasma à volta da maternidade constituído por mulheres grávidas vindas de todos os lugares da terra. A minha sogra abandonou o conforto do seu lar e viajou comigo para me providenciar alimentos, água e lenha, ao longo do tempo de espera. Depois do parto ainda fiquei mais trinta dias, para ter a certeza de que a criança tinha saúde e viveria. Esforço vão, porque os filhos me foram retirados na flor da idade e levados num barco para terras desconhecidas. Talvez estejam vivos. Ou mortos. Sinto que nunca mais voltarei a vê-los. E eram belos, como este José à minha frente. Hoje entendo o sofrimento das cadelas e das cabras quando nós, os humanos, retiramos as suas crias para destinos desconhecidos perante o olhar impotente das progenitoras. Mas um dia virá em que o mundo inteiro se recordará do sofrimento da mãe negra e nos pedirá perdão, pelos filhos que nos roubaram, arrancaram, venderam.

José dos Montes escuta a voz amarga e emociona-se: esta voz parece a voz da minha mãe. Este choro parece o choro da minha mãe. Esta dor é, sem dúvida, a mesma dor da minha mãe. Tenho tantas saudades da minha mãe!

— Ah, se Deus me tivesse dado mais filhos mulheres prolongaria os meus dias. Ah, se ao menos esse teu José fosse um assimilado. Se ao menos fosse um chuabo, que é um clã superior. Pelos vistos é um lómwè, um escravo qualquer, sem classe nem berço.

Dos choros, Serafina escolhe o mais romântico do menu dos prantos. Com diferentes sons. Tonalidades suaves e graves de brisa e tempestade. Só queria felicidade e segurança para a sua Delfina.

— Deus é quem sabe, não é? Deus não é louco e nem errou na fórmula da criação. Se ele nos fez negros lá sabe porquê. E se nos deu o sofrimento como destino tem lá as suas razões.

— Mãe, compreende toda essa história. Tentei lutar contra este passo, mas o coração traiu-me, minha mãe.

— Desejo-te toda a felicidade do mundo, minha Delfina.

O lar é um jardim onde um casal semeia as flores. Passa um viandante, colhe, e parte. Início de um longo tormento. Os corações humanos não deviam amar para não sofrer.

— A saudade será a minha companheira, a partir deste passo. Esta visita é uma porta que se abre. Este homem um ladrão que se aproxima, com mão vigorosa, para colher uma flor dentro do meu peito. Delfina vai-se embora aos poucos. Primeiro o noivado. Depois o casamento. Finalmente a ausência.

O pai de Delfina não dizia nada, mas contemplava José com benevolência, porque via nele sinais de um homem digno. No fundo, agradecia a Deus. Finalmente aparecera o salvador que afastaria a filha do vício e da destruição. Por isso dá a última palavra.

— Pois bem, meu rapaz, bem-vindo a esta casa. A partir de hoje, pertences a esta família. Casem-se e sejam muitos felizes. Tragam muitos netos e muita alegria à nossa velhice. Que Deus vos dê a felicidade que lhe pedem. Aceitem, pois, a minha bênção.

Ao pai de Delfina agradava muito aquela partida. Quando os filhos partem, marido e mulher regressam ao amor antigo. Socorrendo-se um no outro no outono da vida. Quando os braços se libertam dos cuidados com os pequenos ficam outra vez dispostos para o novo abraço.

— Ah, minha Serafina! Comeste muita sova nesta vida! A dor fechou-te os olhos. De tanta dor perdeste o tino. Tens razão. O cão fiel se domestica à pancada. Só pensas no teu dono, não existes. Foram muitos anos de insultos e a mentira se tornou verdade. Agora te renegas, te anulas, tens vergonha e medo de ser negra.

— Achas?

— Acendeste a fogueira da paixão no coração dos pombinhos, minha santa. O amor é uma doença maligna, Serafina. Quanto mais se repele mais resiste. Recusar este casamento é o mesmo que enxotar o cão com um osso gordo na mão. As crianças admiram as cores do fogo, e querem provar a sua força com as próprias mãos.

— Achas?

— As palavras são fermento, Serafina. Há palavras que nunca devem ser ditas. Sentimentos que devem ser escondidos. Tu falaste demais. Usaste todas as armas para abortar o sonho. Percorreste o mundo na profundidade, na superfície.

Varreste em círculo toda a rosa dos ventos, só para matar o sopro de vida. A sorte é que o amor é livre e não obedece a nenhum comando.

— Será verdade?

— Eu vi a vela da desordem a acender na estrada da menina. Vi a estrada do desespero na mente do rapaz. Uniste-os, não os separaste. Serás a principal responsável por esse casamento.

As mulheres sonham com o dia do parto, mas esforçam-se por adiar a hora da partida. E esta acontece, porque a partida é um novo parto.

— Amar é também abrir a mão e deixar partir. Amar é ganhar e perder. É aceitar semear-se para germinar noutra encarnação.

— Ah!

— Minha Serafina, devias sorrir e sonhar. Tens de acreditar no amanhã. A opressão morrerá. Nos próximos sóis os filhos crescerão junto das mães, serão enterrados no cemitério da família ao lado dos seus antepassados. Não partirão jamais e as famílias serão alargadas. Os ventres das mulheres vão parir um milhão de crianças para renomear os que partiram, ressuscitar os que morreram e os novos que devem nascer.

Olha para a filha e para o noivo e reconhece que os dois vieram dela. Volta a si. Ela é o útero que abre e a criatura que parte. Restam-lhe apenas as feridas do corpo para que a vida continue. Infelizmente, neste mundo, as dores pesam mais que a alegria. O amor vem e, num segundo, faz esquecer as mágoas do percurso. Porque a eternidade é um instante.

— Chega de lágrimas nesta história e sonha com o casamento da nossa filha. Não acha que é um milagre? Ontem prostituta e hoje uma noiva virgem pudica, a subir ao altar da igreja com música de órgão e tudo! Será história, nunca houve casamento na nossa família. Não achas isso um milagre, Serafina?

— É, sim.

— Então? Para quê tanta mágoa?

Serafina começa a sonhar e a amargura se afasta. Pensa na sua filha a ser vista por todos os olhos. Imagina a menina no altar, vestida de branco e flor de laranjeira. Os sinos da igreja a tocar, a marcha nupcial da música de órgão, tudo muito enfeitado, em honra da menina. Na inveja de todos os que a apedrejam. É bom que ela se case, sim, para que a brancura no altar lave todas as máculas do passado.

— Tens razão, homem. Que a nossa filha entre na igreja segurando rosas brancas, na igreja enfeitada com antúrios, jacintos e jarras a enfeitar toda a igreja — diz Serafina mais animada.

— E depois que eles tenham muitos filhos! Delfina deverá parir três filhos homens. Para renomear os irmãos que partiram para não mais voltar. Depois parir dois filhos mulheres e dois filhos homens, em homenagem ao pai e à mãe, sogra e sogro. Finalmente outros tantos, talvez três, talvez quatro, para dar os nomes que ela gostar. No total uns dez ou onze.

— A nossa família será alargada, meu velho. E tu serás o patriarca.

— É. Mas diz-me: por que maltrataste o jovem?

— Fui injusta, sim. Era o medo, compreende-me, era o medo. Eu tenho medo dos brancos. Eles são invencíveis. Dominam o fogo, dominam a água por emergirem das profundezas do mar. A nossa bruxaria é da terra, não resiste nem ao fogo nem à água. Por isso me rendo, antes que eles me matem.

— Um dia, esse poder conhecerá o seu fim.

Serafina fica em silêncio. Recorda a sua Delfina, criatura chorona. Vê-a ainda pequenina colocando os bracitos no seu peito, nos ombros, no regaço, mãe e filha abraçadinhas, juntinhas, como a eterna imagem da Virgem Santíssima. Agora a trocou por um homem. As crianças não deviam crescer!

— Vendo bem, até foi melhor assim — diz Serafina. — Genro negro, netos negros, harmonia da família. Do futuro, só Deus sabe. Esses netos mulatos que tanto sonho, será que me iriam amar? Não me iriam desprezar? Talvez me ignorem, por representar as raízes que se pretendem eliminadas. Foi melhor assim.

— Foi sim, só agora é que entendes?

— Vês, velho tonto, como é bom ter filho mulher? Dos quatro que tivemos, restou-nos a nossa Delfina. Que vai casar como os brancos. Com véu e flores. Ah, meus filhos homens perdidos no mar!

Serafina queria dançar. Cantar. Invocar todos os mortos num mukhuto universal, para celebrar o casamento da sua única filha. Que Deus a abençoe.

Os namorados caminham até ao mar. Mudos, transtornados, como dois fantasmas emergindo do túmulo. Chegam à praia e sentam-se na areia branca. A conversa de ambos conhece todos os temperos: beijos de mel frescos como a brisa. O grasnido dos corvos e o canto das cigarras para dar romantismo às coisas. O dourado, avermelhado, amarelado e acinzentado do pôr do sol. E finalmente a noite e a lua. Entraram na dança do arco e sentem vertigens. Aguardam que a brisa fugaz arraste o fogo dos corpos para além da atmosfera. Afinal a dor tem asas e também voa.

Nos olhos, o azul do céu e do oceano. As gaivotas soltam no ar pétalas de vento. No céu da boca, o doce paladar da paixão.

— Eu amo-te.

— Eu amo-te.

— Então nos amamos. Amemo-nos na alegria e na tristeza, na saúde e na doença, até que a morte nos separe.

O passado regressa e poisa suavemente na mente do José. Busca alento nos raios de sol que dormem. Na ternura cálida dos braços de uma mãe. A mente de José mergulha nas raízes do tempo e fala com o vento. Minha mãe que me pariu. Mãe que tenho ou já não tenho. Minha mãe memória distante que me mata de saudade e angústia. Minha mãe, eu te odeio neste momento — declama em delírio mudo — por me trazeres ao mundo sem a minha licença e me teres oferecido esta dor como destino. Mãe, de onde me trouxeste? Por que me trouxeste? Será que não ouves o meu choro no teu silêncio? És impotente? Tiveste poder para me dar a vida, que eu nem queria, agora tira-ma, eu quero morrer, vamos, mata-me, devolve-me ao nada, ao vazio, onde não há luz nenhuma deste mundo. Querida mãe, eu te odeio, sim, por teres violado o meu direito de não existir. Odeio-te por me teres gerado homem e não mulher. Por me fazeres preto e não branco. Minha mãe amada, minha mãe culpada. Por que abriste o coração para o fantasma do meu pai? O maior culpado foi ele. Que te cantou a mais linda canção de amor e te elevou até à perdição para te largar no ar com a minha vida no ventre. Ah, meu pai, eu te desprezo, eu te ignoro, porque não existes. És simples pólen espalhado pelo vento. Semente de fruta na cloaca de um passarinho. Chuva miúda que pinga, molha e parte. Galo emprestado da capoeira do vizinho. Por não existires, meu pai, não tens culpa nenhuma. O culpado de tudo fui eu, que não desertei no ventre da minha mãe. Tive oportunidade para abortar-me, evadir-me, erguer o meu braço fetal e bloquear o caminho do meu nascimento, escorregar das mãos das parteiras e esborrachar-me. A culpa é da natureza que me deu coração vivo só para sucumbir nas lanças do Cupido. A culpa é dos homens do mar, que receitam castigos a todos os que resistem. Mãe, eis-me aqui, infeliz, sem forças para demitir-me desta vida, mãe, tenho a tua voz gravada no fundo da memória, sei que me escutas, sei que sofres, eu tenho saudades, eu te adoro, minha mãe!

11

A imagem de um casal perfeito reflete-se nos olhos da multidão. A cidade parou para assistir ao insólito: o casamento de uma prostituta. Delfina faz a sua mágica aparição. Fulgurante. Sublime. Vencedora. Sorri para os quatro ventos e triunfalmente se afirma. Vestida a rigor como as noivas virgens. Com véu, grinalda e flores de laranjeira. José vestindo um fato de linho que lhe assentava como uma luva. A vida é assim. O que é o sonho de uns, é a realidade de outros. Uma manada de pretos e brancos, gente que se atrai e se repele, estava na porta da igreja de olhos esbugalhados. Queriam ver para crer. As bocas desdenhosas da multidão hoje não blasfemam, emudecem de espanto, perante a Madalena convertida que conspurcava o altar de todos os santos. Os olhos das mulheres invejam outra mulher. Quem diria, quem me dera! Como é que pode, uma prostituta de rua, transformar-se em santa de um momento para outro? Os olhos dos homens invejam outro homem. José é um herói. É macho. Conseguiu domar a raiva da abelha-mestra e leva para si toda a colmeia. As mulheres apetitosas são raras e não deveriam pertencer a um só homem. José, esse pobre, esse coitado, teve a maior sorte do mundo.

Dizem-se, aos cochichos, que José ganhou aquela mulher numa disputa com o Soares, aquele branco rico, proprietário das minas de Gilé. Esse branco e a mulher organizaram tudo. Com padrinhos brancos, fotografias e tudo. Um copo de água pantagruélico. Aquilo não era boda de preto, era pura vingança. Contra os padres que assediavam Delfina, mas não a deixavam frequentar a igreja, chamando-lhe pecadora. Contra as freiras esquizofrénicas que a expulsaram da escola. Contra a comunidade que tecia ironias à sua passagem. Uma cerimónia com música de órgão e marcha nupcial que nem os padres conseguiram impedir. José, espantado, assustado, flutuava no mar de surpresas. A cabeça cheia de vertigens e cores. Era o decantar do sofrimento e o despertar de novos sentimentos.

Delfina olha para o mundo do alto e respira fundo. Celebra. Sou um mito, sou especial. O meu curandeiro confirmou a minha sina. Ele viu tudo nos búzios do mar e disse que eu seria a rainha e mulher sobre todas as mulheres. Disse que eu era uma estrela. E hoje sou. Que eu reinaria sobre o mundo. Sinto que ainda hei de governar, não sei bem como. Eu acredito nele. Apesar de inexperiente, ensinou-me muitas maravilhas: umas poções mágicas para adormecer os clientes, surripiar as carteiras dos embriagados. Fez de mim a especialista de sexo mais procurada, a mais bem paga, mas hoje juro abandonar tudo e seguir todos os passos para construir uma vida nova. Entrei na igreja e subi ao altar. Quero ter uma boa família e um bom nome. Realizei este casamento para ordenar a minha vida.

As mulheres brancas celebraram o caso na cidade alta, suspiram de liberdade e cantavam louvores a José dos Montes. Que acorrentou Delfina baixando-lhe o fogo do corpo. Aquele casamento representava para muitas delas o fim das noites de desassossego e de medo de perder os maridos nas mãos de uma preta. Finalmente o lar do Soares está livre da ameaça. Endereçam sinceros votos de felicidade ao casal. Desejam muitos filhos, para que o corpo de Delfina se deforme em cada parto. Desejam que nunca lhes faltem alimentos e muito apetite à noiva, para que ela coma muito e bem, e toda aquela elegância se transforme em gordura.

O José acaba de nascer do ventre de uma esposa. Uma esposa bela, única. Que o elevou do chão até ao mais alto dos sentimentos. Lutou contra a oposição dos pais, venceu todos os obstáculos, para lhe dar uma vida nova. Que lhe trouxe a liberdade e um novo estatuto, já não é condenado, mas contratado, categoria ganha como prenda de matrimónio.

Delfina e José dos Montes vivem um amor maravilhoso, único.

Para o homem, a lua de mel é a tomada de posse de um corpo já conhecido como legítimo proprietário. Os beijos e abraços anteriores eram crédito, dívidas, empréstimo. Para as mulheres é a inauguração do estatuto de serva. Agora traz-me o café, agora a sopa, agora engoma a minha roupa. E ela sobe, amorosamente, ao seu trono de servidão, rainha de espinhos. Lua de mel é balada de doces poemas, em que cada um tece uma canção secreta. Meu amor! Eu também te amo. Mas se me desobedeces eu esmurro-te. És minha mulher. Sou o teu marido. Todo teu. Mas não deixarei de apreciar a donzela que passa nem de dar um pouco da minha alegria a uma triste viuvinha. Serei a tua esposa, tua mãe, tua serva, até que a morte nos separe, com toda a certeza. Na morte deste amor, arranjo outro. Na frieza desta cama irei à caça de fogo. Se encontrar um amor maior, mato-te em nome da liberdade para viver a nova paixão. A morte vai separar-nos, sim, meu amor!

A vertigem da paixão faz José gravitar nas fronteiras do abismo. Um amor que o surpreende e o projeta num voo desordenado. Fazendo dela uma montada, na perigosa escalada até às paisagens mais sombrias da paixão. Da ansiedade. Insegurança. Saudades. Ciúmes.

Tudo o que é bom dura pouco.

O casamento dá os primeiros sinais de uso. Em cada manhã que nasce a doçura se apaga. Por causa do dinheiro que falta. Do açúcar que não basta. Do conforto que não há. A Madalena não se conforma com o cinto de castidade, reage. Ameaça rompê-lo para regressar à liberdade do cais. A paixão de ontem começa a transformar-se em saudade. A voz de Delfina começa a expressar saudades do tempo antigo quando José apresenta, no final de cada mês, cinco quilos de farinha azeda, dez cocos e uma moeda de dez escudos, seu salário de contratado.

— Acha, que isso é salário para mim? — grita Delfina. — Tiraste-me das mãos do Soares, o meu branco rico, que me dava tudo. Traz-me dinheiro de verdade, se me queres aqui.

— A decisão de casar comigo foi tua, Delfina.

José não consegue fugir à sina do marido amante. Que se deixa devorar e depois se lamenta. Delfina exerce a tirania da mulher amada e coloca uma espada na língua.

— O meu estômago se rebenta com a farinha azeda que como todos os dias. O meu corpo inteiro cheira a peixe seco. Como posso eu suportar uma vida inteira feita desta desgraça?

— Não sei, meu anjo.

— Ai não sabes?

José suspira e fala sozinho. Por ódio, os marinheiros me fizeram prisioneiro. Por amor caminhei para esta nova prisão. Ah, Delfina impulsiva, Delfina doce. Que provoca no coração só inquietude. Que faz do amor um palco de ternura e confronto. De manhã, sentada no banco, como uma rainha. Espreguiçando-se. Secando a bela máscara na brisa. Sem sol nem fogo para não a quebrar. Olhando para o azul, para o nada. Ou para as gaivotas navegando no céu. Deixando a mente viajar nos bares do porto. Rememorando imagens passadas. De música ruidosa e cerveja gelada. Do sovaco das pretas e da catinga dos brancos, numa mestiçagem de odores sudoríparos. A paixão de ontem se torna saudade e o brilho de hoje será passado.

— Ah, esposa minha! Bonita quando te ris, bonita quando te zangas.

— Ai é? Pensas que estou a brincar?

— No próximo mês vou melhorar, eu juro.

José sabe que mente, mas promete. A vida foi controlada pelos senhores, e o povo não tem nada, nem dignidade, nem terra, nem o amor no coração das mulheres. Mas Delfina esquece tudo e sonha como uma pessoa livre. Aprende com quantos espinhos se faz um marido. Afinal o amor começa com a flor e acaba com a dor. A sua Delfina desperta cedo para cuidar da sua beleza e não do conforto do companheiro e é ele, José, quem acende a fogueira e cuida do seu alimento antes de partir para o trabalho.

— Faz-me um chá, Delfina.

— Não posso. Acabei de colocar o m'siro.

— Está bem.

Por dentro revolta-se. Para que servem as mulheres? Porque é que as pessoas se casam? Ah, as mulheres negras gastam horas e dias a cuidar do cabelo, mas as brancas não são assim, basta passar uma escova no couro cabeludo. Um toque, dois toques e já está. As negras passam muito tempo na casa de banho a lavar coisas pequenas. As brancas não são assim. As mulheres negras são as mais vaidosas do mundo! Elas entendem tudo de beleza e nada do sacrifício do homem na construção do mundo. José revolta-se e consola-se.

De todos os meus companheiros sou o único casado. Amar é bom, muitos morrerão sem ser amados.

— Saiba, desde já, algumas coisas — resmunga Delfina —, estou contigo, legalmente, e também acidentalmente. Acidente do coração. Estou contigo para curar uma doença, uma paixão. Outra coisa: o dinheiro não me falta, nunca me faltou. Lembra-te. Eu sou a Delfina, a quem todos os homens procuram.

— Eu luto, eu me esforço, Delfina. Um dia virá a resposta. Um dia.

— Um dia? Que dia?

— Qualquer dia.

— Não te preocupes, meu José. És jovem e eu também. Podemos resolver os nossos destinos de várias maneiras. Ambos estamos no princípio da vida.

José sofre. De amor. Da insegurança de perder. Grita maldições contra o coração que o transformou em joguete nas mãos de uma borboleta. Que o faz procurar dinheiro para manter o seu amor, nem sabe como. Nem roubar é possível. Mas os negros só têm bananas e cocos, e Delfina quer ouro. Roubar aos brancos é candidatar-se a nova deportação. Surgem assim os primeiros sinais de revolta: maldita colonização, maldita hora em que nasci negro. Se eu fosse um branco, nada me faltaria. Existem algumas fórmulas frágeis para ser menos negro, pelos cremes, pelas roupas, pela textura dos cabelos.

— Tudo farei para te dar o lar que mereces, minha Delfina. Tudo.

Com palavras incoerentes embalava a sua dama. Levar-te-ei. Dar-te-ei. Lutarei. Farei. Ei... ei... ei. Aos poucos transformava-se num escravo nervoso. Matarei. Discurso de submissão. Farei.

— O que farás para conseguir tudo isso, meu anjo?

— Trabalharei.

— Trabalhar ainda mais? Não se ganha nada com isso. Os meus irmãos no desterro trabalharam até à morte, não ganharam nada e não voltaram nunca mais!

A dispersão reina na mente de José. E a revolta. O que é a vida neste mundo onde a grandeza do homem se mede na imagem da mulher? Pela grossura da corrente de ouro. Pela macieza da pele. Pelo volume do traseiro. Pelas mãos lisas, sem calos. Pelo número de capulanas que usa em cada dia, sete no total, todas embrulhadas no traseiro de uma só vez, fazendo almofada, enormes, como as saias arrendadas das damas antigas. Delfina vivia bem, meu Deus, vivia bem, tinha o branco dela, o dinheiro dela, os clientes dela, por que a trouxe eu para aqui?

— Hei de comprar um riquexó para ti, minha santa. Levar-te-ei na machila como uma branca, minha rainha. Comprar-te-ei muita roupa bela, para que todas as mulheres desta terra morram de inveja.

— Ah, meu José, se não cumprires a tua promessa, faço greve de sexo! Morrerás de frio, vais ver!

Sexo de mulher, instrumento de tortura. Loucura com que os homens se debatem desde o nascimento à morte. Greve de sexo. Remissão do homem apaixonado ao túnel do mundo. Por sexo se amaram, se casaram. Que será da vida sem sexo?

— Delfina, mulher ingrata, não vês o que sofro por ti? Tirei-te da rua da amargura. Dei-te dignidade e um nome. És uma mulher casada, respeitada. Por ti me tornei faz-tudo. Capanga do patrão, plantador, delator. Na hora em que devia estar contigo, ando a aprender a ler e a escrever, para te dar orgulho de teres um marido letrado. Por que me tratas mal?

— Sei do teu sacrifício, meu amor. Mas para eu viver, preciso de muito mais.

— Delfina resmungona! Como é bela a tua voz zangada!

A vida de José transforma-se numa guerra de sentimentos. Por vezes o amor é puro. Outras vezes ódio e sofrimento. Diante dela, a ternura, e mal se afasta vem amargura. E a boca se enche de lamentos. Sou pobre, sou fraco, sou preto, vão tirar-me a minha Delfina. O dia é longo, o trabalho é intenso, na minha ausência ficarão a dormir com a minha Delfina. Ai, Deus, dai-me um cofre bom, para esconder a minha Delfina. Não tenho espada, estou indefeso, vão matar-me para ficarem a usufruir das doçuras da minha Delfina. Na mente desenha novas esperanças: talvez esta pobreza vá acabar. E o colonialismo vá terminar. E os brancos irão partir, para que Delfina seja apenas minha!

— Sei onde ir buscar a fortuna de que precisamos, meu amor.

— Sabes?

— Sim. Basta sermos assimilados do regime. É a única saída.

José aprende a dor de ser homem. Construir o mundo com a força dos braços. Quebrar pedras nas profundidades do túnel, transformá-las em pão. Mas ser assimilado?

— Os assimilados são assassinos, Delfina.

— E daí? A vida de um negro é matar ou morrer. Se não matas tu, matam-te eles a ti. Que diferença faz?

— Achas que é boa solução?

— Tenho a certeza. Tens todo o direito de dizer não, mas lembra-te: eu não nasci para a pobreza.

A mente de José se ilumina com a ideia da casinha decente, onde Delfina se sinta rainha. Empregados para a horta e para a cozinha. Prender-lhe o coração com belas prendas. Comprar-lhe saias rodadas, bem armadas com entretela e forro, daquelas que preencham todo o espaço de uma banheira para, ao caminhar, levantá-la naquele gesto sensual das mulheres europeias de quem se quer despir e mostrar as pernas mas só deixa ver os sapatos de verniz e as meias de seda. Quer dar-lhe saias belíssimas para usar nos dias santos, para que as vizinhas façam rumores à passagem do casal e acendam pontinhos de inveja dentro do peito.

— Podes ter razão, Delfina. Mas ser assimilado?

José percorre a magia luminosa das aparências. Na cegueira perseguindo os caminhos do abismo. Colonizar é mesmo isto. Desviar o curso do rio. Matar de sede os peixes, as algas e os corais. José mergulha na nova corrente e afoga-se entre as folhagens das algas. Por amor, julga ele. Mesmo sem amor as comportas se fecham, quem resiste, morre. Colonizar é fechar todas as portas e deixar apenas uma. A assimilação era o único caminho para a sobrevivência.

Quem não se ajoelha perante o poder do império não poderá ascender ao estatuto de cidadão. Se não conhece as palavras da nova fala jamais se poderá afirmar. Vamos, jura por tudo que não dirás mais uma palavra nessa língua bárbara. Jura, renuncia, mata tudo, para nasceres outra vez. Mata a tua língua, a tua tribo, a tua crença. Vamos, queima os teus amuletos, os velhos altares e os velhos espíritos pagãos. José faz o juramento perante um oficial de justiça, que mais se parece com um juramento de bandeira. Com pouca cerimónia, diante de um oficial meio embriagado.

— Eu juro — repetia.

— Juras abandonar essas crenças selvagens, a língua atrasada, e a vida bárbara?

— Sim, eu juro.

— Bom rapaz. Agora assina aqui.

José assina o documento que o transforma em assimilado. Mesmo sem ler. As suas capacidades didáticas não lhe permitiam semelhante luxo. Assinou apenas. Embasbacado aguarda os resultados, os novos mandamentos que não demoraram a vir.

— Já és assimilado. E serás sipaio a partir de hoje.

— Sipaio?

— Sim. Tens muita fibra nesses músculos. És um negro de bom porte para sipaio.

— Mas...

— Psiu, silêncio. Aqui não há perguntas. Queres ou não ser assimilado?

— É que não sei como ser sipaio.

— Não te preocupes, aprende-se depressa, não custa nada.

O oficial entrega um envelope lacrado contendo dinheiro para comprar roupas condignas com o novo estatuto. Muito dinheiro.

— Para quê?

— Para comprar roupas dignas da tua nova condição.

— Sim, chefe.

Realizou as primeiras compras da sua vida. Roupas, sabão, perfume e lençóis brancos. Experimentou tudo e foi ao espelho pela primeira vez. Sentada na cama, Delfina observava o marido a mudar de identidade como uma cobra na mudança da estação. Arregalava os olhos e soltava suspiros de cada vez que José trajava mais uma nova peça. Roupa nova, vida nova. A camisa branca acentuava o brilho da pele negra, tornando os olhos e os dentes mais luminosos.

Basta a primeira vez para que nas donzelas a inocência se desfaça. Para o amor, basta apenas o primeiro beijo. Basta o primeiro pavio aceso para que a dinamite expluda e transforme em fumo os sonhos dos homens. Basta o primeiro gesto. O primeiro golpe. A primeira gota de sangue, para derrubar a paz dos corações humanos. José olha para a sua imagem e sorri. As recordações marcantes fluem no fio da memória. A primeira vez que viajou de carro. Ele estava ali sentado. Viajando. Com as árvores correndo para trás. Viajar significava a deslocação do corpo sobre o vento, sobre a gravidade, sobre a distância... Na mente a confusão, as vertigens e os vómitos sofridos. Não compreendia nada de dinâmicas nem mecânicas de bicicletas, muito menos de automóveis. Hoje ri-se, com prazer. Recorda a primeira vez que viu papel de embrulho, muito mais bonito que a sua tanga de pele de cabrito. Que ele vestiu e exibiu orgulhosamente aos amigos, como seu traje novo. Depois a chuvada imensa que dissolveu o traje e o sonho, deixando-o completamente nu, a tiritar de frio, perante o gozo da malta. A primeira vez que viu uma estrada alcatroada, ficou horas parado com medo de atravessar para não ser atropelado. A primeira vez que viu um prédio estremeceu e nem se aproximou. Temendo que lhe caísse na cabeça. A primeira vez que segurou um rádio virou-o e revirou-o, para entender aquela feitiçaria e descobrir as pessoas que falavam lá dentro.

Olha-se de novo no espelho, passeia as mãos pela curva dos ombros e desce-as suavemente até aos joelhos, saboreando as roupas novas pelos olhos e pelo tato. Os vincos, bem engomados, parecem arestas das folhas de palmeira, cortam. Sente que é bom vestir bem. Pela primeira vez.

E pela primeira vez calça sapatos novos, os do casamento eram velhos e emprestados. Dá passos e vai de novo ao espelho. Não lhe agradam muito, abafam a respiração cutânea. Gosta do contacto direto com a terra e de deixar pegadas na areia. Gosta de chapinhar descalço nos pântanos frescos dos arrozais.

E também pela primeira vez prova bacalhau e não gosta. Prefere o peixe seco da terra, como o chambo, o pende, o chicoa. As azeitonas são amargas, muito amargas, mas deixam na boca uma frescura doce, uma sensação agradável. O vinho, amargo no princípio, afinal era uma maravilha! Dos tremoços não suportava o paladar, mas era coisa de gente civilizada. Tinha que aprender a gostar.

Dos olhos do casal escorre o despertar dos assimilados. Caminhar de cabeça erguida e olhar o mundo do alto, mergulhando no prelúdio da História e tentando abortar o amanhã de liberdade. E José descobre que as folhas das palmeiras têm um verde-vivo e o voo das andorinhas é de plena liberdade. Delfina experimentou a sua saia longa, de seda, com entretela e forro. Gosta da sua nova imagem. Da imagem do seu José. Gosta daquele cheiro a goma, a sabão e a vida nova. Abraça carinhosamente José, para celebrar o momento e ter a certeza de que era seu o homem transformado. E suspiram um para o outro: que bom seria que o tempo e a multidão se sumissem e no mundo fôssemos apenas dois!

— Delfina, minha deusa, eu te amo. A ti, que me tiraste da morte e me fizeste nascer outra vez. Tu me amas. Mais do que a Deus. Mais do que a minha mãe, que me trouxe ao mundo para conhecer a escravatura e a condição de condenado, sem ao menos me ensinar a ver as cores do mundo.

— Ainda bem que confias em mim.

— Não há pessoas feias quando há dinheiro. É a pobreza que faz a velhice, a feiura da gente — suspira José.

— Por que recusavas? — indaga Delfina, satisfeita. — Podias ser já assimilado há mais tempo, e hoje a vida podia ser outra. Perdias tempo com ideias de resistência, querendo afirmar uma identidade perdida. Uma dignidade de fome. De escravatura. De morte.

— Ah, Delfina! — Prende a mulher nos braços e repete-lhe ladainhas de ternura. — Haverá alguém melhor que tu, debaixo do sol?

Será Delfina a razão da sua decisão? Não, não era ela. Diluído nas nuvens, farejou a turbulência do porvir. Como as andorinhas, prenunciou a tempestade e sentiu chegada a hora de procurar abrigo. Quem não conhecer a língua nova não se poderá afirmar. Quem não encarnar o espírito dos novos soberanos não conhecerá as cores do novo sol. O canto das gerações será silenciado. A alma será um palco de conflito entre o antigo e o novo. Só depois de muitas gerações de luta haverá harmonia. Cansado da miséria, entregou ao crime as rústicas mãos de plantador. Delfina dera apenas uma pincelada no formato do seu pensamento. A decisão de tornar-se assimilado era a sua decisão de homem. Porque queria viver. Aceitara em nome do próprio coração, para que Delfina não procure noutro lugar o que em casa não há.

No dia que em que José segurou a primeira espingarda, chorou. A sensação gélida do metal percorreu-lhe o corpo. O coração amoleceu e ele agitou-se como uma criança. Esta espingarda faz-me lembrar os amigos mortos. O meu pai. Faz-me lembrar as lágrimas da minha mãe. Eu não queria esta arma, nem este punhal. Nem esta farda ridícula de cidadão de segunda classe. O amor é a minha única ambição. E também o sossego. Queria contentar-me com migalhas da vida, como os pássaros bicando grãos de farelo. Como é que cheguei a este ponto, como? Oh, Deus que me fez homem, como poderei eu ferir a alma do meu povo? Serei eu com esta arma a conduzir as filas dos escravos para o porto. Para a deportação. Para as terras que eu jamais irei conhecer.

Olha para si, para o seu novo fardamento de caqui com botões de prata, que combinam com o relógio e o cinturão de couro. No peito a estrela de cobre. As rédeas da nova paixão galoparam-no e venceram. Abandonei o meu ninho, saí da órbita das coisas comuns, estou longe da minha terra, do pai e da mãe, empurrado pelo poder metálico destas armas.

Acaba de compreender a real amplitude da sua nova condição. Medita sobre as mudanças que se operam na sua vida e prepara a mente para o grande encontro. Chegou a sua hora. O exército da traição e da morte ganhou mais um. Que vai eliminar da vida todos os pontos vitais. Vai tornar-se inimigo de si próprio. Olhar para a própria raça como um tormento. Matar homens e proteger o palmar.

Veste os seus calções de caqui. O blusão. Calça as botas altas e cofió. Coloca a espingarda no ombro. Num impulso de fraqueza, busca conforto na aprovação da sua amada. Coloca-se diante dela e fala sem convicção.

— Delfina, sou grande. Sou sipaio. Já tenho dinheiro no bolso.

— Ah, meu José! Ainda não chega para comprar uma bicicleta. Estou cansada de andar a pé.

O coração de José é um barco em mares revoltos. Chegarei a bom porto? Sou marido por amor e não por acaso. Foi Delfina quem estendeu os tentáculos e me enlaçou ao gosto das conquistadoras do cais. Não teria coragem de pedir em casamento tão grande dama. Arrepende-se. Sem querer, usurpou a concubina de um homem branco, mas não lhe preenche os desejos.

— Pensei que ias gostar deste novo visual, minha santa!

— Eu? E tu não gostas? — responde sem olhar para ele.

José respira fundo. De amargura. É uma alma num fogo terrível. Dirige-se ao quarto, despe-se e esconde as lágrimas.

Tenta entabular palavras em oração. Que deuses escutarão os lamentos de um traidor? Mesmo assim, ele reza. Com fervor. Deuses meus, estou diante deste fogo, desta loucura, afastai de mim esta amargura. A quem direi as minhas angústias? Que sorte me reservais? Vejam nos meus olhos a dor que me consome. Escutem pelos meus ouvidos estes lamentos que vos dirijo. Abandonaram-me, atirando-me ao sabor do mundo. Por que deixaram que colocassem nas minhas mãos este punhal, esta espingarda? Eu queria apenas o pão. A vitória. A façanha. A aventura. Busquei refúgio nas trevas para existir. Aceitei eliminar os meus para sobreviver, mas jamais serei deles. Neste mundo, eu não sou ninguém!

— Diz-me algo, Delfina!

— Sobre quê?

— Ah!

— Não seja medricas, seja homem! E para de me fazer perguntas mesquinhas.

Desespera-se. Porque ela não o sossega. Dentro dele, tudo é fogo e tormento. Sente a falta da mãe. Só as mães entendem as coisas simples dos corações dos filhos. E acalmam a fervura com um olhar. Um sorriso. Para um pouco e pensa. Não estarei na senda do destino? As mudanças na vida acontecem quando a sorte destina. Ele sorri, determinado: nas minhas mãos o chicote cantará e as vidas dançarão. O punhal dividirá um homem rijo com um só golpe. Vida e morte são coisa dos defuntos. Pretos e brancos são invenções de Deus. Que poderes tenho eu para alterar o percurso? Se eu não mato, morro.

Abandona-se à sorte, como peixe miúdo ao sabor do vento. Entregando-se ao sabor das ondas, os medos de nada valem. Seja feita a vontade de Deus. E dos deuses. Que as ondas me levem ao mais profundo dos oceanos.

12

Era 1953, noite colonial. José dos Montes parte para a guerra. Não como soldado, mas como sipaio. Soldado é coisa de homem, a bravura coisa de marinheiro e ele não passa de um cidadão de segunda. A repressão ganhava novas formas. As gentes andavam com fantasias de liberdade e conspiravam. Cada negro era um potencial opositor, era preciso aumentar a repressão.

O José sente um tremor extremo. O medo habita o seu estômago. Sente calafrios. É o desejo e o destino na batalha interior. Sacudindo o corpo. Um dizendo sim e outro dizendo não. Mas a lei ordena. Matar ou morrer por uma bandeira. Por um símbolo. Um pedaço de pano. Um trapo. Resmunga. Sou jovem de mais para morrer. Tímido de mais para matar.

Dentro de si as luzes se apagam e tem que fazer uma luta magistral para enfrentar o terror que se avizinha. Precisava de um sopro que lhe enchesse a alma de esperança. O homem adulto torna-se pequeno. E anseia pelo seu beijo e pelo seu mimo, no colo da sua mãe.

Aproxima-se de Delfina e canta o poema da despedida.

— Delfina, aconteça o que acontecer, saiba que te amarei até ao fim dos meus dias.

— Também te amo, meu José.

— Não posso viver sem ti. Voltarei, para te amar.

— Não podes viver sem mim? E se não tivesse nascido?

— Ah? O quê?

— A tua mãe não fez nenhum contrato com a minha, antes do nosso nascimento. Eu te amo, sim, mas não nasci para cuidar de ti.

Delfina retira a bainha da língua e esgrime. Esmera-se na pontaria. Decepa. Degola. A sua palavra é a mais mortífera das armas.

Delfina cobre José num abraço de despedida. Mas o beijo era frio. Eles eram o vazio e o silêncio naquele abraço. José descobre a estranheza das fases do amor. À distância, só desejo. Na presença, zangas e falas. Até parece que o amor é um querer e não querer. Dá a impressão de que Delfina o quer ausente, distante, morto.

— Delfina, até breve.

— Boa viagem. E traz-me uns brincos de ouro, para que eu te conceda a graça de um filho.

José dos Montes faz a leitura. Conclui. Ela já não quer nada comigo, não sou nada. Só não entendo a voracidade com que se atira a mim. Sou uma bola de carne em movimento. Chouriço a quilo, que se pesa e se usa aos bocados, às rodelas. Do meu corpo inteiro nem cuida. Da alma nem quer saber. De mim apenas lhe interessa uma parte. A única. Devo ser o mais sensual dos homens — anima-se.

— Traz-me uma prenda dessa tua guerra.

— Prenda?

— Sim. Uma recordação. Uma pulseira de pedras raras, para te lembrar sempre que olhar para ela.

— Pulseira? Da guerra?

Fecha os olhos e respira fundo. Fala palavras consigo mesmo. Esta mulher julga que sou nabo. Foi ela que me procurou e me teve. De mim faz tudo o que entende. Julgo que sou dela mas não sou. Não posso falar desta mágoa a ninguém senão a mim. Sinto que estou com ela, mas cada dia estou mais só. Ela será viúva e livre. Faz à minha custa a sua etapa. Num momento me injuria e eu choro. Mal oiço a sua voz vou ao seu encontro como um cãozinho fiel. Não quero mais saber dela, deixem-me ir à guerra para morrer. Brinca comigo como se eu fosse uma abóbora e já nem sei o que faço. Mas vou ser sincero comigo próprio. Gosto dessa mulher. Sou o escravo dela, o objeto dela. Sinto prazer em falar mal dela, mas quando estou só é mesmo nela que eu penso.

— Está bem, juro que trarei.

— Não te esqueças.

— Delfina, tu és igual a tua mãe. Estúpida. Malcriada e insensível. Se ela não me quis como genro, por que me casei eu contigo?

— Porque não podes viver sem mim.

José dos Montes começa a imaginar a sua Delfina nos braços do outro. Começa a torturar-se de ciúmes. A imaginar fantasmas. E a sentir maior tortura que o suplício da morte.

Ele jura. E tudo fará para saltar o obstáculo, para gozar a vida e o brilho. Para tornar aquela Delfina tão insignificante que caberá na palma da mão. Colocar-lhe muitos filhos no ventre e reduzir-lhe a beleza. E trará todo o ouro do mundo para que ela esqueça o antigo amante branco. No Gilé há muito ouro, amarrado na cintura das mulheres. Nas latas escondidas no solo, debaixo das tarimbas dos homens. Em Mocuba, em...

José dos Montes entra na marcha assassina de todas as conquistas, mas avança para Maganja, para Namarroi, para Lugela. Ele é um dos soldados anónimos num batalhão de muitos homens. Ao entardecer fazem o acampamento nas margens de um rio. Abrigam-se. Estremece, porque o anoitecer ditará o primeiro assalto.

Do esconderijo, José ouve sons. Cantigas. Sons que eram parte da sua vida, parte de si próprio, do seu passado, daqueles cantos que transcendem os ouvidos e se escutam pelo sangue, pela alma, como a invocação dos antepassados.

Mesmo que nos torturem
Havemos de voltar

Pensa nas razões da sua presença naquele espaço. Pensa na sua Delfina. As cantigas crescem, do lado de lá. São as vozes dos irmãos, amigos e família. Uma linha só, uma raça una, raça pura. O medo gera no peito novos conflitos. Entregou o corpo vulnerável, mas a alma teimosa se alimenta do passado. Da saudade. José esforça-se por eliminar o passado como quem despe uma roupa desconfortável no corpo. Recorda o juramento recente. Eu creio no futuro. Eu juro. Eu já não sou. Serei.

Despertou o espírito de leão, o que devora tudo, o espírito de dragão para se bater pela pátria e pela vida.

Mesmo que nos expulsem
Havemos de voltar.

A cantiga fazia vibrar a escuridão da floresta, no avermelhado das fogueiras que afastavam os fantasmas do amanhecer. Era a dor do povo num verso. Poesia pura. Afinal a alma tem o rosto de um fonema. De uma clave de sol. Reprime a canção antiga para que nela brote a canção do homem novo. Com roupas novas e boa comida que vem dos pretos e do sexo da sua mulher. Com dinheiro tilintando no bolso para pagar prazeres, vinho e outros sexos. José suspira. Livres são os escravos que preservam a sua condição e se batem com convicção. Mas, ah, canção antiga, canção teimosa que não larga a minha mente nem por um segundo. Canção da liberdade, canção da resistência que tortura a minha a mente. A alma balança ao vento, desconcertando a batalha da mente. Eu sou deles. Mas não se abandona a natureza por assinatura e nem se muda de raça por um juramento. Nem com a mais perfeita das cosméticas.

Mesmo que nos matem
Havemos de voltar!

Anoitece. Avançam. Escondem-se aguardando a hora. Do seu ponto de mira, José vê gente incauta à volta do fogo, respirando fumo e poeira. Dançando. De certeza para passar mais uma noite inteira naquele vozear inútil, que ele conhece desde o princípio do mundo. Tatuando as mentes com fantasias em que depois acreditam. Os sons dos tambores despertam o sono dos mortos. Vê silhuetas em dança. Máscaras de divindades. Nhaus, mapikos e outros paganismos. Pinturas. É acometido de sentimentos indecifráveis e faz a oração do silêncio. No princípio éramos apenas um. Um povo. Uma família, um exército de resistência. De repente ficámos diferentes. Eles lá e eu do lado de cá. Fizeram-me crer que do lado de lá está a tristeza e eu creio. Fizeram-me crer que do lado de cá está a nobreza e eu creio. Olha para o povo em delírio e lamenta. Os deuses surdos dormem no meio da festança. Responderão ao povo com palavras mudas, quando o destino marcar a hora.

Apesar desta escravatura
Havemos de voltar
...

O comandante dá vários passos. Dispara a primeira bala. Segue-se o choro das balas a rasgar o espaço. O coração de José pulsa dentro do peito. As mulheres em debandada seguram os filhos e correm. Os homens empunham lanças e setas. José dispara e os homens de azagaias caem como bandos de pássaros. Aos cachos. Pisa com firmeza a terra vermelha. Menstruada. Terra parturiente. Sente que dentro de si o cordão umbilical se rompe e a sua imagem se ergue infinitamente para o sol escondido na noite.

...
Havemos de voltar!

A voz dos m'zambezi se ouvia mais alto. Lutando desesperados pela Zambézia amada, pátria de palmeiras altas, semeadas pelas mãos dos escravos como testemunhos da história. Defendem o Zambeze, seu rio, onde os peixes saborosos brincam como nenúfares florindo nas ondas. Apesar do sofrimento — dizem no canto — é bom nascer na Zambézia. O chão é de mármore, ouro e madrepérola, é bom viver na Zambézia. A relva é de verde-vivo e os montes cobertos de antúrios. A terra inteira é uma laje florida, que convida ao repouso eterno. É bom morrer na Zambézia.

...
Havemos de voltar.

Os nharinga, esses m'zambezi da Maganja da Costa, se esmeram na luta, indómitos guerreiros que se recusavam a pagar o imposto da palhota. Não temem a morte e lutam até à última gota de sangue. Não se rendem. Mata-se um e aparecem dez, não acabam, tal como abelhas misteriosas saindo da colmeia.

Os Nama ya roi, esses m'zambezi de Namarroi, são terríveis ainda. Mágicos. Lutam com a força mágica das serpentes da deusa Nathériua, a poderosíssima encantadora de serpentes, cujo palácio é guarnecido por cobras de todas as espécies do mundo que ela encanta e com elas brinca e até dança. Na sua presença, até os mais venenosos ofídios se amansam e obedecem ao seu comando. As vozes arrogantes dos homens se calam na presença da deusa e os marinheiros morrem de medo. Essa mulher incitou os homens à luta contra a ocupação e contra a escravatura nos campos de chá.

José dos Montes experimenta a força do corpo. Estranha vida. Minha força, meus braços. O colo do útero gerando espécies. O cano da arma selecionando espécies. Mãos dos homens decidindo as mortes pelo cano das armas. Mortes ao acaso. Mortes programadas. Prisão e tortura. Deportação.

Os m'zambezi defendem-se com espíritos antigos de bravos leões, essa Zambézia de árvores falantes que contam histórias de encantar a todos os viandantes. Terra do solo sagrado de Namuli, berço da humanidade inteira. Terra da Serra de Morrumbala e do Monte Thumbine, com os seus dragões de fogo e da água, geradores da humidade, das nuvens e das chuvas e de toda a fertilidade. Dos milagrosos Monte Juju, Monte Ile e Monte Gilé prenhes de fertilidade, com portões mágicos que se abrem em tempos de catástrofes, de guerra, de seca para alimentar e proteger vidas humanas.

...

Havemos de voltar.

A memória da canção convida José dos Montes a regressar à vida antiga. De condenado. Plantador. Com liberdade para comer à mão e dormir no chão. Andar descalço e sentir o poder mágico da terra a fortalecer-lhe os ossos. A consciência aconselha-o a participar na guerra contra os invasores, mas já deu as costas à sua gente e está do outro lado da trincheira. No tumulto da terra com bandeira alheia. Ele agora só pensa em morrer. Não vale a pena pensar no amor que não há. Nem sonhar com o amanhã que não chegará. Nem sentir saudades de um passado que já partiu. É melhor eliminar de uma só vez a mágoa de ontem e de hoje. Libertar o corpo das dores antigas. Da fome de séculos. Quebrar de uma só vez o espelho celeste para que não mais a sua imagem se reflita.

...

Havemos de voltar.

Pensa no corpo de Delfina. Vê a imagem da deusa nos braços de outros homens. Na vertigem o intercâmbio de sentimentos. Sonho bom, sonho mau. Pesadelo. Sorriso. Azar e sorte. Má sina. O pêndulo da existência balançando entre a vida e a morte. Entra na alucinação e mergulha de arma em punho na criação do novo mundo. Ontem a humanidade era filha do barro. Amanhã a humanidade será filha da bala. Selecionada e protegida pelo fogo dos canos que escolhem as sementes, que varrem, regam, para o crescimento da nova nação. José dos Montes faz o elogio das armas. Do fogo. Dos homens bravos que aceitam transformar-se em barro na defesa da terra.

Quem disse que Deus criou o mundo em sete dias? O mundo não estaria em construção? Então, porquê as guerras, tempestades, terramotos, cheias? Não, o mundo não está criado nem concluído. É preciso que haja mais guerras até que os pretos e os brancos se misturem apenas numa só raça. E numa só nação.

Ele parte para a guerra e entra na dança. Da matança. Dança do homem bravo. Em cada morte renova o sentido de poder e de longa vida, animado pelo amor de loucura que sente por Delfina. A vida dos outros não importa, o poder é que conta. Porque os ombros humanos são degraus no exercício narcisista. O seu povo e ele ficaram num frente a frente em vários combates. José se esmerou. Comandou. E arrasou. Na carreira do crime fez a sua entrada triunfal. Está no topo da pirâmide. Cumpriu os mandamentos do regime com a maior eficiência do mundo. Torturou. Massacrou. Prendeu e acorrentou muitos m'zambezi para as plantações. Meteu muitos nos navios da deportação. Depois veio o equilíbrio. O gozo. A imensidão. O mundo era finalmente seu.

O que José não sabia é que os seus atos se tornariam um marco, história, mito, lenda. Mudariam o mundo. Sem a cumplicidade dos assimilados e seus sipaios a terra jamais seria colonizada.

As mulheres se gabam de dar a vida. Os homens, alguns, se podem gabar de tirar a vida para as sombras. Por isso se organizam em legiões, pelotões, exércitos e movimentos terroristas.

O nome de José dos Montes entra nas cantigas da roda e no choro dos condenados. São anos de glória que as ondas esbatem e o futuro recordará como fábulas, lendas, cantigas de escárnio. O colonialismo é macho, engravidou o ventre da tua mulher. Roubou o beijo da tua namorada e o sorriso dos teus filhos. Oh, o chicote do branco é uma carícia, não dói. O chicote verdadeiro é o que assobia nas mãos do teu irmão. Chapada de branco é esponja sobre a pele, não é nada. A mão do preto tem calos, cicatrizes, tatuagens, espinhos. Dura como ferro. Pica, fende, fere, quebra. E dói ainda mais porque é teu irmão. A injúria de branco é estrangeira, passageira. Mas a do teu irmão é espinhosa, o preto José passou para o lado dos brancos.

Os negros são vítimas neste instante. Mas não foram antes? O que serão depois deste sistema? Os pretos urdem as malhas da própria destruição para moldar, com cacos de barro, a esfinge imperial com o rosto de um cavaleiro branco, de chapéu e bigodes, e colocá-lo por cima da montada de pedra no centro de uma praça.

Para José dos Montes, os cantos do povo eram o simples marulhar das ondas. Assustam, mas não matam. Doces de mais comparados com o seu coração amargo de mais. De entre as mil mulheres que lhe prestaram vassalagem, o seu coração escolheu Delfina, sereia maligna. Que o fazia rodar na roleta russa. Tornando-o uma estrela cadente, um planeta secundário, orbitando à volta dela, astro maior. José dos Montes sonha com o dia em que Delfina se renderá e se ajoelhará, como as mulheres de verdade se ajoelham aos pés dos seus maridos. Começa a arrepender-se. Devia ter casado com uma mulher submissa que olhasse para ele como para um deus, para que se sentisse mais homem. Devia ter-se casado com uma mulher velha. Feia. Insignificante. Invisível.

Uma daquelas que passam a vida na cozinha para atrair o homem pelas delícias do prato. O que José dos Montes não percebera ainda é que Delfina era a artista e ele a peça esculpida. Dificilmente se libertaria.

Por isso precisava de sangue para fazer a sua grandeza exterior. Não há nada de errado nisso. O ser humano é parasita por excelência. Rasga o ventre da mãe e suga-o quando é pequenino. Parasita o bolso do pai quando é menino. Busca o prazer e a transmigração cavalgando outro corpo quando é adulto. Suga os animais e os vegetais para manter o seu sustento. A tirania é uma etapa da soberania.

Semeava favores dos patrões nos choros do povo. Fazendo rolar uma cabeça em cada dia. Soltando também uma lágrima e uma praga. E enchia a sua bandeja de glória.

"Patrão, é preciso ir buscar as cobras no covil, preciso da sua licença. É preciso partir os dentes da cascavel. Patrão, há greve na plantação de arroz e de algodão. A confusão alastra pelos palmares. Sei quem anda a tramar tudo isto, andei a buscar informações nas prostitutas do cais, sei de tudo, tudinho! Conheço os filhos da mãe dos cabecilhas, vou varrer a terra com a sua licença, conheço os esconderijos, fui um deles, fui condenado, fui contratado, agora sou assimilado, cristão e sipaio, sou casado canonicamente, subi na hierarquia da vida, só não conheci a escravatura porque quando nasci já tinha acabado, eu conheço bem essa gente, o patrão sabe".

Os planos de luta dos condenados já não têm lugar à volta da fogueira. Há um fantasma negro, emergindo do centro da fogueira acesa, como nas lâmpadas de Aladino. As mortes aumentam de intensidade, o colonialismo vestiu as cores da terra.

"Vamos fazer uma rega, patrão. Com balas de máuser. Vamos adubar a terra, patrão, com sangue de verdade, negro é estrume, patrão. O corpo humano tem muitos ossos. Vamos construir uma torre, com o marfim dos mortos, para subirmos ao alto e cagar sobre o mundo!".

O demónio negro está solto na rua, a morte já não tem a raça dos marinheiros. Há um assassino potencial dormindo em cada negro. Basta ter uma arma. Ambição. Autorização para matar. Já não é possível fugir para lugar nenhum, a maldade está no centro da nossa fogueira e conhece todos os nossos esconderijos.

"Patrão, eles comem de ais, eles estão gordos, têm os movimentos lentos e atrasam o trabalho. Vou diminuir a ração, com a sua licença, vou pô-los a trabalhar até o sol dormir, mandar apagar as fogueiras da noite, terão batuques uma vez por semana, batuques quotidianos não, perturbam o seu sono e o da sua esposa, patrão. Não exagero, não. Também fui condenado, o patrão sabe, o preto não morre de qualquer maneira, preto é duro, patrão! O importante é manter a energia no sexo dos homens para fecundarem as pretas deles, senão na próxima geração não teremos escravos".

Sem sangue o império é anémico, sem vida nem grandeza. O sangue se bebe e rejuvenesce. Quando não se bebe canta-se. No hino nacional. Ou derrama-se. Nas túnicas dos reis. No tapete vermelho dos generais, dos marechais e nas guardas de honra. As bandeiras do mundo têm sempre uma pincelada de sangue. Porque sangue é vitalidade, robustez. Injeta-se sangue novo no exército e nas instituições do Estado e até mesmo nos clubes de futebol. Sangue derramado. Versos. Discursos libertários. Lamentos do povo esculpindo monumentos retóricos. Poesia de combate. Canções revolucionárias. Inspiração.

"Mandei arranjar a melhor fruta para a sua esposa, patrão. Mandei escolher o melhor arroz para a sua família, patrão".

Carrasco igual nunca se viu por estas terras. Hábil. Não é preciso ser marinheiro para ser sanguinário. A resistência morreu de vez. Os condenados rendem-se de vez. Para matar um povo é preciso abatê-lo pelas entranhas.

"Quer uma preta, uma virgem, patrão? Mandei preparar uma. Preta autêntica, carvão puríssimo, de primeira, para o senhor inaugurar. Essas borboletas do cais estão velhas, estão sujas, cheias de pústulas, o patrão pode apanhar doenças. Arranjo até uma virgem por semana, o patrão é bom, o patrão merece, a mesma não, porquê, para quê, as pretas nascem às dúzias como sementes de abóbora, o patrão é muito macho, não precisa de peças gastas, basta inaugurar, dignificá-las com a magia do seu toque para elas ficarem satisfeitas. Toda a preta virgem sonha em inaugurar-se sexualmente com um branco para sentir-se honrada, porque na nossa terra ser desflorada por um preto é desonra. Toda a preta sonha com um filho mulato, sabe como é, patrão, na lavoura é preciso selecionar sementes boas, nobres, férteis, para melhorar a espécie, sabe muito bem, patrão".

Na esquadra, os policiais do regime fazem o balanço dos seus atos e falam baixinho. Morrem de calor, de humidade, de saudades da terra mãe. No calor imenso, as peles brancas ganham o rubor das cenouras. Respiram todo o ar que existe na atmosfera, tiram as camisas e rendem-se. A Zambézia é assim. Uma estufa para engordar o arroz e os mosquitos. Eles são alambiques destilando o requintado perfume dos sovacos.

Abandonam a esquadra e buscam refúgio na mesa do bar. Bebem copos de cerveja fresca e suspiram. Estão ali. Árvores jovens arrancadas do ventre da mãe com promessas de grandeza. Por isso se vingam nos condenados pretos.

Alguns deles sabem que, tal como os negros condenados, nunca mais verão a cor da terra nem os braços da mãe, morrerão ali. Os que tiverem a sorte de regressar encontrarão as esposas fecundadas por outros homens. Por isso se vingam. Uns enlouquecerão. Outros regressarão paralíticos, paraplégicos, cegos ou inúteis para sempre. Por isso sofrem e se vingam. Porque o império que constroem é um edifício invisível. Um sonho no alto das nuvens. Impalpável, inalcançável.

Falam de José dos Montes. Elogiam-no. Ele é um preto bom, um preto fiel, o melhor que já existiu. Se não fosse um cafre, podia até ser um fidalgo ou um general. É um belo exemplar. Até as mulheres brancas suspiram por ele.

— Ele é bom de mais, mas é um preto, não acha, meu sargento?

— É. E é muito superior a vocês todos. Mas não passa de um escravo.

— Estancou as rebeliões mais difíceis com a mestria de generais. Limpou os insurretos de Maganja da Costa, de Namarroi e de Macuse como piolhos, meu sargento.

— Com toda a certeza. Porque tem as nossas armas, as nossas técnicas e a sua própria cabeça. Porque pensa. Ele vai longe. É digno de respeito, sim.

— Longe de quê, meu sargento?

— O nosso império chegaria longe com homens daqueles. Em breve ele terá consciência da sua grandeza e das nossas fraquezas. O que virá depois? — pergunta o sargento com muita seriedade.

— A revolta.

— Isso. A revolta. Já imaginaram aquela espécie de homem do outro lado da trincheira?

Na mente do esquadrão, a imagem dos negros que passaram da existência à transcendência. Que subiram ao alto e lançaram trovoadas das montanhas da glória. Que mandavam na chuva, como o Makombe, o Monomotapa, Kupula, já silenciados. Alguns deles conquistando o poder com muito sangue e pela força das armas.

— Tem razão, meu sargento. Pode ser perfeito na revolta. Se um dia deixar de estar do nosso lado será perigoso para a nossa raça.

— Ainda bem que pensam assim. Mas, e depois? Vamos ficar eternamente a elogiar as façanhas desse verme? De repente são bafejados por uma alameda de frescura. Há uma nuvem negra pairando no alto. Em seguida uma chuva torrencial, mágica, inexplicável, saída do nada. Pouco depois a nuvem vai embora e o sol volta. Mas foi o suficiente para arrefecer os ânimos e pensar na sobrevivência.

— Pois vos digo — assevera o sargento —, em nenhum dos palmares deverá existir um homem. É preciso transfigurar os corpos e transformá-los em sombras, por isso temos a cruz e a espada. Amansar a mente e usar o corpo. Sabem fazer isso?

— Não tão bem, sargento.

— Vocês não são homens.

— Somos, meu sargento.

— Não sabem como se amansa uma mulher?

— Como, meu sargento?

— Bando de maricas — grita de mau humor, agredindo-a, violentando-a, por tudo o que fez, pelo que não fez e por aquilo que um dia poderá pensar fazer. — Moldamos os nossos filhos à bofetada, os cães à paulada. Os negros se amansam com vinho e chicotada, aprendam isso. É para isso que têm nas vossas mãos a cruz e a espada.

José deverá ser transformado em névoa, em poeira da qual nunca devia ter saído. Porque o bom negro é o domesticado.

Aquele que treme e se verga perante um chicote. É importante que não tenha mãe, nem terra, nem cordão umbilical, e que na sua mente pairem apenas lembranças e incertezas.

— Devemos matá-lo?

— Não.

— Então?

— Temos que usá-lo até se gastar.

— Prendê-lo?

— Não, não é preciso, seus trouxas. Todo o homem forte tem um ponto fraco. Ele é casado com uma ninfomaníaca, essa Delfina, uma rapariga que já nos serviu e continuará a servir-nos a todos. Muito volúvel. De amor por Delfina, ele vive. De amor por ela, morrerá.

13

O calor era ameno na sombra da maçaniqueira. Apenas o ruído do mar testemunhando a vida. E dois suspiros a dois. Suspiros de amor que se projetam além da vida. Delfina solta confidências para o seu amor.

— Não me sinto bem. Alguma coisa se transformou em mim.

— Malária? — pergunta José, atencioso.

Então ela conta. Com todos os detalhes. Durante dias seguidos, sentiu vibrações estranhas no lugar mais profundo do ventre, com enjoos e vómitos matinais. Depois confirmou. Era a mão do criador amassando o barro da criação no seu corpo de mulher. Tudo começou naquele dia em que passeava pelas ruelas do bairro. Encontrou um homem a colher bananas e papaias. Pediu. O homem não respondeu, mas deu. Delfina viu pelo silêncio do homem que aquela oferta tinha mistérios. Comeu a banana e a papaia naquele instante. E enjoou. Porque banana é a forma do homem e papaia a forma da mulher.

— Tens que consultar um enfermeiro.

— Vamos ter um filho, José.

— Um filho?

Surpresa é mesmo isto. O corpo da mulher é uma armadilha de rato onde um homem vai e se afoga. E no fim a mulher declara que ele deixou partes de si, que se tornarão vértebras, rosto, alma. Quem lá vai uma vez sempre regressa e acaba sendo pai mesmo sem planear. Porque o sexo da mulher é o único lugar do mundo onde o homem é feliz.

— É. Um filho.

José dos Montes fica embasbacado como uma criança. Como se não soubesse. A terra está em movimento: homens que chegam, homens que partem, outros que morrem. Dos ventres das mulheres, as crianças nascem anónimas como cabras. A mãe se conhece bem. Mas o pai é sempre o forasteiro que chegou e partiu.

— Um filho meu? Será verdade?

— Teremos um filho, sim.

— Ah!

As palavras doces iniciam a dança de mel dentro do sangue. Os cílios transformam as lágrimas numa chuva de pérolas. Olha para o horizonte onde os nimbos anunciam fertilidade. Hoje as gaivotas voam alto, a vida é bela. A mente de José viaja no espaço, como uma cantiga ao vento. O sonho o eleva aos céus, numa escalada que dura o tempo do salto de um canguru. Porque o futuro esconde as belas cores por trás do horizonte.

— Mas que notícia mais bela me trazes, Delfina!

— Não pareces feliz.

— Mas estou — responde com voz entristecida. — Enfrentei a vida e a morte só para ter uma esposa, um filho e um lar com teto de palha. Ah, mas quem me dera ser um pássaro. Um peixe no mar. Um jacinto no rio.

Sem querer, reproduz o discurso da sua sogra Serafina, que reside no subconsciente. Filho negro, geração de escravatura. Mão de obra do palmar. Do canavial. Escrever a trajetória da vida com a planta do pé. Colocar com as mãos negras os pilares do céu. Abandonar os braços da mãe e partir para o sofrimento. Esse filho que vem, terá o destino do pai? Contratado, deportado, maltratado? Matador assimilado?

— Se estás feliz, sorri, pelo menos um pouco.

— Sorrir?

— Sim.

— Ah, Delfina, por vezes o sorriso assume a forma de um choro.

O sonho de José se reduz e se alarga. Para que serve um filho? O que é que vou fazer com um filho? Construir casa para ele? Para quê, se a vida é uma eterna migração. Do corpo do pai para o ventre da mãe. Do ventre da mãe para o sol, para a terra. Da terra natal para o desconhecido. Tudo emigra. As aves. As ervas. As sementes na viagem do vento, polinizando-se, transformando-se. Para que serve então um filho se nascemos para viajar? O que é um filho? É um pedaço sagrado do sangue na estrada da ternura.

— Estou preocupado, apenas isso.

— Preocupado porquê?

José ainda não sabe que um filho nunca é igual a outro filho. O filho meu, o filho do outro. Filho mulher, filho homem. Filho espinho, filho doce, que marca os corações dos pais com tatuagens de ternura.

— O que gostarias? Homem ou mulher? — pergunta Delfina para suavizar o momento.

— Homem? Ah, Delfina, homem?

Um homem é estrada. Guilhotina. Cela de uma prisão. Um par de algemas. Um fuzil, uma bala, uma farda militar, uma cova nas entranhas da terra. O homem é um caminho sinuoso, perigoso. Um foguetão rasgando os caminhos do desconhecido. Com o nascimento do filho homem, a ilusão da continuidade. O apelido de uma família. Que importância tem um apelido, se o mundo é autónomo e o homem anónimo? Será que Deus conhece os apelidos de todas as estrelas da Via Láctea? Talvez o apelido se compare ao nome das constelações. E as constelações tenham a forma de uma tribo.

— Não queres um filho homem?

— Homem não, Delfina. Que Deus nos dê, sim, a bênção de um filho mulher.

José dos Montes fecha os olhos e respira fundo. Na breve ausência medita. E roga. Que seja uma menina, sim. Prostituta, borboleta do cais, carne dos marinheiros. Que seja sexo à venda, ao grama, ao quilo. Que durma com qualquer branco por causa do sal e do açúcar. Que seja deusa do amor, vaca sagrada. Que seja tudo menos homem. Quero uma menina, sim, para alegrar a minha existência. Por essa criança matarei e morrerei. Por ela acenderei todas as fogueiras e farei todas as rezas para que permaneça ao meu lado. Por ela farei todas as guerras para que haja calor e alimento neste ninho.

— Se for mulher terá o nome da minha mãe — diz José dos Montes.

— Nome da tua mãe? Não. Somos agora assimilados, e vivemos a vida dos brancos. Juraste abandonar as tradições cafres, esqueceste?

José dos Montes não responde. Compreendeu há muito tempo. É demasiado longo o caminho da vida. Demasiado curto o caminho da vida. Demasiado forte a dor de existir. Viemos de longe. Completamos gerações, sem ninguém que nos diga porquê tanta desordem se o mundo está concluído e é perfeito. De resto, não precisa de um filho para nada. Nunca antes pensara em ter família, nem filhos. Pertence a Delfina todo o bordado e toda a trama. Que faça o que lhe der na gana. O filho é dela, o ventre é sua pertença. Ele vai tornar-se pai dos filhos dela porque assim o deseja, então que faça o que lhe der na gana.

— E a renomeação para a ressurreição dos mortos, não te preocupa?

— Ah, não, para com essas superstições!

— Uma homenagem à tua mãe não seria nobre?

— Essa não. Esteve sempre contra o nosso casamento.

— Então o nome da minha mãe.

— Vou escolher um nome lindo para a nossa menina, verás, José.

Que nome terá a minha filha? Que herança? José imagina um porvir de tempos difíceis. Os marinheiros vieram sem serem chamados e por nós aclamados. Desceram vitoriosos das suas naves, seus barcos e instrumentos de tortura. Saudámo-los com cânticos e eles retribuíram com o fogo mortífero das espingardas, que nos arrastam até ao abismo. Somos almas flutuando no abismo. A terra já não nos pertence. Já não tenho passado. Nem sequer sobrou a lenda, e até o mito sucumbe nas entranhas do futuro. Dias mais negros virão, sim.

— Queria que o nome da menina fosse o nome da minha mãe.

— Ah, já disse, mil vezes não!

Sufoca. Busca oxigénio em ditados antigos. Fui filho, serei pai na mudança de estação. Histórias de antepassados, linhagens e continuidade constroem um ninho dentro do peito. E sente a falta do pai pela primeira vez. Para lhe ensinar o que o homem deve fazer quando a mulher diz espero um filho teu. Aprende pela prática o sentido da eternidade. Na semente do primeiro caju do universo. Que se tornou árvore, fruto, semente, por gerações. Desde o princípio do mundo, uma árvore morrendo e outra nascendo. Continuamente. Um filho sucedendo ao antigo filho. Todos vivendo um de cada vez, um pouco de cada vez, sem nunca viver mais do que a conta.

— Se ao menos o meu pai estivesse por perto!

— Para quê?

— Para nada. Apenas me lembrei dele. Afinal também vou ser pai.

José dos Montes pousa os olhos no parapeito do horizonte. Nas pesadas fronteiras do futuro, com pesados portões de ferro. O futuro é impenetrável, tem uma fresta de neblina por onde os videntes espreitam.

A gravidez é sempre o renascer da nova vida. Da nova esperança, a vida não morre, como o Sol que nasce todos os dias. D. Serafina esquece a morte e a dor para viver o prazer do renascimento.

— Não fiques preguiçosa, Delfina, pila, cultiva, vai ao rio e põe potes de água na cabeça, que ajuda o bebé a descer. Exercita-te para facilitares o parto.

Delfina lança à mãe um olhar de desafio e responde com desdém. Porque a mãe colocou palavras amargas na lavoura de espinhos. Germinaram.

— O filho que tenho é negro e a mãe queria mulato. Por que se preocupa agora? Quer dar opinião?

Serafina depressa caiu na realidade. Do sonho da miscigenação à pureza de uma raça. Pureza das aparências porque na nova criatura se fundem espíritos dos chuabo e dos lómwè, duas etnias inimigas vencidas pela força do amor. Desejos da Serafina alternando-se como o sol que vai e a noite que vem. Alternadamente. Eternamente.

— Esquece as zangas de ontem. És minha e me pertences. A tua felicidade é também a minha.

— Insultaste o meu marido, insultaste-me, mas eu casei por amor. Sou uma mulher amada. Sou senhora, mãe, tenho empregados, não preciso de andar nem ir ao rio como uma escrava. O José faz de mim uma rainha. Não nasci para sofrer.

— Podias ao menos caminhar. Vai ao mercado, às compras, de vez em quando.

— Dispenso os teus conselhos, deixa-me viver a vida como quero. Não preciso das tuas interferências.

— Em matéria de maternidade és ainda criança. O parto é igual em todas as raças de todos os quadrantes, de todo o mundo. O corpo preguiçoso abre espaço para o fracasso na batalha final.

As palavras da mãe perturbam o seu sonho de nova civilizada. Serafina inunda a sua alma de revolta. Porque as suas palavras caem sobre uma barreira que se adensa na noite. Entre ela e a filha, na luta das gerações.

— Oh, filha minha, o parto é um grito, um sopro. O mundo tem duas grandes rivais: a mulher e a terra na disputa pela vida. Se tu falhas, ganha a terra e o filho se enterra, Delfina, prepara-te para a guerra!

Contra a vontade de Delfina, Serafina fez todas as cerimónias. Acendeu velas, ajoelhou, ofereceu flores, farinha, rapé e aguardente, numa reza sincrética. Invocou os deuses bons e os espíritos bons. Invocou anjos e santos. Deuses da sorte e da fertilidade, deuses da maternidade e dos partos saudáveis.

Parto, olimpíada original onde mãe e filho se batem pela posse da vida. Nesse combate, o bebé deve saltar a barreira de olhos fechados e projetar-se no mundo vencendo todos os obstáculos. Desafiar o corpo da mãe. Torturá-lo. Rasgá-lo. Sangrá-lo. Derrubá-lo. Vencê-lo. Tirar-lhe a vida se for preciso.

A mãe tem que expulsar o invasor do corpo dela. Tem que vencê-lo. Expulsá-lo. Matá-lo se for preciso, para preservar o seu sopro de vida. Há muitos mediadores neste combate.

Matronas, médicos, enfermeiros, assistentes, numa azáfama incessante, arbitrando este jogo de vida e de morte. Há gritos e palavrões incitando a mulher à bravura: estica, respira, puxa, luta, vence, expulsa, sai, invasor! Lá fora, têm o mundo inteiro à vossa espera, não se esqueçam disso. Não podem sair daqui sem a vitória prometida. Mãe e filho, escutem as vozes de ansiedade da vossa família. Têm nas vossas mãos a decisão suprema sobre os destinos da vossa gente. Escolham entre a luz e as trevas. Sorrisos ou lágrimas. Esperança ou desespero. Vamos, valentes, separem-se, vençam!

Nesse instante a parturiente vê um remoinho de imagens, rostos, vozes, momentos, sentimentos, paisagens, sonhos, destinos. Por vezes vê luz, por vezes vê trevas. A chuva, o vento, o raio, a água, as árvores e as estrelas juntam-se em comunhão no mesmo instante, para que a nova vida nasça.

Todo o bebé vivo é um vencedor. Por isso nasce de punho cerrado, à imagem dos grandes combatentes. Guarda ali a alma da mãe como troféu, porque a partir daquele instante ela será a sua escrava. Solta gritos de vitória a plenos pulmões, exigindo da serva a primeira mamada, seu manjar de vitória.

Neste combate por vezes há um choro e um suspiro. A partida resultou num empate, mãe e filho ganharam a vida.

Por vezes há choro e silêncio. O filho matou a mãe e levou-lhe a alma como troféu.

Por vezes há suspiro e silêncio. A mãe matou o filho e preservou a sua vida.

Por vezes há o silêncio total. A partida resultou num empate, mãe e filho mataram-se na fúria do combate. A terra ganhou o coval e o manjar.

14

Delfina estende-se no trono de sorrisos, perante a vassalagem do mundo. Tudo se engalanou e a terra a proclamou heroína. Porque o parto é a vitória sobre a ansiedade. Sobre a morte. Inauguração de um futuro. Muitos olhares a rodeiam. Do trono alto segue os movimentos da vida e se espanta: ser mãe é assim tão importante?

— Que bebé lindo! Qual é o sexo? — perguntam as amigas, e as vizinhas.

— Menina!

— Ah, menina, grande sorte. Filhos homens não enchem o mundo. Vale a pena a menina, para o crescimento da família, parabéns, Delfina.

— Obrigada.

Delfina sorria e sentia que transmigrava para além da vida.

— Criança linda como a mãe. Não tem nada do pai — repetiam palavras antigas, palavras de triunfo.

Estas palavras lhe soavam a triunfo e a elevavam num voo maravilhoso.

A avó Serafina, parteira eficiente, repórter de pequenos nadas, espalhando notícias ao vento de todos os acontecimentos. Que a criança nasceu bem, com três quilos. Ela nasceu bem, tem que crescer bem, para mais depressa nascer outro. Que era comilona, chorona e cagona. Que a sua Delfina era uma boa leiteira, mãe corajosa, pariu sem gritar nem chorar. Que a criatura tinha os dedos do avô, sobrancelhas do pai, beleza da avó, ela, portanto, as mãos da mãe, tão pequenina que lhe fazia lembrar a Delfina pequenina.

Serafina sonha. O ventre da sua Delfina dá bons filhos. Que ela deixe desembarcar daquele nobre ventre mais almas negras, que serão talvez gente boa, professores, agricultores, quem sabe até não nascerão daquele ventre os bravos que irão libertar a terra. Sonha com o dia da liberdade, em que os netos possam preencher os espaços da terra, correndo pelos campos sem medo de serem deportados. Neste momento Serafina quer a liberdade, só quer a liberdade. Viaja para o passado, no princípio de tudo, quando tudo era paz, amor e serpente. Viaja para o futuro, onde de novo haverá paz, mas sem serpente e sem maldade.

— Preparei-te um chá de ervas. É bom, limpa as impurezas. Toma muita água de coco. De coco verde, tenro. Dá também ao bebé. Em pouco tempo o cordão umbilical cai e as tuas feridas curam.

— Eu não vou tomar nada disso. Tenho os antibióticos que o José trouxe, lá da farmácia.

— Delfina, há doenças que os remédios dos brancos não curam. Sempre me tratei com estas ervas e vivi.

Mãe e filha, duas gerações perturbadas com as regras da natureza. Mas a árvore é sempre árvore. Variante de madeira, de lenha, de sombra. Mas sempre árvore. O remédio é sempre remédio, para todas as raças, tal como o sol é sempre sol em qualquer quadrante deste mundo.

De sangue fomos todos feitos. No sangue fomos paridos. Em todas as mulheres do mundo a menstruação é vermelha.

— Eu não voltarei atrás. Nunca mais tomarei essas bruxarias de negros. Os médicos resolvem tudo.

— Diz-me honestamente, Delfina. Que sabes tu dos brancos?

— Muitas coisas, minha mãe.

O mundo é assim. Buscando o que não tem. Jogando pela janela fora o que tem, para tempos depois revolver mundos e fundos em busca de tudo o que teve e deixou voar. Sonâmbulo, perseguindo distâncias à retaguarda procurando uma raiz perdida no tempo.

Serafina revolta-se. Amaldiçoadas são as mulheres que usam as mãos para destruir o próprio ninho.

— Esses medicamentos em que confias vieram destas plantas. Se os médicos tivessem resposta para tudo, o nosso povo só teria nascido hoje.

— Mãe, já disse que não! Não vês que tudo mudou? Os raios de sol se quebraram no vosso mundo. Ultrapassados! Supersticiosos! Obscurantistas! Velhos caducos perdidos no tempo! Será que não veem a nova aurora que se anuncia?

— Quando os marinheiros aqui chegaram, encontraram gente e tiveram muito trabalho para matar. Éramos muitos como as formigas. Não havia médicos nem enfermeiros brancos. Olha como são os nossos filhos. Olha como eles são fortes. Sabes porque é que os teus irmãos foram deportados? Por serem fortes como touros, graças a esses remédios que hoje rejeitas.

Delfina olha de cima para os pais. O rosto da mãe pareceu-lhe estranho. O pai, um tipo desprezível e sem expressão. Por isso a sua língua se transforma em navalha, para cortar os laços com o passado. Sempre foi assim. Mães e filhos guerreando-se desde a noite dos tempos. A rutura entre as gerações é um processo violento.

— Ah, Delfina! Vais cega pelos caminhos, como uma ovelha. Não vês o coval que te enterra? Não te apaixones pelas estrelas, elas estão longe, não se apalpam.

— Foste tu, minha mãe, que me iniciaste nesta jornada.

Levaste-me ao abismo pela mão. A minha vida iniciou-se nas mãos dos marinheiros. Fizeste-me ver que era bom tudo o que vinha deles. Estás arrependida?

A vida entre as gerações transformou-se nisto. Sempre discutindo ideias, vivências. Sem consenso. Pisando areia movediça na viagem ao desconhecido. Os espíritos dos marinheiros e os bantu montaram o palco na mente do homem negro. E os negros retiram as próprias raízes, tal como os pássaros velhos no final da estação. Distanciando-se cada dia mais de si próprios. Da sua essência. Árvores com raízes ao léu balançam ao sabor da brisa. Sem sustento. Mãe e filha aprenderam a viver o mundo das aparências como uma ciência.

— Temos que fazer a cerimónia do nascimento para dar sorte à menina — sugere ainda Serafina.

— Não, não posso.

— Sabes o que isso significa?

— Porque fiz um juramento. Renunciei a todas essas práticas primitivas e vivo a vida dos brancos.

— Sugeri eu um marido branco. Não quiseste. Agora vives a vida de brancos? Casada com um preto? Diz-me honestamente, Delfina. O que sabes tu do mundo dos brancos?

— Eles gostam de flores e oferecem-nas às suas mulheres.

Mãe e filha conhecem os brancos apenas à distância. Do seu mundo conhecem apenas o azeite. O bacalhau. O vinho em barril que entorpece as mentes. Delfina conhece os brancos apenas no beijo. Na conversa fugaz das quatro paredes. Conhece as palavras grosseiras que lhe lançam, no pagamento do corpo. Os marinheiros eram pobres. Como eles. Abandonaram os seus para morrer ali, em terras desconhecidas. É a saudade que lhes dá a raiva e a ilusão de grandeza. Foi a edificação desse império invisível que os inspirou a abandonar tudo. Mas nada sabem sobre os seus espíritos bons, que lhes deram vitória em todos os combates, e o espírito mau que os faz odiar a outra parte da humanidade a ponto de usurpar, colonizar.

— Poupa os meus ouvidos das tuas indecências, Delfina.

— Terminemos então essa conversa incómoda, minha mãe.

— Delfina, tu podes prevenir amarguras, desgostos, ouve a voz da experiência, escuta-me. Tu podes semear flores na estrada da menina, ouve-me. Tu podes segurar uma tocha e acender todas as luzes do firmamento, por favor, filha minha, para e escuta!

— A tua opinião para mim não conta. Organizaremos uma cerimónia, sim — Serafina sonha com uma cerimónia farta. Que começa ao anoitecer e termina ao amanhecer. Com homens de um lado bebendo nipa e cachaça, bebidas macho. Com mulheres bebendo maheu e sura, bebidas fêmea. À volta, uma grande fogueira e no céu a lua branca, lua redonda. Erguer a criança ao alto na saudação do mundo, gritar encantamentos a plenos pulmões, mostrando à lua que apesar das dores a vida continua.

Os ânimos da Serafina esmorecem. Sorve o sabor amargo da nostalgia. Descobre que não vale a pena. Chora e resmunga: não, não posso fazer nada. A fronteira está encerrada, tudo morreu para mim. Já não há fantasias para os meus tempos de menina. Decide calar a angústia de hoje com a angústia de ontem. A Delfina pode desprezar-me, mas pelo menos está por perto. Vale mais a sua zanga do que a eterna saudade pelos filhos desaparecidos. Reconhece a inutilidade da sua existência. A partida para o além dentro em breve. Os sonhos da mente, morrendo ao lado do corpo.

O pai de Delfina lança à filha um olhar amargo, de revolta. Vê a mão de uma jovem mãe a colocar espinhos e urtigas nos caminhos da própria filha.

— Que destino procuras tu, Delfina? — pergunta o pai. — Viver em dois mundos é o mesmo que viver em dois corpos, não se pode. Tu és negra, jamais serás branca.

— Mudei de vida, pai.

— Mudaste o quê, se não és ninguém? Onde pensas que vais, se não tens além? Se queres existir, vale mais lutar pelo teu território. Para que este chão seja mais teu, e a tua raça a tua morada. És negra e ainda por cima mulher. Como podes amar o que jamais será teu? És assimilada? Que prazer sentes tu em ser tratada como cidadã de segunda categoria?

— Pai, já disse, não sou criança.

O pai de Delfina se desespera e entra num longo lamento. Porque descobre quão longa é a viagem para dentro do íntimo. Quão doloroso é ver uma filha partir para nunca mais voltar, para o túmulo ou para outro mundo. Uma filha se julga adulta, sem saber com quantos sóis e luas se faz a maturidade humana. O que significa crescer, se na vida inteira precisas de amor, de carinho, de afeto? Até os lírios dos campos precisam de sol para florir. Os montes altos precisam da chuva para amortecer vulcões interiores. O mar precisa das carícias de vento para caminhar. Até os mortos sacodem os vivos para uma batucada, uma cerimónia de velas, rapé e sangue de galinha, só para serem recordados. Ela diz que escolheu seu caminho. Sabe com quantos sucessos e fracassos se faz um percurso? Diz que tomou as suas decisões, mas tem os olhos fechados, não sabe quem é, nem onde vai.

— Minha Delfina, não há idade para sermos adultos e permanecemos crianças a vida inteira. O meu pai me dizia, não vá por esse caminho. Eu, por teimosia, segui. Agora canto para as ondas de mãos vazias. Tão criança e tão adulto. Tão pobre e tão velho. Se o meu pai estivesse perto, ele me diria o que fazer, como fazer. Dir-me-ia palavras mágicas na sabedoria do silêncio. Na expressão distante dos seus olhos, iria transmitir a mensagem da sapiência. Já estou velho e não tenho mãe para me dar um carinho e um conselho. Delfina, o amor de mãe deve segurar-se num punho fechado, para que não escape.

Reina um espaço de silêncio, o desafio ganhou um momento de pausa. Olham-se. Concentram-se. Espelhando uns nos outros as marcas do tempo. Pais e filhos, adversários na batalha dos séculos. Serafina decide abrir clareiras para a oxigenação do ambiente.

— Delfina, o teu pai vai fazer um mukhuto para avisar os mortos deste novo nascimento, quer tu queiras quer não.

— Lá estás tu com as tuas superstições.

— Os mitos que nos prendem. Uma reza não faz mal a ninguém. Até Deus gosta.

— Já disse: não quero!

O pai de Delfina mede a dimensão do conflito. Aprendeu depressa que o chicote é o macho que transforma os homens em fêmeas. Sabe também que a violência gera resistência. No mundo novo, o dinheiro vale mais que a vida. O número de propriedades é mais importante que o número de filhos. A solidão será melhor que a companhia. O pai faz os cálculos da passagem. A vida é curta. Para o ventre da mãe não se volta e o cordão umbilical se corta. Para Delfina, a mudança de vida tornou-se emergência. Quer superar a sua condição antiga. Superar-se. Selecionar novos amigos. Tratar os pais com desdém. Quem sobe vê o mundo de cima. É natural.

— Já prepararam a cerimónia do nome? — pergunta o pai a Delfina.

— Para quê? Nada disso. A minha filha se chama Maria das Dores.

— Maria das Dores? Porquê?

— O nome é simples e bonito. É de uma artista de fotonovela. Gostei. Não me venham dizer que não posso dar o nome que quero à minha própria filha.

— Mas porquê atribuir a uma criança tão linda um nome de amargura?

Os seres humanos se juntam em grupos e inventam muralhas contra a solidão. Até os montes se agregam em cordilheiras, lá no final do horizonte. Dor é solidão das mulheres que perderam os maridos e os filhos nas plantações, no alto mar ou no desterro. Dor sente um pai ou uma mãe quando se separa de um filho nos caminhos do mundo. Dor é o que o pai de Delfina sente hoje e agora. Então fala para a menina para embalar a angústia.

— Maria das Dores, bonitinha, como a tua mãe. O que trazes no punho fechado? Dores ou alegrias? Tens dedinhos compridos como ganchos. Parece até que o teu destino é segurar as presas. Serás tu uma feiticeira ou uma mineira esgaravatando a terra? Tens olhos grandes, espertos. Para quê? Para fugir do predador? Pé grande, pé de viajante! Até parece que o teu destino será caminhar pelos vales, pelas montanhas, pela terra inteira, para embalar as dores, oh, pequenina! Esta mãe louca um dia hipotecará a tua vida e te arrastará por caminhos de dor, ah, Maria das Dores!

Delfina, nervosa, aplica a estratégia das palmeiras, resiste. Quem nunca viu uma palmeira num dia de tempestade? Parece que o vento a vai degolar, mas a verdadeira intenção é forjar a solidez da sua copa e torná-la resistente aos mais terríveis vendavais. Por isso ela finca o pé em defesa das suas crenças.

— Para com esse discurso, meu pai.

— Não, não me calo. A corda do tempo enforcar-te-á na árvore pequena. A tua loucura não tem sustento.

O outono chega a todas as vidas, em passos lentos, como uma lesma. O inverno está quase a chegar e o pai de Delfina penetra no coração da memória. Recorda todos os sonhos que o vento levou, a noite sem fim se aproxima, densa, longa, eterna. Levanta os olhos e vê no horizonte um mundo obscurecido pelo porvir. Acende o cachimbo de desespero, e solta fumaças no ar.

— Tens razão, Delfina. Dolorosa é a nossa vida. Doloroso é o caminho dos negros. Doloroso é o destino que desenhas para esta criança.

— Pai, eu tenho o direito de escolher novas estradas e abrir novos caminhos. Deixem-me construir o meu mundo.

— Tens razão, sim, minha filha.

Para os jovens, o futuro é melhor que o presente. Para os velhos, o passado é sempre melhor que o presente. O velho pai navega em marés negras, sem barco, nem bússola, nem remos. Roga pragas contra os sonhos das novas gerações. Porque os nomes que se desejam fazem lembrar coisas do tempo que o vento levou. António é o nome do branco que o chicoteou até à beira da morte. Macário é o nome macabro do sipaio negro que fazia a povoação inteira buscar abrigo nos matagais. Francisco, outro sipaio matador de negros.

— Delfina, minha filha, esses nomes de que tanto gostas estão prenhes de ódio.

— Oh, pai, já me contou muitas vezes essas histórias. Esquece os velhos tempos!

As mães gostam de dar aos filhos nomes de fantasia. Nomes de passageiros, de vagabundos. Tudo começou no princípio. Vieram os árabes. Os negros converteram-se. E começaram a chamar-se Sofia, Zainabo, Zulfa, Amade, Mussá. E tornaram-se escravos. Vieram os marinheiros da cruz e da espada. Outros negros converteram-se. Começaram a chamar-se José, Francisco, António, Moisés. Todas as mulheres se chamaram Marias. E continuaram escravos. Os negros que foram vendidos ficaram a chamar-se Charles, Mary, Georges, Christian, Joseph, Charlotte, Johnson. Batizaram-se. E continuaram escravos. Um dia virão outros profetas com as bandeiras vermelhas e doutrinas messiânicas. Deificarão o comunismo, Marx, marxismo, Lénine, leninismo. Diabolizarão o capitalismo e o Ocidente. Os negros começarão a chamar-se Iva, Ivanova, Ivanda, Tania, Kasparov, Tereskova, Nadia, Nadioska. E continuarão escravos. Depois virão pessoas de todo o mundo com dinheiro no bolso para doar aos pobres em nome do desenvolvimento. E os negros chamar-se-ão Soila, Karen, Erica, Tânia, Tatiana, Sheila. Receberão dinheiro deles e continuarão escravos.

Os aventureiros entrarão e sairão como quem entra no ar e não se molha. Línguas nossas? Aprenderão apenas sons. Nomes? Invocarão alguns. Crenças? Profanarão todas as nossas. Nós aprendemos tudo: árabe, português, francês, inglês, norueguês, russo, alemão e tantas outras desconhecidas. E continuaremos escravos. Faremos guerras uns contra os outros. Matar-nos-emos. Elegeremos presidentes. Golpearemos presidentes. Mataremos presidentes. Ergueremos bandeiras. Mudaremos bandeiras, hinos e símbolos. E continuaremos escravos.

15

Moyo dá passos e mais passos à volta da casa. Quer saber com quantos pés se mede o perímetro do quintal. Goza o prazer de pisar o solo com pés descalços. Descobre que a terra está madura e fértil como o ventre da mulher negra, aguardando o sémen para o prolongamento da vida. Ah, minha Zambézia virgem, enfeitada de palmar. Minha Zambézia de beleza ímpar, que coloca o fogo da paixão nos corações dos marinheiros!

Levanta os olhos para as copas das árvores. As mangueiras estão carregadas e os cajueiros prenhes são uma promessa de fartura. Reza para que a chuva não caia, por um instante, para não interferir na floração das fruteiras. Pensa no arroz do vale e muda de ideia: o arroz precisa de água. Muita água. Pelo arroz, vale a pena que a chuva caia.

Os olhos galgam estradas no horizonte e exclama: ah, como a vida é bela! Olha para o horizonte e suspira: como o céu é imenso! Sonha. Se pudesse, viajaria até à imensidão. Se não tivesse toda esta gordura e este peso. Se não tivesse este corpo enferrujado nem estes joelhos velhos em reparação constante, como peças de uma bicicleta velha. Quem me dera voltar aos meus tempos de criança!

Sente uma vibração da terra na planta dos pés que lhe massaja o peito, provocando um tremor ligeiro, e o pensamento corre rápido. Céus! É um tropel. Cavaleiros, brancos, marinheiros. Deportação. Escuta atentamente e conclui. Não. Nem cavalos nem exército. É apenas um homem correndo. Um fugitivo que vem para se esconder aqui. Meu Deus, até quando esta minha vida de magia, sempre a fazer truques para esconder gente que foge da polícia? Até quando esta vida de feridas, de sangue fresco, de amarguras? Ai, como estou cansado. Quem me dera viver numa terra agreste, infértil, deserta, livre da cobiça dos homens do mar, ah, minha Zambézia dos marinheiros!

Lá ao longe a nuvem de poeira dança ao sabor das ondas de medo. E vem ao seu encontro. Moyo alarga os olhos surpresos: não era fugitivo, mas um sipaio, fardado e armado, correndo como um louco, pedindo socorro.

— José dos Montes?

— Sim.

— O que se passa? Vem, senta-te, repousa, conta-me. Queres um copo de água?

Moyo segura-o pela mão, arrasta-o até à sombra e coloca-o sentado na cadeira. Estava assustado, o homem. A respiração ofegante morria como ondas aleitando-se cansadas na areia da praia. O suor corria na superfície da pele. Gente poderosa não procura os pobres em momentos de aflição, tem o socorro das armas, das leis e dos brancos. Só procura um curandeiro quem alcançou o abismo do percurso.

— Vieste a correr, José dos Montes.

— Sim.

— Alguma cobra te mordeu?

— Não.

— Fugindo de algum leão?

— Também não!

— Por que corrias então?

A brisa do entardecer atenua a fúria do homem. Moyo avalia a estranha presença. Sem as grandezas dos assimilados nem a arrogância dos sipaios. Sem a violência e rudeza dos homens armados. Era apenas um ser humano. Uma criança assustada buscando uma tábua de salvação nos braços do pai.

O Sol se deita demasiado depressa no poente. As mulheres voltando da faina, aos bandos, soltam um vozear mais intenso que os bandos de pássaros. Moyo aguarda que o tumulto se acalme e o diálogo se abra.

— A religião dos brancos não serve aos pretos — delira José dos Montes —, os deuses deles estão longe e os nossos perto. Os anjos deles mandam rezar e os nossos mortos respondem logo. Deus fala quando quer, os mortos dão resposta imediata a qualquer momento.

— Achas que sim?

Moyo confirma algumas suspeitas. José dos Montes subiu às alturas e encontrou o poiso no dorso da lua. Está lunático. Por isso vem correndo esbaforido só para fazer declarações de amor aos deuses pagãos. Provando também que já experimentou a eficiência dos mortos e lhes pede a nova bênção.

— O que sentes tu, José dos Montes?

— Medo, muito medo. Vontade de chorar.

— Medo de quê?

— Dos pesadelos da noite. Dos vultos medonhos que me perseguem continuamente. De olhos fechados ou abertos. De noite ou de dia.

José dos Montes estava ali em busca de um milagre. Disposto a pagar qualquer preço para aliviar a dor do momento. Na mente de Moyo, o dilema. Como tratar o assassino na terapia da palavra? Como abrir-lhe os ouvidos para injetar na alma a música da vida? Busca as melhores estratégias na enciclopédia da memória. Do arsenal das palavras seleciona as eruditas para um eficaz puxão de orelhas. Ensaia o sopro mágico que lhe sai da garganta e diz:

— Os pesadelos são importantes na reordenação da mente. São a tua consciência acompanhando-te passo a passo. Não os temas.

— São poderosos, querem matar-me.

— Não matam, apenas despertam. As vozes ocultas são um presságio. Apura os ouvidos, escuta, não são vultos, são homens.

— São muitos, estão ali, não vês? — grita apontando a estrada. — Esperam-me à saída para perseguir-me de novo.

— Quantos já torturaste, José dos Montes?

— Eu? Não sei. Nunca contei.

Moyo enche o peito de amargura. Mas também de ternura. Aquela visita era o início da grande marcha à retaguarda. Para o túmulo ou para o abismo. Com delírios e discursos incoerentes. José dos Montes, assassino ou ladrão, era um ser humano pedindo socorro, a ele cabia apenas curar e não julgar. Lamenta-o. Um homem belo, de ferro. Cavalo real. Nascido no lugar e tempo errados. Na raça errada. Com pensamentos errados. Usando para sobreviver métodos errados. Nascido para vencer, mas acabando vencido. Transformado pelas circunstâncias da vida num sipaio ridículo.

— Os fantasmas não existem — tranquiliza Moyo. — Por vezes, a turbulência da mente projeta no espaço vultos medonhos. Não te assustes. São gritos de protesto dos homens que açoitas até à morte. Esses fantasmas são os amigos residentes na tua consciência, que te querem trazer de volta à razão.

Há um silêncio entre ambos. José dos Montes dobra-se sobre si próprio. Talvez para esconder os traços do destino que se espelham nos olhos. Talvez procurando proteger o segredo profundo que não se deve exprimir. Ou simplesmente derrubado pela fúria do confronto que o assola. Ou talvez se tenha posicionado melhor para absorver a verdade que lhe penetra e lhe tira a venda dos olhos. Moyo, atónito, procura socorrer o homem de razão naufragada nos massacres do mundo. Incapaz de aceitar a dura realidade com que se debate um velho amigo, apenas suspira. Quão vertiginosa é a estrada da vida! Quão ardilosas são as marcas do percurso. José dos Montes está derrotado. Os mortos serão vingados. Naquela mente, a loucura acabava de dar os primeiros passos.

— Vem — convida Moyo —, precisamos de conversar em segurança. Tens que me contar como tudo começou. O vento é delator, pode arrastar os nossos segredos aos quatro cantos do mundo.

Do quintal para a palhota são dez passos. Moyo segura a mão de José e apercebe-se da flacidez nos músculos e do cambalear de um soldado vencido em batalhas invisíveis. A porta da cabana é tão estreita como a porta do paraíso. Entram. Os olhos de José dos Montes flutuam no mar das coisas antigas. Extasia-se e ganha vitalidade. No centro, a fogueira vibra serena sob o lençol de cinzas. A penumbra da palhota dá repouso aos seus olhos cansados. Suspira de alívio: deste universo de incensos me apartei por vontade, mas que saudades tinha destes cheiros vivos das raízes, cheiros de infância, cheiros da palhota da minha mãe!

— Conta-me como tudo começou — pediu Moyo.

José fala do amanhecer depressivo e da dor renascida das raízes do tempo. Do cheiro da morte perseguindo o olfato. Dos pássaros negros dançando ao redor dos olhos a valsa macabra. Do ódio dos negros das plantações que se derrama nos seus ombros. Das desconfianças que os brancos derramam sobre ele. Das crianças que lhe chamam monstro em qualquer esquina do bairro negro. Das inúteis buscas de paz diante do altar e dos santos de barro.

— Ah, a conversa será longa — conclui Moyo. — Por que não ficas aqui para jantar comigo? Hei de contar-te histórias antigas. Embalar-te com uma cantiga. Fazer para ti uma galinha assada. Vamos já brindar com um gole de cachaça para afastar o medo.

— Não quero comer.

— Vais deixar-me comer sozinho?

— O meu paladar já não está habituado às comidas cafreais. Agora como comidas finas.

— Ah?!

A tensão flutua no ar, neste entardecer. No centro de uma palhota. Ganhando a forma fluida das nuvens negras. Ameaçando o desabar das tempestades. Causando a interrupção de uma bela conversa. Moyo puxa um cigarro. Fuma um pouco e a zanga se disfarça. Respira fundo e conclui: esta cobra é perigosa. Bastou um pouco de conforto para reanimar as forças.

— Hoje preciso de um ritual — confessa José dos Montes —, de um bom banho espiritual.

— Estás com frio na alma, velho amigo!

— Sim. Preciso do calor de uma fogueira imensa e do rufar de um tambor enorme. Por isso me recordei de ti.

Ele vem escutar a minha voz. Buscar as suas maldades nos meus remédios. Submeter-me nas suas loucuras. Fazer desta casa um mercado onde tudo se compra e tudo se vende. O homem sonha em subir ao pedestal com força alheia, absolutamente inconsciente dos perigos dos seus caminhos. Por isso arremessa-lhe palavras de gelo:

— Vieste em busca de ti mesmo e não ao meu encontro.

— Porquê?

— O doente nunca prescreve a cura.

— Não custa nada fazer-me esse favor. Saberei recompensar.

— Um só homem não faz um ritual. São precisas duas mãos no tambor. Outras duas a avivar a fogueira. Muitos pés de mulher na dança brava. Como vês, hoje estou só.

O pranto de hoje é filho do choro de ontem. O sol de hoje sucede a outro sol. Antes de ti, houve outros homens. Que sonharam e morreram no abismo das trevas. No impudor cego das grandezas. No cansaço inútil dos massacres. José dos Montes, abre os olhos!

— Para de maltratar o povo, José dos Montes.

— Não posso, tenho que cumprir as ordens. Os brancos castigam mais e ninguém reclama. Por que é que o castigo só dói quando vem de mim? Por eu ser negro e me julgarem irmão?

Nem uma gota de remorso no timbre da voz, provando que José dos Montes se afirma vitorioso agricultor do caos. Moyo sente na boca um sabor amargo por engolir imoralidades que não consegue digerir. Tenta, em vão, entender o estranho discurso. Inútil. O louco escancarou a boca e cospe sobre o mundo. Moyo sente-se derrubado por uma enorme onda de nojo e sofre a grande derrota: como curar um homem que não está vivo nem morto, mas é a própria morte solta nas ruas?

— Que buscas no sofrimento do povo, José dos Montes?

— Estranhos afetos. Pão. Poder. Acho que nasci para destruir.

Flutua a frieza cortante de um discurso. Moyo sente que o ar lhe falta e revolve-se numa dispneia angustiante. Descobre que acaba de sofrer o contágio e está ébrio de terror e medo. Aos seus olhos estreia-se um desfilar de vultos, fantasmas, pesadelos, que não eram mais do que a reprodução do um só vulto, um só fantasma, um só. Esfrega os olhos para afastar a repentina doença na vista. E descobre a raiz das suas miragens: era José dos Montes já transfigurado e afastado da categoria humana.

Com muita dificuldade solta um grito:

— Conduzes a vida como um motorista embriagado, José.

— Ah, Moyo, assustei-te com as minhas palavras! Foi sem querer, eu juro!

Soltou os segredos profundos que não se exprimem e ganhou um momento de libertação. De reflexão. São as falas mágicas de Moyo, que lhe oferecem o espelho com que reflete a sua imagem escondida por dentro. E lhe faz ver que todas as suas vítimas são humanas. Como ele geradas por amor ou por ódio. Recorda os olhos da multidão estarrecidos de medo, na hora da chacina. Compreende que são os uivos desesperados dos condenados que se impregnam na mente e ganham a forma de vultos medonhos. Atordoado, começa a ver o que antes não via: são, sim, aqueles a quem matei, que se erguem dentro de mim, exigindo a vida que lhes tirei. Como são poderosos! Combatem-me sem braços nem armas. Sem sons nem sílabas. De noite ou de dia, perseguem-me com os seus corpos de vento. Envolve-se no transe e na loucura. Enrodilha-se sobre si próprio para esconder o rosto e chora. Mas as lágrimas abundantes caem sobre o solo denunciando o pranto.

Moyo deixou-se ficar em silêncio até o choro terminar. Porque o choro do homem é remédio do medo e da angústia. Encosta no seu ombro a cabeça grande do homem que chora, reunindo num só pedaços daquele ser disperso na rosa dos ventos. Depois da amargura do choro, a conversa ténue.

— Fala-me da tua família, José.

— Já temos dois filhos, e esperamos o terceiro.

— Bonitos como tu, de certeza.

— São como a Delfina.

— Ah, sim. A Delfina é uma mulher belíssima.

O coração de José dos Montes caminha sonâmbulo pelos extremos do mundo, como a bola de pingue-pongue. Entre o nascente e o poente, alternadamente, sem meio-termo. De coração galopante porque se invocou Delfina, seu amor, sua paixão, sua razão de viver.

— Fala-me da Delfina. Como está ela?

— Bem. Muito bem.

— Mas os teus olhos dizem que não, José. Diz-me a verdade: será ela a causa deste tormento?

Não, não era ela a culpada de tudo. Foi gerada no berço de um tormento. Aprendeu a vida na moral das ruas. Produz alimento nas minas do sexo, a fidelidade e infidelidade são peças da mesma sorte. Não, não pode ser incriminada. Ela é demasiado generosa no amor que tem para dar e para vender. Delfina dos contrastes, dos conflitos, das confusões e contradições. Não podia ser ela causa do tormento. Talvez Deus e o destino. Talvez o próprio José dos Montes, que desenhou fantasias sobre o amor e fez do corpo dela barco e âncora, sem porto seguro. Naquele instante visualiza a sua insignificância na carnavalesca máscara do amor.

— Dá-me um remédio para curar este amor, esta paixão.

— Procuras um remédio contra o medo. Não existe.

— Faz um feitiço para amarrar o coração da Delfina.

— Amarrar um coração? — pergunta Moyo espantado. — O amor de magia não é sincero, dura pouco e causa amargura. Não vale a pena.

— Por amor tudo vale a pena, Moyo!

Amor, essa velha canção preferida. Que enfeita as cantigas de roda e os sonhos lunáticos dos poetas. Amor, eterno prisioneiro nos corações dos amantes, preciosidade que se busca e se guarda, mesmo que a sua posse cause uma dor imensa. Que enche o peito de promessas vãs que os amantes guardam como verdades.

— Os brancos andam loucos de paixão por ela — desabafa José. — Assediam-na.

— A Delfina! Ela sabe com quantas linhas se cose o amor, e com quantos suspiros se enlouquece o mais forte dos homens. Estão a assediá-la? Tens a certeza?

— Vão prostituí-la outra vez.

— Ela é o palco e a artista. O teatro inteiro. Sempre foi.

José dos Montes despeja nos ouvidos do Moyo todo o palavreado impotente das fanfarras de amor. Minha mulher, minha cruz e meu castigo. Meu coração em cinzas, em chamas. Minha leviana das ruas do cais. Na esgrima de sentimentos, o coração é um brinquedo com que se joga ao amor e paixão, mesmo sabendo que é uma relíquia que quebra e não conserta.

— Chorei por ti no dia do teu casamento. Delfina será a tua perdição.

— Eu amo a Delfina.

— Entendo.

— Admiro a coragem dos amantes, voluntários cegos do fogo e da tortura. O amor, gémeo do ódio, se expressa pelos mesmos atos: dor, tortura, desespero. Por amor se vive e também se mata. Quem foram os autores das lunáticas teorias de amor? Se o amor é bom, porque é que causa tanta dor?

— Faz um feitiço para que eu seja o único homem na vida de Delfina.

— O coração humano é um território livre, ninguém penetra.

— Mas tu consegues penetrar, Moyo.

— Embruxar o coração do amante é coisa de mulher. Levaste-a ao altar e colocaste sobre ela um diadema de pérolas. Ela é tua. Segura-a se és homem.

— Tentei, mas não consigo.

Embora entristecido, Moyo sorri. Recorda o seu passado sonhador e romântico. Levou muita sova por espreitar mulheres a banharem-se nos rios da Zambézia. Cortejou mulheres casadas e foi mil vezes apanhado em flagrante.

— Homem que se preza procura a própria liberdade e não a prisão no coração de uma mulher. Quanto mais a amas mais te castiga. Por que te casaste com ela?

— Não sabes o que sinto, Moyo, não sabes.

— Sei, sei. Eu também tive a tua idade e sofri as mesmas loucuras.

Muita gente busca soluções produtoras de amores mágicos. Perturbando o sono das almas boas e espíritos da sorte. Porque existem. Reunir todos os mágicos da terra para solucionar os seus problemas.

— Também me droguei com fantasias. Por amor também parti em busca da lua, mas descobri que a superfície lunar eram simples pedras. Voltei desiludido e de coração partido. A lua, vista das palmeiras, é a mais bela do mundo. Sou romântico, José dos Montes!

— Podes salvar o meu lar, podes — implora —, amarras a chuva quando queres e transformas em água as balas dos marinheiros. Tens flechas de trovão dentro desta palhota, numa panelinha de barro, porque comandas a trovoada, todos sabemos disso.

— Não exageres. Eu sou um simples mortal e não sou salvador de coisa nenhuma.

José dos Montes tenta fazer elogios com palavras torpes. Quer, sim, voar alto com as asas mágicas de todas as bruxarias que tornarão magníficos todos os seus atos. Subir ao fantástico mundo dos que governam a vida, no impudor cego de todas as grandezas. Com um feitiço. Um encanto.

— Com os teus poderes posso dominar o mundo.

— Para quê?

— Para que Delfina veja que não há outro depois de mim. Por cima só Deus e eu.

José dos Montes, um touro. Músculos endurecidos nos treinos árduos dos sipaios. Poderes ilimitados, alimentados pelos poderosos arsenais de fogo, de pólvora, de loucura. Mendigando em mim todos os feitiços para sugar mais sangue. Não, não lhe darei coisa nenhuma.

— Matas gente à toa. O que procuras tu na morte de outrem?

— Muita coisa. Poder. Liberdade. Grandeza. Quero ser herói.

— Como?

— Os heróis das lendas sempre matam. Por isso são aclamados reis.

— E o que farias tu com o heroísmo?

— Mataria todos os brancos para viver em paz com a minha Delfina. Obrigaria qualquer pessoa a ajoelhar-se diante da minha presença, como fazem as sinhás, as donas, os prazeiros e os proprietários das companhias. Faz de mim o maior, tens poderes para isso, Moyo!

Poder. Alarido permanente nos momentos da fantasia. Poder de quê e para quê? Ri-se da ingenuidade do Montes. O poder não se apanha na rua e nem se vende aos quilos nas bancas dos feiticeiros. A sorte não se mede aos metros nem está armazenada em contentores dos curandeiros. Posso até elevá-lo aos píncaros da vida. Por magia. Posso reduzir o poder sexual da sua Delfina, fazer dela uma boa esposa, tenho ervas para isso. Tenho o assassino nas mãos, posso inutilizá-lo, quebrando-lhe um braço ou uma perna, e afastá-lo definitivamente do mundo do crime. Não, não farei nada. Os meus espíritos jamais serão colocados ao serviço do crime. Não nasci para servir reis nem regimes. Quem sou eu para interferir no percurso do mundo?

— Quando alguém é aclamado rei, é o seu poder interior que liberta. A grandeza está dentro da gente — explica Moyo. — Não há feitiço para a grandeza.

— Dá-me então a sorte para que seja o mais respeitado, o mais preferido entre os sipaios.

— Queres, sim, o remédio da insignificância. Não tenho.

— Mentes, Moyo. Dás magias aos teus iguais para fugirem das rusgas dos sipaios e não pagarem imposto — acusa —, escondes negros fugitivos dentro desta palhota, porque já me escondeste a mim. Proteges a todos, sei disso. Tens o poder de te eclipsares. Transformas-te em formiga, em peixe, em pássaro, quando queres. Transformas os guerreiros em abelhas, peixes, moscas, atrapalhando os planos de invasão dos portugueses.

— Não exageres!

A voz de José muda de tonalidade, adquirindo os sons melódicos dos pedintes. Na mente de Moyo, a perplexidade. Espanta-o a ansiedade que se exprime na busca incessante de tudo o que não se apalpa. Espanta-o a cegueira dos caçadores insaciáveis de tudo o que não existe. Lamenta a sorte dos discípulos das filosofias mecânicas do novo mundo, que dão glória e poder a todos os que premem, com eficácia, o gatilho das armas de fogo. Lamenta o destino dos que dão saltos para o ar quando não têm asas para voar. Lamenta a sorte de José, a quem ama como filho.

— Meu bom José, antigamente me pedias a cura para as feridas do corpo. Pedias-me o remédio, a bênção, a proteção para as coisas positivas. Mudaste muito, José!

— Era criança, agora sou adulto e quero ser maior ainda.

— A grandeza é a alma da gente, José.

— Serás tu um opositor ao regime? Um terrorista? — pergunta José meio enraivecido.

— Desconfias de mim? Porquê?

— És conhecido como baluarte da resistência. Falas sempre da independência. Não me queres atender porque sou sipaio. Os brancos são o progresso e este regime o futuro. Por que te opões?

— Nessa independência que sonhamos o mundo não será o mesmo. Libertaremos a terra, sim, mas jamais seremos senhores. Os governadores do futuro terão cabeças de brancos sobre o corpo negro. Nesse tempo, os marinheiros já não precisarão de barcos, porque terão construído moradas seguras dentro da gente. O colonialismo habitará a nossa mente e o nosso ventre e a liberdade será apenas um sonho.

Não é o presente que Moyo vive. Nem o futuro a que aspira. Nem passados antigos que não conheceu. Talvez a justiça que habita os sonhos dos poetas. Talvez o paraíso, essa estância turística apregoada por padres, profetas e crentes, mas de que só os santos desfrutam. Defende a liberdade humana e não sistemas formatados por modelos importados com ideais de supremacia nem o mundo material dos mortos que gritam comandos à vida, nas vozes das conchas. Em todos os regimes há condenados nas celas e velhos esfomeados calcorreando o mundo em cada sexta-feira de esmolas. Em cada regime há gente comendo lixo, dormindo ao relento, congelando ao gosto do orvalho nas madrugadas frias. Há também ganância pelo poder. E lutas. E sangue. Marxistas. Colonialistas. Socialistas. Comunistas. Masoquistas. Lutando pelo poder nunca conquistado e por dominar o povo unido que jamais será vencido.

— O meu território é o silêncio onde me reflito — esclarece Moyo —, o meu espaço é o meu tempo, onde me reproduzo e parto, cumprindo o ciclo da vida.

— Por que recusas o meu pedido, Moyo? Sabes que posso denunciar-te?

— E tu, mesmo com todas as poções mágicas do mundo, não passarás de um preto na cauda da vida.

— Tratas-me com desprezo. Serás tu melhor que eu?

A guerra declara-se entre os dois homens e haverá desgraça. Nos dois a impotência. A Moyo dói a impotência de ver o filho a partir para o abismo sem poder salvá-lo. A José dos Montes dói a impotência de estar armado, lutar contra um velho indefeso e não lograr sucesso. Desafiam-se. Olho por olho. Refletem-se.

A submissão de um na insubmissão do outro, ambos desesperados pelo medo do futuro. Invejam-se. José inveja no outro a tenacidade, a capacidade de defender os seus princípios mesmo que isso lhe custe a vida, seguindo o lema "vale mais quebrar que torcer". Moyo inveja no outro a leviandade, a superficialidade que dá a versatilidade com que se adapta à selvajaria do mundo.

Na tentativa de fazer o impossível para salvar o filho, as palavras de José são um apelo à consciência. Moyo pensa. Nasci para tratar das feridas do mundo. Destinado a viver entre a palhota e os matagais, paraíso dos remédios. Do amor fui feito e para o amor eu vivo.

— Somos iguais, Moyo. Iguais. Matando e curando, serventes do mesmo regime. Ambos expulsos do mundo. Tu de tangas e na palhota e eu portador deste fardamento de caqui, botas altas e uma espingarda, cidadão ridículo de cofió vermelho.

— Não somos iguais, rapaz, não somos.

— Não seremos iguais?

Moyo remexe o saco do tempo e descobre as relíquias do próprio percurso. Onde começou a minha vida? Onde termina? Tenta contabilizar o número de vidas que salvou. De doentes que curou. Dos filhos dos ventres estéreis que as suas raízes fertilizaram. Continua a contar e para. Pode-se contar o número de gotas de água no Rio Zambeze? Pode-se contar o número de cristais de sal em todas as águas do Índico? Descobre que a sua vida é mar e rio num único caminho. É imensa. Já nem sabe quantas mulheres amou e quantas beijou. Das esposas, perdeu duas e ficou com quatro, nunca foi viúvo. Filhos são vinte e seis. Não recorda quantos abortados nem nados-mortos. Netos, são setenta e nove. Nasceu no dia em que chegou um barco cheio de pretos acorrentados que construíram o porto no Rio dos Bons Sinais. Nasceu no dia em que iniciaram a construção da primeira estrada alcatroada. Tem a idade da maioria das casas dos brancos. É irmão daquela palmeira velha na entrada da casa, semeada em sua honra na hora do nascimento. É gémeo de tudo: da ponte, da estrada e de muitas palmeiras.

Cresceu no tempo em que os homens sobreviventes tinham o dever espiritual de se desdobrar e engravidar as mulheres férteis para preservar a espécie — os maridos eram aprisionados nos acampamentos, deportados ou massacrados. Participou na construção do palmar, foi escravo. Foi chicoteado, baleado, esfaqueado e sempre se salvou da morte graças ao poder espiritual das suas raízes. Quando um barco cheio de brancos naufragou em Macuse, na Primeira Guerra Mundial, ele já era soldado.

— Moyo, eras meu amigo.

— Ainda sou.

— Fazias por mim tudo o que te pedia.

— Tudo o que me pedes está dentro de ti mesmo. Liberta-te.

— Isto é uma recusa?

— É.

— É a última palavra?

— É.

Contrariado, José dos Montes solta do fundo todos os seus poderes e declara em surdina: Velho maluco. Quer brincar comigo, não me conhece. A minha zanga é sempre um tumulto, sou assim desde que nasci. Sou brigão, zaragateiro. Refilão. Na infância todos me temiam. Conquisto tudo à força do soco e nos meus punhos tudo extravasa. Com o meu sopro tudo vira carvão. Eu sou dragão.

— Pois fica a saber que neste regime ninguém é inocente — grita José dos Montes. — Eu sou ativo e tu passivo. Eu destruo e tu reparas, cada um de nós à sua maneira vivendo a ilusão de construir.

A revolta aproxima-se de José dos Montes em passos de soldado, animado pelos nervos à flor da pele. Coloca a mão na cintura e sente o frio metálico do punhal. Ideias macabras flutuam-lhe na cabeça como um ninho de vespas. Desembainha-o. Coloca-o em riste no pescoço de Moyo. Naquele gesto implorava piedade. Obediência. Para obrigar o velho a ceder aos seus desejos, a aceitar a linguagem dos novos tempos e submetê-lo.

— Ninguém recusa um pedido meu, Moyo. Não vou sair daqui com as mãos vazias. Sou uma pessoa importante.

— És importante? Que importância tens?

— Sou, sim. Sou sipaio! Assimilado, cristão, casado canonicamente.

— És sim um herói vencido por um bando de fantasmas! Tão importante que nem consegues alimentar a tua mulher na tua cama!

Discursos de lucidez e de loucura no incêndio de uma briga. No mapa das palavras cáusticas os homens em discórdia procuram o melhor arsenal. Moyo sente um cansaço repentino e uma profunda vontade de morrer e esquecer para sempre a amargura daquele encontro.

— Por que me falas com tanto desprezo?

— Que motivos tenho eu para respeitar um sipaio?

José deu o primeiro passo na grande marcha para o abismo. Difícil será fazê-lo regressar ao presente e torná-lo parte das coisas comuns, que nascem e morrem. Para pertencer a este mundo José teria que nascer outra vez.

— Não sabes do que sou capaz, Moyo. Vim em busca de ajuda e me recusas. Vim em busca de paz e me insultas. Vim em busca do sonho e, no lugar de me animares, me ofereceste desprezo e ódio. Se tens poder eu também tenho. Saiba, pois, que o poder das armas é maior que toda a bruxaria do mundo.

O punhal frio pressiona o pescoço flácido. Na mente de Moyo, memórias rápidas de um percurso longo. Memórias doces do José menino, a quem tratou das feridas e deu a sopa pela mão. Suspira e nega. Não, meu Deus. Não, não foi a este rapaz que criei. Nem a estes ouvidos que cantei as mais belas canções ao adormecer. O menino que salvei não voltará, foi sepultado no peito de pedra. As doces palavras que ensinei foram levadas pelo vento e ficou este assassino que me ameaça.

— Quem és tu, José? Que fazes aqui? O que queres de mim?

— Queres mesmo saber?

Moyo confirma. A loucura construiu a sua morada na mente atormentada de um homem. No momento do tormento, o perdão. Instantes de lucidez e de bons sentimentos derramam-se na mente de Moyo como uma lamparina de azeite. E o pai extraordinário revela-se no derradeiro minuto. Ainda que insano na sua saúde, ainda que assassino na sua função, ainda que assimilado na sua convicção, José dos Montes guarda dentro de si o coração dos nobres homens de amores profundos. Procurando a vida se desviou. Procurando o amor se magoou. Um assassino que, açoitado por fantasmas, foge dos seus atos provando que existe nele um santo adormecido.

— Tu me conheces desde os meus tempos de menino. Sempre soubeste quem era eu, mas agora digo-te: sou José dos Montes, o assassino!

— Sou imortal, José dos Montes. Queres matar-me? Mata-me. Mas viverei em ti, para sempre. Serei o eterno habitante da tua consciência. Serei o teu pesadelo, o fantasma maior nas noites de lua. Serei a tua estrela, na tua ascensão ou na tua queda.

Moyo recebe o preço do amor na ponta do punhal que José dos Montes faz circular com arte sobre o seu corpo. O assassino recebe o preço da ansiedade, da dor e do desespero. Por isso retira por mal tudo o que foi negado por bem. Com a ponta de um metal pesquisa materialidades. Relíquias de ouro e prata. Estrados, pedestais, coroas de louro dos campeões. Descobre que a carcaça vazia não tinha nada, e que era tão igual à carcaça de um bovino. Com muito sangue, muito músculo, ossos, tripas, estrume. Simples matéria. Nem o sangue azul dos nobres. O cérebro, simples geleia, é menos consistente que o branco cérebro dos cocos.

Decide então desvendar o mistério da vida. De que lado vinha o saber deste morto? Do coração, da cabeça ou do sexo? De onde vinha o brilho na mente? E a luz na testa? Onde fica o vigor? Onde ficam a alegria e a dor? E o amor? E o ódio? E a fonte das palavras de mel? E onde fica a vida longa da sorte e do azar?

Esgaravata o corpo inteiro, em vão. Em nenhuma célula encontrou um diamante. Nem uma pérola. Nem a imitação de uma estrela. Mas o corpo vivo tinha brilho e mistério. Nas suas buscas descobre o grande mistério da imaterialidade do ser e do saber: nada se constrói com a morte de outrem. Envolveu-se numa tragédia inútil, condenando-se ao julgamento imaterial dos deuses na hora do juízo final.

De repente sente uma dor insuportável de menino sem pai. No seu choro o canto e o lamento. Moyo, a tua imagem era uma carícia suave no meu peito. O que fiz de mim? Por querer colocar o sol no bolso, transformei em trevas a luz do meu mundo. Nem tive consciência dos meus atos. A culpa é da minha raiva que abandonou o controlo e fugiu de mim como lobos em noite de lua. A culpa é tua, Moyo. Por que não gritaste para me acalmar? Se gritasses pararia, eu juro. A culpa é tua, sim. Não me deste nenhum sinal. Não me advertiste do perigo. Lançaste-me o último sorriso de troça, parece que te dava prazer morrer nas minhas mãos. A culpa é desta navalha macho, falo metálico que me arrasta para orgias sangrentas. A culpa é desta navalha fêmea, minha navalha hermafrodita, companheira das horas macabras, minha namorada, cúmplice da minha desgraça.

Para de chorar de repente: é inútil, neste instante. Talvez rezar e pedir perdão. Mas guarda ainda a ânsia de herdar os poderes ilimitados do homem. Que foram volatilizados pelo último suspiro. Ah, Moyo, meu pai que matei, coloca sobre mim tudo o que te tirei: o brilho dos teus olhos. A beleza do teu peito. Vamos, vinga-te, faz de mim teu escravo, mas deixa que o teu bom espírito encarne dentro de mim para me tirar da escravatura do amor, destes fantasmas que me perseguem e me destroem.

Lá fora, a lua cresce, prenhe de mistérios. Os fantasmas

se preparam para a grande farra. Uma chuva de estrelas desconhecidas brinca sobre o palmar. O deserto acaba de penetrar na alma de um assassino e as sombras más dançam em liberdade.

O que se celebra hoje?

Duas procissões em caminhos opostos. Uma celebrando o fim e outra o princípio. Multidão que chora e outra que ri. Uma para o poente e outra para o nascente. Ambas celebrando a morte do mesmo homem. Chegam ao ponto de encontro e olham-se. Desafiam-se. E soltam-se vários murmúrios.

Na marcha do nascente o gozo, o riso. Quem matou o bruxo, o feiticeiro? Foi José dos Montes, negro exemplar, visionário do futuro que reconheceu os sinais dos tempos. Entrou sozinho no baluarte das feras e eliminou heroicamente o mais perigoso dos terroristas. O bruxo afrontava o regime com almas do outro mundo. Mobilizava a gentalha contra o poder do nosso império.

Na marcha do poente o desânimo. Quem matou o nosso Moyo, o santo patriarca, que curava as feridas do corpo e da alma? Foi José dos Montes, o traidor, num ato de ingratidão. Por querer possuir o impossível. Por não querer ouvir a voz da razão. Não, não estava louco. Foi um truque que usou para cumprir a missão nefasta. O corpo de Moyo desce à terra, ao ritmo de batucadas fúnebres. No mesmo instante José dos Montes sobe ao pedestal. Armas e canhões na fanfarra da vitória. Parada militar. Afinal, na morte de um homem os marinheiros oferecem uma estrela de cobre com que se enfeitam os ombros dos homens bravos.

No discurso de vitória, José dos Montes diz que tudo fez pela pátria. Mas a sua consciência diz outra coisa. Eu não matei ninguém, matei-me. Sente uma nostalgia repentina. Recorda. Na agonia de Moyo, as palavras-chave. Ascensão. Queda. Estrela. As patentes leves que lhe colocam nos ombros ganham o peso de um homem. Porque são a ascensão e têm estrelas. Tudo o que desejava era arrancar o próprio coração num ato suicida.

Cantares do povo, embriaguez de dor e de pranto. Nos olhos soturnas trevas, inauguração do futuro. A valsa da mudança. A sinfonia sacra dos novos léxicos. A partir de agora, matem a palavra liberdade. Que a escravatura se chame descobertas. Que o massacre se chame civilização e a humilhação se chame conversão ou cristianização. Que a submissão se chame fidelidade. Que todos os humilhados se submetam aos deuses elegantes que vivem no céu e nas nuvens, longe da lama e da poeira, representados na terra pelos deuses peixes desembarcados das caravelas. Assim será por todo o sempre. A partir de hoje chamar-lhes-emos molungo, mulungo, nungu, muzungo, muzimu, significando o que vem do céu, o próprio céu, o Deus maior, o Deus branco, céu, paraíso, em todas as línguas da nossa terra.

O povo dança no funeral do seu Moyo sabendo que, embora ausente, mandará mensagens do fundo da terra nas gotas de orvalho, nos pingos de chuva. Sabem que estará sempre perto, para ajudar os vivos a desamarrar a chuva, a rejuvenescer os rebanhos, a rezar para que as galinhas ponham mais ovos e a fome morra. Sabem que, apesar de morto, ajudará a terra a libertar-se da exploração dos marinheiros, para que as crianças cresçam livres da escravatura. Sabem que os mortos da terra regressam ao barro, porque subir ao céu é tornar-se poeira e poluição atmosférica, mancha negra na imaculada e frágil camada de ozono.

Depositam o corpo do morto na sombra da árvore. E semeiam flores em cada memória. Com retumbantes palavras tecem mitos que elevam Moyo aos píncaros da eternidade.

Debaixo da terra as falas dos profetas, só escutadas pelos eleitos no sussurro dos búzios: só enfeitiça quem te conhece. Sem a contribuição dos negros, a colonização não teria sido possível.

16

Um tremelique no olho esquerdo. Um azar.

Há um enigma concentrado na natureza — confirma José dos Montes —, hoje o sol não dormirá sem me acontecer alguma coisa. Há uma mancha cinzenta nas cores amenas do horizonte. Um prurido na planta do pé. Um ladrar lancinante dos cães à minha passagem. Um gato atravessando o meu caminho. Hoje vai acontecer-me alguma coisa, sim. Mas o quê?

Sente um frio enorme por dentro e procura um motivo. Encontra apenas o reflexo da própria ansiedade. Mas estou de bem com o regime. Subi na vida. Quem não deve não teme. Mas alguma coisa má vai me acontecer hoje. O desassossego da mente inventa fantasias. O lado irracional fabrica superstições e os olhos captam sinais invisíveis. Não, não me pode acontecer nada!

Abandona o posto de trabalho e regressa a casa, apreensivo. Viu, pela presença do sogro, que o dia lhe reservava mistérios. O pai de Delfina estava ali debaixo da sua sombra predileta. Sentado na sua cadeira de descanso, como se estivesse esperando por ele. Assusta-se. Dá passos rápidos ao seu encontro.

— Boa tarde, meu sogro.

— Ah?

O pai de Delfina não conseguia sair do abismo aonde descera. Porque a carreira de pai leva para caminhos imprevisíveis. Cada dia é uma nova história, um novo caminho, um novo destino. Começando com partos, fraldas e febres. Prosseguindo com alegrias e tristezas, ou escândalos e vergonha.

— Como está?

— Eu?

— Sim, é consigo que eu falo.

— Ah, estou bem.

Solta suspiros amargos gritando revoltas no seu silêncio: como poderia estar? Aguentei os partos, sangue menstrual e cornos da mãe dela, fingi que não vi, mas senti. Agora é esta filha puta, casada e adúltera, parindo raças, tribos, castas no mesmo ventre. Porque é que tenho que suportar tudo isto? Para onde me leva esta minha carreira de pai?

José dos Montes percebe. Há uma nuvem densa nos olhos quietos. Porquê?

— Então? — José esforça-se por quebrar a ausência.

— Senta-te e bebe um copo, meu filho.

Perante a voz lenta e pastosa do sogro percebeu o mistério. Umas verdades difíceis de revelar, que necessitam de aguardente para aflorar. O José toma um trago. Outro e outro. O silêncio abate-se sobre os dois homens.

Do interior da casa de José, o choro de uma recém-nascida rasga espaços como salvas de canhão. Os soluços dela têm a sonoridade de comando, característica das crianças que nascem para governar o mundo. José sorri.

— Então, meu sogro? A minha filha nasceu. A terceira. Por que não me dizias?

— É a minha neta que nasceu. Minha neta!

— Que é a minha filha!

— Eu disse: minha neta!

Palavras densas, concentradas. Declaração da vida com tonalidades da morte. Porquê? Busca explicações para entender o fenómeno. Palavras frias em tarde quente. Palavras que o humilham e o repelem. Porquê?

— Vou ver a criança.

— Toma antes outro copo.

Em cada gole José dos Montes faz uma pausa e uma pergunta: porque é que o parto foi em casa? Por que não me deixam ver a criança? O que está a acontecer lá dentro? Terá nascido monstra?

José, impaciente, levanta-se e precipita-se para dentro de casa. A mão férrea do sogro segura-o adiando a marcha.

— Espera.

Ele obedece, para. Talvez a parteira esteja a banhar Delfina. Talvez estejam ainda a cortar o cordão umbilical da criatura. Talvez estejam só a preparar a criança para o pai poder vê-la. O sogro esforça-se por embriagá-lo e o tempo se alonga. Dentro de pouco tempo será noite. O José desespera-se.

— Porquê toda esta demora? Por que me quer embebedar?

— A nossa Delfina acaba de parir uma desgraça.

— Desgraça?

— Foi um parto bom, segundo diz a mãe. Parto saudável. Mas pariu a desgraça.

— Se é saudável de onde vem a desgraça?

— Toma mais um copo e relaxa — o sogro fala de olhos baixos. Quando as notícias são boas há sorrisos. Quando são ruins os olhos se escondem num grão de areia.

— Chega!

— Ah, meu bom genro! Adia o desgosto por mais um segundo.

— Desgosto?

O sogro não tinha força para adiar a tristeza. Deixou-o partir disparado para o ponto da desgraça. Para comer com a alma o manjar de espinhos. Subiu pelo próprio pé para o palco da desgraça. Ele entra dentro de casa com o coração rufando batuques ancestrais. Delfina, em gestos rápidos, esconde o rosto da criança. O corpo de José balança desordenado e ganha sustento nas paredes da casa. O suor fino corre, quente. Entra no coração do abismo.

José destapa a criança e olha. Absorve com olhos cristalinos o fenómeno da natureza: o nascimento de uma nova raça. O corpo banha-se numa densa cortina de orvalho, destilando vapores, odores, calores. Primeiro foi o silêncio. A gaguez. Depois as palavras correm em cascata.

— Meu Deus! Colocai flores no meu túmulo, acabei de morrer neste instante!

A criança é branca como a casca de um ovo, os patrões acabam de presenteá-lo com um filho. Para colorir a casa e afastar da família o negro estigma de uma raça. Meu Deus, uma filha mulata num casal de negros. De quem será o esperma? Do patrão? Do dono da plantação? Da garganta de José o relinchar de um cavalo moribundo. Ah! Os marinheiros fizeram do sexo uma arma de guerra. Venceram e tudo pertence ao regime: o esperma, o óvulo, o sangue, os braços dos homens e o sexo das mulheres. Por isso Delfina lançou as sementes do futuro: a raça que o Éden não projetou mas o amor criou.

A amargura traz-lhe à mente vozes antepassadas. As profecias de Moyo predizendo que o mundo da hierarquia será epidérmico: branco em cima, mulato no meio e o negro na cauda da História. Quando o branco partir, o mulato assumirá o comando. Depois da independência, ainda veremos o mulato na liberdade das ruas. Na montra. No aquário de um prostíbulo. No corredor de um avião. Hospedeira. Quer chá, quer café? No balcão de um banco. Contabilista, economista. Na *passerelle* das misses, porque só será bela a que herdar a tez dos marinheiros. Não precisará de muita labuta para ser gente, para ter bom emprego, boa casa, boa vida, porque o poder é a sua herança. O negro, duro como o coco, terá o seu lugar privilegiado no barro dos montes, na carga, na cozinha. Por isso a mulher negra buscará um filho mulato. Para aliviar o negro da sua pele como quem alivia as roupas de luto. A independência virá um dia, mas serão ainda precisas mil e uma revoluções por séculos e séculos. O negro terá que vencer todas para restaurar o equilíbrio do mundo.

José ganha coragem e lança um murmúrio plangente.

— Delfina, essa criança é prematura?

— Porquê? — No rosto de Delfina não há receio nem medo. Apenas alegria infinda e um grão de piedade pelo homem que sofre.

— A pele dela! Falta cor na pele dela. Será albina?

— Não é prematura nem é albina.

— Diz-me, Delfina, diz-me que é tudo mentira, diz-me que debaixo dessa pele branca há melanina em flor, que há de abrir ao sol e pintar a pele da menina com a cor de barro. Vamos, diz-me que ela nasceu crua, que precisa de tempo para ficar madura como as frutas do campo que nascem verdes mas ao sol ganham a cor da terra.

A criança lança um novo choro. Parecia uma aranha branca ondulando as patinhas ao vento. No rosto daquela criatura a morte de uma família. Uma larva branca no cerne da vida, anunciando a morte de uma família. Os braços de José caem vencidos. Na eterna dança, as palmeiras celebram o poder dos marinheiros.

— Diz-me, Delfina, diz o que aconteceu? O que te faltou? O que não te dei? Não sabes o que por ti sofri?

Palavras incoerentes. Delírio. Crepitando dentro dele uma canção de fogo. A cabeça curva-se sobre o peito como uma árvore em queda. Levanta a cabeça e olha para os lados. O punhal na parede. O martelo sobre a mesa, convidando-o a orgias macabras, bastando esticar o braço e abrir a palma da mão. A suave almofada inspira outros segredos. Bastava segurá-la com firmeza sobre o nariz da traidora. À recém-nascida, bastava a palma da sua mão para lhe oferecer a pele arroxeada dos cadáveres.

— Delfina, porquê?

Ela pensa rápido. E decide. É melhor dizer tudo de uma vez. Magoá-lo. Verter toda a verdade e não pedaços dela. Dar ao marido uma morte piedosa e acabar com aquele sofrimento num só golpe.

— Foi naquele tempo em que andavas pela Maganja, Lugela e esses matos todos. Enquanto matavas filhos de pretos eu gerava o filho de um branco. Até parece coisa combinada. Mal saíste de casa o teu patrão veio, assediou-me. Levou-me para os lugares mais bonitos deste mundo e tratou-me como uma rainha. Às vezes tenho a sensação de que Deus organizou tudo para o nascimento desta criança. É sorte minha, são coisas do destino, não achas, José?

— Traíste-me.

— Eu?

— Delfina, e o amor que sinto por ti?

— Ah, o amor. Ainda existe? Não o esqueceste?

— Delfina!

— Que queres tu, meu José? Que eu deixasse a minha sorte por tua causa?

— Trocaste-me, Delfina, voltaste à vida, és mulher da rua, não vais mudar nunca. Vender o corpo é tua vocação. Paguei já um preço alto pelo teu amor, será que não vês?

— Tu tens as tuas ambições e eu as minhas. Andas a matar gente por conta própria e não por mim, nada tenho a ver com isso. Crias-me medo, repulsa, e não tenho prazer nenhum em ser esposa de um assassino.

José dos Montes faz o elogio da coragem. Delfina é uma mulher obstinada. Cesária. Vomitando palavras despidas como balas. Apunhalando o marido numa coragem suicida. José dos Montes descobre que o casamento é um palco de guerra entre os sexos. Perdera todos os argumentos.

— És uma vagabunda.

— Prefiro ser tratada como vagabunda do que esposa de matador. De resto, sabias a vida que eu tinha, José, e mesmo assim casaste comigo. Sabias que um dia isto iria acontecer, também sabias. As coisas gostosas não se esquecem nunca.

— Ah, Delfina!

— O meu estatuto é maior a partir de agora! Mãe de mulata. Concubina de um branco. Não mais morrerei à míngua, com esta filha que é a minha segurança. Erguerei esta criatura como uma bandeira branca, a acenar aos marinheiros e a gritar: sou vossa! Juntei o meu sangue ao vosso na construção da nova raça. Eu te amei, marinheiro, cumpri a minha promessa, eis aqui o teu filho! Eternizei a tua passagem por esta terra. Trouxe alegria ao coração da minha negra mãe. Segurança para a velhice do meu pai. O direito a um pedaço de terra para construir uma casinha e semear couves e cebolas, sem ter que pagar o imposto de palhota num espaço que é nosso por herança divina. Esta criança irá libertar o nosso Zezinho do destino de machileiro ou plantador de cocos de um branco qualquer. Vai defender a Maria das Dores da prostituição no cais dos marinheiros.

— Não, Delfina!

— Não tens poder para satisfazer os meus anseios. Lamento.

— Sou um homem novo, Delfina.

— És outro, sim, apenas nos documentos. Precisas de

tomar muitos banhos para ter a imagem de um branco. És negro, és pobre, meu José, não tens dinheiro no bolso.

O sorriso de Delfina era hostil, de uma indiferença exasperante. Hoje, a voz é singularmente fria e ouve-se lá das montanhas da vitória. Ela sabe que um dia o mundo contará a sua história e celebrará o heroísmo das mulheres que produziram o milagre da raça pelo próprio ventre.

— Esses brancos são casados, Delfina.

— E daí? Vale mais a pena ser amante de um branco por um instante que esposa de preto toda a vida!

— Pensa nas famílias deles, Delfina.

— As mulheres deles são santas e frias como os peixes.

As mulheres dos marinheiros eram santas e abominavam o pecado. Invocando a santidade embrulham-se em mil trapos no calor dos trópicos, sem imaginar que os seus descendentes desfilarão nus nas praias desertas gozando a brisa tropical. Mulher era Delfina. Que sabia usar o seu corpo para enxotar o tédio dos homens, incinerar o desejo até às cinzas para fazer o dinheiro cair como gotas de chuva na palma da mão.

— O teu mal não tem cura, Delfina.

José sente a dor da humilhação. Um homem adulto com a vida presa às saias rodadas de uma pega. Acorrentado à perversão para garantir a sobrevivência. A vida exige-lhe que ele seja de pedra para que o coração não sofra.

— Por que não te coloquei um cinto de castidade?

— Serias capaz? E de onde viriam as roupas novas que usas? E a tua proteção? E a promoção que crescia em cada dia? De onde viria o bacalhau e as azeitonas que comias sem questionar? E o vinho bom que te embriagava?

José podia ter impedido aquela traição, não custava nada. Podia espancá-la, humilhá-la, matá-la em cada instante. Podia agora tirar a orelha ou o nariz à adúltera, na tradicional expressão de vingança dos homens traídos.

— Ah, meu Deus! Adoce o coração frio desta mulher!

A sua voz assume o relinchar de um cavalo moribundo. Ele era um lagarto no centro de fogo. Boi enxotado do seu curral. Cabisbaixo. Desnorteado. Surgem os conflitos na consciência: para onde vou eu? Onde irei repousar o meu cansaço se o invasor se instalou dentro do meu ninho? Percorreu a estrada da amargura como o touro sedento em busca dos caminhos da água. Sabia que aquilo ia acontecer, um dia, o acontecimento demorou a chegar, dando-lhe a ilusão de que não viria. Sabia que ia ser doloroso, mas não tanto. Enquanto percorre a estrada longa faz o balanço da triste existência: o poder de um negro resume-se numa sucessão de perdas. O colo da mãe que lhe fora roubado. As marchas infinitas por terras desconhecidas só para amar Delfina. Os amigos perecidos à força da sua mão. Matar o irmão para existir. Ser canibal da sua própria raça. O amor foi um sonho que não podia concretizar-se nunca, porque o amor é filho da liberdade.

Não é o ciúme que o assola nem a raiva de homem traído. Amanhã terá que suportar o gozo no olhar dos negros dos palmares. Sente amargura de tudo. Acaba de descobrir em si o mais solitário dos homens. Então corre em busca de sossego no coração do palmar. Caminha à beira do mar até ao anoitecer.

Vozes de espíritos distantes sacodem-lhe a mente. Ouve tambores mágicos e canções dos mortos. Crescem-lhe línguas de fogo no peito. Ergue os olhos ao céu procurando Deus e vê outros milagres. Os cocos no alto são caveiras dos mortos rindo-se da sua desgraça. Entra em pânico e implora. Vento, leva-me ao alto dos Montes Namuli, miradouro do mundo. Quero voltar à idade fetal. Penetrar no ventre da minha mãe e adormecer! Mas o vento responde com gozo e abraça as palmeiras numa valsa farfalhando sarcasmos antigos na dança de roda. Mar, cemitério das ondas, seja o meu cemitério também.

O mar estava demasiado fresco quando o alcançou. Descalçou-se. Lançou o corpo às ondas, na olímpica corrida para as profundezas do fim. Sentiu que a morte era fria. Líquida. Tinha sabor a sal e à fluidez das ondas. Para aumentar a sua desgraça, o mar varre-o, vomita-o para longe, despreza-o.

O ser humano despe-se das suas roupas, mas nunca se despe dos seus atos. As imagens amargas estão gravadas nas córneas como tatuagens.

Sobre o vermelho do peito e o negro da noite José dos Montes uiva o seu delírio. Suportei longas marchas. O assobio das serpentes. Segui a senda penosa num tapete de espinhos. Na busca de Deus, talvez, ele olha para o céu. Vê uma estrela que cresce, enchendo de luz o coração em trevas. Vê Moyo sentado nas dunas, a escassos metros.

— Moyo?

— Sim, minha alma negra. Sou eu, eterno habitante da tua consciência.

— Ah!

— Ergue-te, miserável. O rugir do mar é medonho, mas a areia desenrola as ondas com mãos de fada. Não temas. Ergue-te e caminha.

José dos Montes reconhece a voz da estrela. Levanta-se timidamente, movido pelo espanto. Afinal não se tratava de estrela nenhuma. Era Moyo fazendo a sua mágica aparição, por ter encarnado a alma numa vela acesa.

— Moyo, afinal não morreste?

— Sou o habitante da tua consciência, nunca morri.

— O que fiz da minha vida?

— O mal não é só teu. A humanidade inteira lança a boca ao mar com o corpo em terra. Meu pobre José, só as aves conseguem voar.

— Porquê tanto azar?

— Não são lineares os caminhos do mundo.

— Eu quero morrer, Moyo!

— A morte não é o fim da vida, mas o princípio dela. Fica na terra até que os deuses te chamem.

Recorda as fábulas da infância. Da rã que queria ser boi. Do sapo que queria ser belo, mergulhou num pote de azeite ardente e se escaldou. Do coelho veloz que adormeceu na marcha a ponto de o cágado ganhar a partida. De repente toma uma decisão e grita aos quatro ventos. Estou cansado deste mundo. Eu quero morrer hoje, agora. No meio do palmar. No alto de uma palmeira. Quero flutuar no espaço ao lado dos cocos a quem dediquei o meu suor a vida inteira. Quero estar mais perto das nuvens. De Deus. Das estrelas. Mas as palmeiras não têm ramos. José dos Montes procura freneticamente uma palmeira sólida onde possa içar a forca.

— Moyo, as palmeiras não têm ramos. Só possuem braços, palmas e dedos. Porquê?

— Para que os marinheiros não os usem para enforcar os negros. Para que tu não te enforques no corpo de uma palmeira.

— Por que é que dançam eternamente?

— São filhas do vento. Como os negros, celebrando eternamente a morte e a dor que acontece em cada instante. Também devias celebrar, José dos Montes, vamos, ergue-te, canta, dança!

— Por que é que um coco se embrulha em tanta fibra e casca dura?

— Por que é irmão gémeo da Zambézia. Para existir, o zambeziano deverá ser duro como um coco. Acrescentar a mentira, a estratégia de rato, a traição e a cobardia à matriz do seu caráter. Deve viver na supremacia das alturas e ser inacessível como os cocos no alto, para não ser escravizado pelos seus semelhantes.

— O que é que as palmeiras dizem ao mundo no seu canto?

— Que a arte de viver está na ductilidade das palmeiras que se moldam ao sabor das chicotadas do vento e resistem aos duros embates da vida.

— Sonhei com tudo: dinheiro, saúde, amor.

— Como as palmeiras, devias sonhar com o sol e a chuva. O amor é filho da lua. Lua que vai, que vem, que promete e mente, que encanta com a doçura dos amantes. Depois desaparece.

— Fui caindo. Caindo. Hoje não tenho nada nas mãos, Moyo. A vida já não tem nada para me dar e transformou-se num deserto.

— O deserto está dentro de cada um. Nesta terra não há deserto, tudo é verde e tudo ri. Deserto é o contraste entre a riqueza da Zambézia e a pobreza do povo.

Deserto será a Zambézia depois da pilhagem colonial e da devastação florestal pelos predadores universais que parasitarão todas as árvores, madeiras e mariscos que são teus para te trazerem em seguida o catecismo sobre o maneio ambiental e a doutrina contra os perigos da desflorestação. Deserto é o teu mundo a quem cegaram a vista e não consegues ver o teu percurso. Deserto será o mundo quando o casamento poligâmico for combatido em nome do progresso para se apoiar o casamento monogâmico de pessoas do mesmo sexo em nome da modernidade. Deserta será a Zambézia depois das guerras que hão de vir e das epidemias que matarão mais que a escravatura. O deserto és tu que te vendeste a um sistema para queimar o teu próprio celeiro e derramar o sangue da tua terra mãe. O deserto está dentro de ti.

José dos Montes compreende. Cada palmeira é um negro de braços erguidos ao céu em busca da redenção e da liberdade. Palmeira é monumento, marco, redenção, por isso na Zambézia os palmares não podem morrer.

Da sua varanda, Lavaroupa da Silveira testemunha o nascimento das estrelas. Na casa silenciosa, os netos barulhentos dormem como pedras. Vê um barco sem norte. Às voltas, sem âncora. Não, não é barco, é um homem à deriva. Caminha solitário na praia deserta, como um caranguejo enrodilhado nas ondas bravas. Busca o equilíbrio do corpo na areia das dunas. Senta-se, olhando o mar no escuro, e enterra a cabeça entre os braços. No lugar sempre eleito pelos suicidas para o último mergulho. O homem deve estar desesperado. Lamenta. A vida acaba de derrubar mais um. Invadem-lhe a mente recordações do tempo que o vento levou. Ele também estivera sentado ali, buscando o próprio fim na hora do desespero.

Para devolver o suicida à vida basta apenas um grito. Que pode soltar dali, Lavaroupa sabe disso. Para quê salvá-lo? A vida ou a morte de mais um não faz diferença nas estatísticas do mundo. Pensa em afastar os olhos de um testemunho macabro. Pode ser que o homem se mate. Regressa ao quarto e tenta adormecer.

Era José dos Montes, o homem da praia. Pensando no Lavaroupa da Silveira, o negro a quem elegeu para falar das suas amarguras. Entre tanta gente, fora ele o escolhido. Porque tinha um conselho a dar, uma história para contar. Quer saber com quantas pílulas se cura uma dor. A cor do remédio contra a traição. Queria ouvir as palavras do outro homem para a fome da própria alma.

O corpo pesado transforma numa eternidade a distância de quinhentos metros. Deixa no solo um rasto de lesma. Caminha. Sobe os dois degraus da casa e bate à porta. Na ausência de resposta, ele grita.

— Abre, sou eu, o José dos Montes.

— O sipaio?

Visita de sipaio na noite? Tumulto, prisão, deportação. Cobrança de imposto da palhota. Lavaroupa da Silveira trata de içar a bandeira branca. A vida é um fio de cabelo. Quebradiça. Precária. As pessoas vivem em permanente medo.

— Aqui estamos em paz, senhor José — responde Lavaroupa. — Pagamos impostos regularmente e vamos à missa todos os domingos. Somos assimilados.

— Não vim em trabalho. Estou só e desarmado. Preciso de ajuda.

Os candeeiros da casa acendem-se para receber o mensageiro do regime. Lavaroupa, assustado, abre a porta e depara com um espetáculo do outro mundo. Um homem envolto em chamas ferido pelo punhal da vida, buscando a chuva refrescante das palavras de consolo.

— José dos Montes? Estás magoado, enxovalhado. O que te aconteceu?

— Fui expulso do mundo. Mataram-me.

— Quem?

— Os brancos.

É por sermos iguais que se lembrou de mim, pensa Lavaroupa. Transformados na mudança da estação, despimos uma pele e vestimos outra, na dura missão de sobrevivência. Engolindo as dores como hóstias para ter direito a olhar o sol e suspirar pelas profecias do novo mundo.

— Perdeste o emprego?

— Não.

— O que houve, então?

— A minha Delfina.

— O que fez ela?

— Deu-me uma criança mulata.

Olham-se frente a frente. Identificando um no outro as cicatrizes do mesmo percurso. O passado de um no presente do outro. Como o mundo é redondo, como a história se repete no sol que vai, no sol que vem.

Sentam-se os dois na sala confortável e José dos Montes solta no ar a catinga do seu sangue. Disposto a ouvir a procissão de palavras sapientes que acertam as peças quebradas de uma alma. Olha em redor na esperança de encontrar inspiração para a vida nova. Lavaroupa é um símbolo de negro abastado. Até usa um pijama branco, de tafetá. Roupão, de seda chinesa. Sobre a mesa um cachimbo de marfim.

— Quando nasceu a criança?

— Hoje.

— O parto foi bom?

— Não sei. Nem quero saber.

— O que queres de mim? — pergunta Lavaroupa.

— Um conselho teu.

— Ah!

Todo o adulto é médico natural. Comparando histórias, vivências. Episódio aqui, episódio ali, consolando a alma na cura da palavra.

— Grande mulher, a tua Delfina. Mulato é raça boa. Dá sorte. Em tua casa nunca mais faltará pão. Essa criança é a tua segurança.

— Hã?

— Não fiques tão magoado, homem. A construção do novo mundo começou hoje, na tua vida. Segura-te, conforma-te.

— É o que tens para me dizer?

— Calma, homem! Olha para a questão pelo lado positivo. Com essa criança em casa ganhas muitas vantagens. Ficas isento do imposto de palhota. Os teus filhos negros frequentam a escola e não pagas nada. Nas rusgas, a polícia não te incomoda. Recebes prendas do administrador no Natal, na Páscoa e no Ano Novo. Na igreja terás sempre reservado o assento nobre. Pensa nas coisas boas antes de tudo.

Lavaroupa da Silveira oferece-se uma bebida em taças de cristal com rebordos de ouro. Aproveita o momento para exibir os anéis de ouro nos dedos de unhas limpas, mãos suaves. Nos olhos de José dos Montes, o fascínio. Chove de fartura naquela casa, confirma. Uma onda magnética arrasta-o para novas ambições. Dizem que a humanidade é a semelhança de Deus, mas este é a imagem de um branco. Na roupa que usa. Na língua apurada que fala. No vinho que toma. Nas joias que exibe. É um negro com classe. Civilizado por excelência, superando o estigma da sua raça. Com um nome de escravo, que destrói completamente todos os atributos da sua classe: Lavaroupa de Francisco da Silveira.

Nome ganho no interrogatório policial depois de um tumulto no cais. Julgado insurreto, ao ser inquirido afirmou que na rotina diária lavava a roupa do Senhor Francisco da Silveira, seu dono, seu branco. Foi em condições semelhantes que nasceram os nomes de muitos zambezianos. Nomes de desencanto e de tudo o que humilha, como as roupas de intimidade e de outras banalidades. António Cuecas, Júlio Meia Saia, Lucas Camisa, Raul Vergonha, Pente Falso, José Faz-Tudo, Lisboa Alface, Bonito Segunda-Feira. Todas as mulheres se chamam Marias.

— Deus ainda não terminou a criação do mundo, bom José. As raças devem misturar-se para trazer ao mundo um colorido novo. Os brancos venceram mares em busca de pimentas e novas raças. Ganharam novas terras e novas famílias em todo o trajeto. Eu e tu recebemos o supremo destino de celebrar o porvir dentro das nossas casas.

— Achas?

— Sim. Celebramos a ceia com outros seres. Pretos e brancos na mesma cama, na mesma mesa, na mesma terra. Misturando odores, suores, sémen e sombras na inauguração do futuro. O mundo de igualdade entre as raças ainda há de vir.

Teorias da sua autoria e acredita nelas como verdades. Inventando dogmas supersticiosos sobre a criação do mundo. Escultores inventando imagens de pedra. Prostrados diante delas oferecem-lhes flores. E chamam-lhes santos, milagrosos, protetores.

— Por tudo isso devias perdoar a Delfina.

— Não, não posso.

— Podes, sim

— Não a perdoarei nunca!

— Engano teu! Porque a vida é uma reconciliação permanente. Até os paladares brancos e pretos se reconciliam na mesa posta. É o bacalhau e o chicoa. A sardinha e o pende. O caju e a maçã. A mandioca e a batata. Sexo de preto e sexo de branco.

— É quase impossível.

— Serão muitos anos de construção desta raça nova que se expande. E destruição. É sempre dolorosa a metamorfose.

Serei eu um eleito para participação na construção do mundo? Discurso consolador de um cornudo, para quem a palavra honra significa humilhação, comparando-se de forma lunática aos deuses da criação.

— Nas paredes desta casa criei muitas raças.

— Foi fácil?

Lavaroupa da Silveira ergue os olhos ao alto. E navega na constelação rica de lembranças. Recordando as noites do infortúnio em que, renunciando à própria dignidade, fechava os ouvidos ao linguarejar cáustico do mundo.

— Suportei a vergonha de ter nascido homem. Carreguei a minha fraqueza no alto da cabeça, eterno cornudo. Como as palmeiras, verguei aos açoites do vento. Suicidei os meus sonhos e sobrevivi. Estou aqui diante de ti. Triunfante. Sobrevivente.

Lavaroupa Francisco da Silveira tinha uma esposa bela, que causava a cobiça do patrão. Fez a matemática rústica da vida e concluiu: se eu resisto, o branco me deporta só para ficar com ela. Se eu a entrego, serei cornudo, mas escapo. Colocou a esposa na cama do branco. Engravidou e trouxe para casa as gémeas mulatas. Como poderia recusá-las, se representavam a bandeira da liberdade, escudo e sobrevivência? No princípio foi o desespero. Depois foi o hábito: alugar a esposa a qualquer homem a troco de roupa, farinha e sabão. Por isso Lavaroupa tem filhos de muitas raças: dois mulatos brancos, dois negros e um mulato indiano. E explica-se.

— O nome que uso é do meu branco, Francisco da Silveira. Os meus primogénitos são do meu branco. Esta casa foi dada por ele. Os meus filhos pretos educados por ele. Tenho uma vida folgada graças a ele. Debaixo deste teto cruzam-se todas as raças. Das gémeas, uma casou com um preto e outra com um mulato. A minha preta casou com um branco.

O preto com uma mulata. O meu indiano um dia também casará, só Deus sabe com que raça.

— Falas do tal Francisco da Silveira como um salvador. Pode-se amar um inimigo?

— O Francisco da Silveira era um homem bom. Leu, no meu gesto, a cor do meu desespero. Percebeu que eu era humano e sofria.

— Entregar a tua própria mulher? Alugá-la? Foste capaz?

— Fui, sim. Era uma condição de existência. As mulheres partilham o coração do mesmo homem. Sofrem, mas partilham. Eu fiz o mesmo. Apenas isso.

Com que palavras de amor se convence uma esposa a aceitar este pacto? Não terá sido para ela uma oportunidade esperada para exorcizar o instinto libertino, amordaçado na maioria das mulheres? Será que o amor leva a atos tão degradantes?

— Não posso entregar a minha mulher, Lavaroupa — diz José dos Montes, arrepiado.

— As minhas ofertas renderam-me uma casa, uma horta e um palmar. Tenho filhos bem casados e não passo fome. Mesmo assim, se não fosse eu a entregá-la, ela teria agido por conta própria e eu não beneficiaria nada com isso.

Declarações insólitas, quase psiquiátricas, em cujas palavras José se detém com a maior atenção do mundo. Feitas com palavras intensas, profundas. Provando que Lavaroupa mente. Mostrando que, para sobreviver, é preciso fabricar a verdade nas arestas mais afiadas da mentira. Ao entregar a mulher ao patrão, tornou-se vítima do próprio gesto. José dos Montes entende: se não fizermos da mentira a nossa verdade, o que será de nós? Esquece os problemas de momento e delira perante o incrível. Lança olhares inquisitivos, e entra numa pesquisa quase policial.

— Foi fácil criar uma família com várias raças?

— A princípio a casa era um centro de combate. Uma sinfonia de crianças, buscando a mesma explicação: Por que é que os pretos são muito pretos? Por que é que os brancos são muito brancos? Por que é que somos assim, metade claros, metade escuros?

— Que resposta dava, Lavaroupa?

— Simples. Dizia aos negros: vocês são escuros porque vieram de mim. Aos mulatos dizia: vocês são claros porque vieram do mar e da lua, semente enxertada, vida renovada.

Na voz de Lavaroupa o canto de todos os vencidos. De corpo enfeitado com todos requintes de submissão, porque dentro do homem até a voz é amarga.

— O que significa uma família de muitas raças? — pergunta José dos Montes.

— Era um colégio, quartel, turma de uma escola.

A mente de Lavaroupa viaja no dorso da memória. Nos bons e maus momentos. Nunca se sentira pai, mas gestor de querelas e orientador de percursos, verdadeiro diretor de um colégio. Recorda as diferentes fases do percurso. Os filhos negros sentiam-se invadidos no seu espaço e reclamavam: vai para a casa do teu pai português! Os filhos do branco ripostavam: há muitos pretos nesta casa. O filho do indiano falava pouco mas fazia muita zaragata.

Na segunda fase da vida, a estratificação. Com dispersão, rivalidade e ciúmes. Os mulatos, no topo da pirâmide, mas sonhando ser brancos. Eram os donos do pão e do teto que os filhos negros parasitavam de mãos vazias. Os negros incubando o sonho secreto de serem mulatos. A família tinha a solidez de uma teia de aranha. Desenvolveu-se muita inveja, traição, mentira, intriga, nessa idade.

— Deram-lhe muito trabalho.

— Muito, muito trabalho!

Fica uns instantes em silêncio. Recordando a parte mais amarga do percurso. As noites sem sono da fase da adolescência dos seus meninos, da descoberta da identidade, das traquinices e confusões, da incapacidade de segurar as rédeas da vida quando as diferentes naturezas se revelam. Decide soltar o lobo que amordaça a alma. Inspira-se e conta.

— Uma vez os filhos mulatos ouviram as conversas dos adultos atrás das portas. Do discurso complicado captaram a palavra greve. Familiarizados com o poder maléfico dos motins, foram a correr à casa do pai para avisar de uma conspiração que se preparava. Porque as crianças não mentem, acredita-se, pouco depois a polícia desembarcou de uma viatura de assalto e entrou de rompante dentro de casa, ameaçadora. Fui obrigado a inventar uma história com nomes de falsos suspeitos, só para salvar a pele. Veio o balanço sangrento: sete negros conheceram a forca. Eram os meus melhores amigos. Não imagina o que sofro ainda hoje, José dos Montes. De outra vez o filho do indiano, cansado da jocosidade dos irmãos, inventou a sua história, que envolvia feitiços e prejuízos nos negócios. Os comerciantes indianos, revoltados, mergulharam em arruaças e ameaças, acabando por quebrar tudo o que havia dentro desta casa.

— E os filhos negros?

— Esses transportavam mexericos. Dos indianos para os brancos. Dos pretos para os brancos. Para receber gorjetas, chocolates, quinquilharias. Foi difícil segurar a vida nesse tempo, José dos Montes.

Depois do discurso o silêncio. No coração de José a empatia. Vê nele um homem heroico. Na família daquele homem não houve contos à volta da fogueira. Suportou, no próprio lar, a guerra permanente pela posse de território. Um lar, a lição de submissão, tirania e supremacia são adquiridos no berço materno e de acordo com a raça. Um lar governado por gente externa, que fazia dos próprios filhos agentes do regime, vigiando o pai e a mãe, escutando as conversas atrás das portas. Um lar de rejeição e dependência entre irmãos de diferentes origens, cujos laços de sangue por vezes se recusavam a reconhecer. Compreende então que Lavaroupa é um homem magoado, justificando-se pela vida recatada e pelo isolamento. É um ser solitário. De poucas palavras e poucos amigos.

— Como é que os filhos o tratavam?

— Perceberam que é bom ter um pai, qualquer que seja a sua raça. Perceberam que os pais biológicos eram apenas visitantes e o pai social o verdadeiro habitante das suas vidas. Hoje me respeitam e me adoram.

— Quais eram os filhos mais preferidos? Os pretos ou os mulatos?

— A princípio tínhamos orgulho dos filhos do branco. Representavam a sobrevivência, a ascensão, o pão de cada dia. Suportámos o indiano, por representar crédito na loja e acharmos o piripiri de boa qualidade. Os negros? Ignorámo-los por algum tempo. Mas acabámos amando a todos por igual.

— E a sociedade? Como é que o mundo te tratava, Lavaroupa?

— Qual sociedade? Eu nunca dei ouvidos ao mundo.

Aquela família era um teatro, uma peça muda. No centro do palco a figura do homem vencido, personificando a dominação, escudado nas saias das mulheres belas, usando uma coroa de cornos, como os reis usam orgulhosamente coroas de glória. Mas era um herói. Segurou com firmeza o leme da desgraça navegando contra todas as tempestades e levou o barco a bom porto. Os filhos dão-lhe muitas alegrias, porque afinal a família humana é feita de raças.

— Como te retratas, Lavaroupa?

— Queres saber a verdade? Sou a aparência inequívoca de um impotente, sabes disso. A mulher que era minha é de todos. Quando caminho pelas ruas, a sociedade se ri de mim nas minhas costas. Mas não me importo. Sigo apenas o caminho que Deus me deu.

— E os filhos negros? Tem a certeza de serem seus?

— Qual certeza? Na procriação, só a mãe é que conta. A paternidade é um acidente. Os filhos são dela e ela sabe onde os foi buscar.

José dos Montes se rende perante o enigma. Admira tudo. A quieta contenção da dor. Entre o fogo e a frigideira, a distorção do pensamento. Desejo de vida que atrai para o abismo e para os caminhos da morte. Fecha os olhos vencido pela vertigem. Dos interstícios da memória, florescem vozes antigas. E viaja pelo oceano verde do palmar. Pelos inúmeros caminhos trilhados até à desgraça. Deixa a mente voar com as nuvens até poisar por cima do solo sagrado dos Montes Namuli. Do alto do monte solta a negação.

— Criaste o filho de um indiano só para receber piripiri?

— Respeita o piripiri, José. Respeita a pimenta e essas coisas orientais. Foi por causa disso que acabámos nesta escravatura. Os portugueses iam à Índia buscar essas especiarias quando se decidiram a fazer-se a terra, por uma avaria do barco ou por outro motivo que só eles conhecem. E eu, sem viagem nem barco roto, acabei tendo a Índia inteira dentro de casa graças à minha mulher.

Palavras torpes de um habitante de um mundo estranho, sem nascente nem poente, que ao fugir de uma morte abraça outra. Disposto a compor uma toada para embalar a ansiedade de um futuro que tarda e de um sol desaparecido. Avaliando a vida com medidas contraditórias.

— Não, amigo. Os brancos cantam as suas músicas nos túmulos das nossas almas. Piam como corujas sobre as cruzes dos nossos túmulos. E nós morremos aos poucos, um pouco em cada dia. Eu prefiro morrer de uma só vez.

— Não faças asneiras, José dos Montes. Sei que é difícil caminhar no mundo quando o corpo vive neste e a alma anda vagueando no outro. Resistir é mesmo isso. É muito difícil a existência humana. Dentro de nós, há algo que nos faz resistir. Uma outra vida, talvez. Um outro corpo. Uma outra alma.

José olha para Lavaroupa com admiração. Tentando fugir de uma dor, abraçou outra. Naquela alma velha a vontade de existir tem a força do diamante. Com pedaços de diferenças construiu o manto da unidade. Volta a olhá-lo com desdém. E vê nele um verme, que nunca enfrentou um perigo, nunca matou uma cobra nem uma mosca, uma experiência inútil para homens bravos. E chega à triste conclusão: a dignidade de um homem mede-se pelo perfil da sua mulher.

— Admiro-te, mas não aceito ser como tu. Conquisto o pão à força dos braços. Matando gente, matando leões, buscando a minha grandeza no poder da minha força. Para mim és um inútil, um verme que construiu a grandeza parasitando o sexo da tua esposa.

José ouvira o bastante, naquela noite. Veio-lhe à mente a imagem de Moyo, o homem que apenas amou a sua gente e foi feliz. Soergueu-se da cadeira e despediu-se com poucas palavras.

— Obrigado, amigo, por este instante. Não quero mais nada, nem filhos nem família. Nem filosofias de raças que nascem ou morrem. Quero apenas amar o meu chão e esquecer.

— Bom José, por muito complexo que seja o dilema, há sempre uma saída.

No aperto de mão, a comunhão de sentimentos. No olhar, a cumplicidade. Afinal de contas, ambos tinham o mesmo sonho: a liberdade. Um brilho de inveja faísca nos olhos de Lavaroupa. Inveja aquelas asas da liberdade que recuam e se fecham evitando a revoada para além do sofrimento.

Na orla do mar, José dos Montes lamenta o seu destino com palavras de grandeza. Eu podia ser um rei, eu tenho poder. Podia matar a Delfina e a filha mulata. Podia castrar o branco que me roubou o leito. Para quê continuar a viver, se a minha alma abandonou o meu corpo e seguimos como duas linhas paralelas? Detêm-se na memória do outro José, casado com a dama virtual com perfume de algas, lá no alto do monte. Uma dama encantadora, fidelíssima, belíssima, dulcíssima. Pensa num José livre, um José descalço, apascentando sereno uma manada de cabras.

Vida, leva-me de volta aos Montes Namuli, onde a dor não existe e o esquecimento reina. Leva-me para a nascente dos rios Licungo e Malema, onde germinam as ondas cristalinas do perdão. Ah, como tenho saudades da minha mãe! Volta a sentir uma paixão súbita pelo fundo do mar. Sente que as ondas o chamam para um novo abraço. Despe as roupas ridículas dos sipaios. Liberta-se das botas e do punhal. Despe tudo mas não consegue despir os atos impregnados na mente. Enfrenta a ausência e o tempo. Faz-se ao mar, para ser recolhido por uma onda qualquer e começar uma vida nova, no além ou neste mundo.

17

Quando amanheceu, Simba abandonou a palhota e, preguiçosamente, caminhou por todo o quintal. Talvez quisesse sentir o cheiro do ar. Talvez quisesse saudar o sol, no ritual do bom dia. Numa ação de vigilância, verifica se a sua casa não foi visitada pelos larápios da noite. Há uma imagem esculpida perto da entrada. Na sua sombra predileta. Concreta ou abstrata? Esfrega os olhos ramelosos para aclarar a vista. Será uma miragem? Homem ou mulher? Quem será? Volta a esfregar os olhos mas estes confirmam o mesmo. Era a Delfina, sim. Era ela mesma. A estas horas? Ou terá dormido ali? O que quer de mim a estas horas?

Parou e apreciou-a de longe. Olhar viajante de quem contempla os mistérios do mundo. Ouvidos extasiados pela música dulcíssima do despertar. Semblante meditabundo, de quem tem uma pergunta e quer uma resposta para afastar do corpo o maior pesadelo da vida. Chama-a.

— Delfina!

Ela sorriu. A voz soa-lhe como água fresca sobre o fogo da ansiedade. Uma voz rude, mas amiga. Simba espanta-se. Dantes era ele quem corria pela estrada fora à procura dela. Hoje ela vem sorrateira, de madrugada, para mendigar um raio de sol da sua varinha mágica de bruxo.

— Bom dia, Simba.

— Não podias ao menos deixar-me despertar?

— Pensei em ti a noite inteira.

Ficou a olhá-la intensamente sem se mover, tentando descobrir as razões daquela presença. Virou as costas e continuou o seu ritual do amanhecer: o banho frio, no riacho, a duzentos metros da casa. A higiene da boca. O pentear. O regresso à palhota para se trajar condignamente. Para a indumentária do dia escolhe as capulanas vermelhas, capulanas de homens. Lisas. Com listras luminosas nas bordas, como os mantos dos reis. Sente a alma leve e viva. Talvez inspirada pela presença dela.

— Diz-me então a razão de tanta saudade.

— Quero uma vida nova.

— Uma vida nova? Não sou Deus, minha santa.

Ela parecia permeável. Mas logo à primeira palavra se percebe que dentro dela se incuba um enigma. Simba tenta esquivar-se. Porque compreender uma mulher é o mesmo que mergulhar num labirinto sem fim nem princípio. É como descer o subterrâneo às cegas. Mergulhar no fundo do mar e enrodilhar-se nas raízes profundas dos nenúfares. Mas sente que algo o prende àquela teia e não poderá escapar. Prende-o o mistério. Ou o destino. Ou ela.

— Ninguém nasce para além da primeira vez — esclarece Simba.

— Não diz asneiras. És mago e sabes o que quero.

— Tens notícias do José dos Montes?

— Não é para falar dele que vim.

— É ainda teu marido.

— Um caso perdido. Ele deve estar a sofrer muito com o que aconteceu, mas... que posso eu fazer?

— E o amor que sentias por ele?

— O amor? Consumi e se esgotou, não tenho mais.

— O que aconteceu?

— Simples. Um só homem não faz fortuna. Uma só horta

não enche o celeiro. Procurei um amigo para me ajudar a pagar as contas, o salário do José dos Montes não me basta, a vida está cara.

Discurso ardente. Com muito fogo por dentro. Com muitas setas envenenadas espalhando-se aos quatro ventos. Talvez nem tenha consciência das consequências da sua língua. A mente sonolenta de Simba é sacudida pela violência, como se uma corda mortal lhe enfaixasse ao pescoço. Olha fixamente a oradora e reconhece. Aqui está a Delfina antiga. Ela é como a lua. Por fora toda brilho, mas por dentro só entulho.

— O que queres de mim agora, Delfina?

— Um remédio para que o José me esqueça. Para que ele nunca mais volte. Um remédio para ser amada por outro homem. Preciso de me renovar, de rejuvenescer.

— Qual a razão desta mudança? — pergunta Simba mais intrigado.

— Os dias mudam, não vês? O mundo muda. Todos mudamos. Por que é que os meus sentimentos não podem mudar?

Nas palavras dela, Simba espelha a própria sorte e lamenta o destino do outro homem. Nada mais podia fazer. Foi no coração de José que se deu o maior acidente. Era romântico. Por isso agora palmilha os amargos caminhos do desencanto. Descobriu que havia uma fera nos olhos da bela. Que era o assobio da serpente escondido no canto da sereia. Morreu de susto ao descobrir que tudo é vapor, é nuvem, é água, tão efémero e tão fluido que a palma da mão nunca segura.

— Descobri uma mina — diz Delfina.

— De quê?

— De ouro.

— Onde está essa mina?

— O Soares. O branco.

— Não vejo nenhuma relação entre o Soares e a mina.

— Não entendes mesmo?

— O branco Soares não merece isso.

— Não há maldade nenhuma — assegura Delfina —, só quero mostrar ao mundo que a mulher preta pode ter marido branco. Quero mostrar ao mundo que o amor supera as fronteiras de uma raça.

Languidez de uma voz navegando no sonho. Uma voz de canto, deixando traços de fascínio e de certezas nascidas do nada. Revelando que existe dentro dela uma vidente adormecida. É bela a mulher que sonha. Mesmo que falhe, ao menos luta. Simba observa com gosto o rosto cândido e se espanta: de onde veio tanto poder, tanta força?

— A esposa é uma santa, não merece esse castigo, Delfina.

— As santas não dormem silenciosas a noite inteira. Também despertam para gemer de amor ou de dor na noite fria, como tu, como eu.

— Pensa bem, Delfina.

— Quero o velho para mim.

— Tu és ordinária, não prestas, Delfina. O José, teu marido, não era grande coisa, não era. Tinha métodos de ascensão asquerosos que me desgostavam. Mas pior do que ele és tu, Delfina, tu não prestas!

Aquelas ideias, aquela ousadia, eram a surpresa. Delfina era diferente das mulheres feridas pela vida, procurando curandeiros por quezílias domésticas. Mesmo as prostitutas procuram o sucesso à escala de comuns mortais. Ela chega ao consultório do bruxo, expõe, decide, ordena. Do seu léxico retirou a palavra problema. Fala apenas de soluções. Projeta. Atua. Ora simples ora complexa. Demasiado direta. Por que havia de se embrulhar em discursos inúteis, se ela é objetiva, concreta? Chama morte à morte. Ódio ao ódio. Não mancha a língua com palavras hipócritas.

— De que me acusas, Simba?

— Mataste um homem.

— Não o matei, libertei.

— Mataste, sim.

— Ter um marido branco é o meu sonho. Se ao José fosse dada a sorte de casar com uma branca, ele me abandonaria de imediato, conheço bem o ambicioso que ele é. Como eu, só pensa em subir na vida sem olhar aos meios. A sorte coube a mim, por que me condena? Por eu ser mulher?

— O erro não tem sexo, Delfina.

Perante o pronunciamento, Simba avalia as suas habilidades e competências. Sucumbe ao impacto doloroso que se adivinha. Está diante das ordens de uma mulher que lhe pede uma melindrosa tarefa. Atear fogos em casas conhecidas e desconhecidas. Mutilar os sentimentos de homem vivo. Destruir o lar de um homem nobre. Brincar com a vida alheia a troco de moedas que se atiram ao solo como grãos de milho numa capoeira. Pede-lhe para tudo destruir. Palavra apocalíptica de terror, que empurra a sua vida para o além.

— Delfina, cruel, queres sempre coisas impossíveis.

— Lógico. Se os meus desejos fossem comuns, nada te pediria. Eu mesma resolveria tudo. Mas não duvides, sou uma pessoa de sorte. Arranja-me uns bruxedos e vamos ganhar com isso, juro.

— Aceitaria melhor que me pedisses para o Soares ser teu avô. Não o achas velhinho de mais para marido?

— Acho. Mas não é a idade que interessa. O que importa é ser a mulher do Soares, o branco!

O desafio é aliciante, mas embruxar um branco é um atentado contra o regime, contra a ordem pública, com direito a condenação, deportação e morte. Aquela mulher era uma aventura, uma emoção permanente, fazendo o sangue fluir de surpresa em surpresa. Uma mestra de sobrevivência que se revela. Delfina, a mulher ideal para aquele regime. Que mata e passa, heroína da sobrevivência. Na guerra os sentimentos não contam. Interessam apenas as vitórias.

— O que queres fazer, então?

— Eu quero roubá-lo do seu leito. Para ser só meu. O seu casamento já perdeu todos os encantos e está envelhecido. Eu quero renová-lo.

— Com as minhas magias?

— Por isso estou aqui.

— Bruxaria de preto não faz efeito no branco — Simba fala de forma concludente. — Não me venhas com essas histórias, Delfina.

— Alguma vez experimentaste?

— Nunca.

— Então tens agora a grande oportunidade.

Embruxar um branco é para Simba a maior das heresias. Assola-o o medo e o espanto. Estremece. É então que percebe que a sua maturidade profissional tem espaços vazios, lapsos. Em matéria de bruxaria, já experimentara um pouco de tudo — voar na vassoura de bruxa, penetrar no domínio da luz e da sombra como quem entra e sai de casa. Embruxar um branco? Nunca lhe passara pela cabeça. Dos indianos sabia alguma coisa. Estes visitavam-no com frequência para melhorar os negócios e aumentar o fluxo dos clientes na loja.

— Esse homem não merece as tuas maldades — declara Simba com alguma condescendência —, é o melhor branco que conheci.

— Também somos bons, eu e tu. Somos bons, todos nós zambezianos. Por isso somos explorados pelos marinheiros. Sabes por que é que os cordeiros são louvados? Não dão trabalho nenhum a apanhar. Vão para o churrasco sem o menor gemido. Por causa da mesma fraqueza, as galinhas se tornaram pasto da humanidade. Tens pena daquele branco?

Simba se espanta e se encanta com a mulher que pensa. Que desafia e perverte todas as regras do jogo. Mulheres como a Delfina são raras. Apaixonantes. Das prostitutas atrai-lhe o senso prático da vida. Com elas tudo é minuciosamente calculado, tudo é negociado, tudo é pré-pago ou pago de imediato. Elas fazem do homem seu adversário, seu peso, sua medida. Desafiam. Excitam. Que ganham e perdem. Para Simba, as esposas são enfadonhas, sem encantos, verdadeiras máquinas de obediência, movendo-se para a esquerda e para a direita ao gosto do seu dono. Por isso sempre que sente o desejo de ser homem corre ao encontro das prostitutas. A vida só tem encantos quando alguém a excita.

— Não, não contes comigo nessa loucura.

— Os brancos têm armas de fogo, Simba, mas não escapam às tramas mágicas dos nossos feitiços. Podes fazer uma boa bruxaria contra esses gajos. Vamos. Lava-me com o sangue dos mortos das tuas conchas. Busca a verdade do meu destino nos teus búzios. Dá-me uma vassoura para voar à noite, para trazer o Soares ao meu leito.

— Não te levo a lugar nenhum.

— Pagarei, eu juro, este negócio vai render. Estou à procura de algo, ouviste? Quero para mim uma vida com dinheiro no bolso.

— Como me vais pagar, Delfina sem marido, se não tens onde cair morta?

— O negócio vai render. Lembras-te dos tempos do cais? Procuravas-me os clientes e protegias-me. Depois dividíamos a receita. Sempre te paguei bem, esqueceste?

Simba recorda-se do passado. Para o presente. Olha para ela. Não era um sonho, mas realidade. Era ela mesma, a Delfina dos velhos tempos, mulher de comportamentos invulgares. Veio para lhe lembrar que a luta não deve ter limites. A ousadia não deve ter fronteiras. Que na guerra antes matar que morrer.

— És a Delfina que eu conheço. Maluca. Ousada. Pronta para qualquer golpe. As mulheres parecem iguais, mas não são. Tu não és vulgar.

— Ah, meu chulo, meu gigolô dos tempos do cais.

Simba estuda o perfil de Delfina com olhos poéticos. Vê naquele corpo o movimento das ondas bravas. O sangue corre veloz como as águas do Zambeze nas cascatas de Cahora Bassa. Para encantar, ela tem nos olhos o brilho das estrelas. Para embalar, tem a voz melódica. Para selar o pacto, tem o calor do corpo. Esta é a Delfina. De aura magnética, fazendo cada homem vogar no sonho da transcendência. Movendo os corações com fogo, brisa, tempestade. A sua presença inspira música, dança, chuva. Homem nenhum fica indiferente ao chamamento de uma estrela.

— Tens a ideia da gravidade da tua proposta? Que será de mim se as autoridades descobrirem esta trama? Serei imediatamente morto ou deportado. As curandeirices são proibidas neste regime. Para esses brancos, a magia é coisa do diabo.

— Não serás o primeiro nem o último deportado. Antes de ti houve outros tantos. Heroicamente mortos ou deportados sem matar nem ferir ninguém. Neste mundo quem faz bem ganha o inferno.

— Não quero complicações com este regime. Deixa-me em paz.

— Simba, tu és homem mesmo?

— Duvidas de mim?

— Absolutamente. Na Zambézia não há homens. É por isso que os invasores vieram e se instalaram. E dormem com as vossas mulheres. O José perdeu-me por não ser suficientemente homem.

Delfina lança o manto vermelho na velha tourada e o homem reage de imediato como touro ferido.

— É uma aposta? — Simba cai na armadilha e deixa exibir toda a revolta. — Sou bom, Delfina, sou ainda jovem, mas não me desprezes. Sou o melhor da praça. Queres conhecer-me? De mim terás a grande lição. Mas... o que me darás em troca, santa Delfina?

— Para de falar e mostra-me. Mostra-me que és homem, se és homem mesmo!

— Mulheres não me faltam — Simba fala com desdém —, virgens belas nascem todos os dias. Tu estás velha e gasta. Estás suficientemente amassada para agradar a velhos desdentados e tontos.

Simba olha para ela com um fascínio incrível. Na magia da bela e da fera. Delfina era o tipo de mulher a quem teria desposado se os espíritos aprovassem. Mas as mulheres com vícios não entram no domínio dos antepassados. Querem donzelas de coração limpo. Bonitas. Boas. Trabalhadoras. Ele era mais novo e ela muito mais velha. Não, ela estava excluída dessa hipótese.

Simba fecha os olhos e navega no espaço platónico dos sonhos. Calcorreia superfícies lunares, sem limites, no doce sonho de um porvir terrestre. De temporalidade demarcada. Basta fazer uma boa magia. E ela engalanada de antúrios, diademas de ouro. Antúrios de rainha negra. Ele volta a sonhar com a casa melhor. E viu que o sonho era bom. Por isso decidiu aliar-se à fantasia.

Avalia o negócio e decide aceitar o jogo. Por dinheiro. Deposita nela os seus sonhos de homem. E entra no jogo alto, cuja vitória lhe poderá conferir um lugar nas alturas.

Avalia a sua vida de bruxo. Dias sempre iguais. Bruxarias pequenas e grandes, sempre pagas com galinhas, mandioca, e raramente uma cabra, porque os clientes são sempre pobres.

— Coloca a tua magia ao meu serviço. Traz o homem para o meu leito, Simba. Sou uma boa negra para um homem branco. Quero mostrar que uma negra pode ser gente e pode ultrapassar as barreiras entre as raças. Se me ajudares neste negócio serás bem pago. Com dinheiro vivo. Propriedades até. Dar-te-ei metade do que conseguir.

— Quero uma casa com teto de zinco, Delfina.

— Terás tudo, eu juro — Delfina fala com muita convicção —, terás, sim. O velho só tem olhos para mim, só pensa em mim, terás a casa que queres, prometo.

A proposta é atrativa. Mesmo sem lograr sucesso ele sente que sairá mais homem e mais iluminado da experiência. A ideia de ganhar dinheiro participando no golpe era um alento para a superação do medo. Pensa na oferta. Uma casa com teto de zinco seria uma grande solução naquela terra chuvosa. Um assoalhado de cimento e não de barro faria muito jeito naquele solo pantanoso.

— E se não der certo?

— Dará certo, sim. O velho só tem olhos para mim.

Simba vive a humilhação de renovar os seus sonhos de homem nos sonhos de uma mulher. Sonhou com um assoalhado onde pudesse passar uma palma de cera vermelha. Devia tornar-se assimilado para tê-lo? Não, não podia, por causa da profissão de curandeiro. Uma vez assimilado, teria que renunciar ao espiritismo. Os espíritos se vingariam e ele morreria. Tinha que viver naquele mundo deprimente. Alimentar-se de raízes e algas cruas. Viver longos períodos de abstinência sexual. Realizar magias por encomenda.

— Confio em ti, Simba.

— A bruxaria dá sucessos por empréstimo — adverte com severidade. — Com o tempo apodrece, Delfina, e tudo fica pior do que antes.

Simba olha para ela com paixão redobrada, mas diz que sim. Um homem apaixonado não consegue dizer não, mesmo que isso lhe custe a vida. Com esta louca farei fortuna. Será a minha refém, meu escudo de vitória. Com esta maluca, vou lucrar. Quando ela descobrir a trama terei já feito o meu pé de meia. E muitas coisas mais. Sente que algo os une, algo que não consegue decifrar nem visualizar. Algo que se estende em direção a ele como uma tábua de salvação.

— Ah, já sabia que aceitarias, que és um grande homem.

— Prometo, Delfina, venceremos esta guerra. Mas se não cumprires o pacto, conhecerás o poder da minha vingança, sou mágico.

Anuncia à partida as regras de jogo e vive o êxtase do pacto. Descobre que deseja Delfina muito mais do que a conta. Reconhece que ser bruxo é caminhar sem deixar pegadas nem sombras. Manejar a vida alheia a partir do subterrâneo. Não há dúvida de que era uma aventura excitante. E oferece mais do que lhe é pedido. O seu abraço, os seus sentidos. Magia para todo o serviço. E todo o seu coração de homem.

Declara-se então uma guerra entre duas mulheres. Uma preta e uma branca. Que transformaram a arena do amor num campo de batalha.

Delfina entrou na guerra disposta a matar e a morrer. Colocou vários elementos no seu arsenal: mentira, chantagem, magia, truques velhos sempre renovados. Atraiu o branco e entalou-o dentro de uma garrafa. Jura asfixiá-lo com amor e bruxarias. Jura também fazer tantos filhos quantos a natureza permitir. Não vai largar, um só instante, a sua galinha dos ovos de ouro. A esposa de Soares luta com as armas da honestidade. Faz greve de sexo: tenta impedir o envolvimento do marido nos braços cafrealizantes de uma negra. Pratica a clausura voluntária. Faz jejuns, rezas e acende muitas velas às santas imóveis de porcelana. Chora, barafusta.

Ambas sabem que a jura de amor não perdura, e às dores do amor não há remédio que as cure. Nos desafios de amor a verdade não vence, nem a razão conta. Ganha a intrépida coragem das vagabundas que fazem luta livre, sem regras nem moral, livres de todos os preconceitos.

Soares, velhote e rechonchudo, só comia e dormia. Sentia-se realizado neste mundo, tudo o que fizera até aos setenta anos de vida estava bem feito: a fortuna, empreendimentos sólidos, filhos maravilhosos, os edifícios e o palmar. Mas tudo mudou naquele dia em que redescobriu o mundo no brilho da lua. E viu que a vida é bela, que a vida é curta. Recordou que, das emoções da vida, não vivera todas, preocupado que estava em construir o futuro e prover o pão de cada dia.

Assaltado por uma clarividência repentina, desenvolveu profecias de senilidade. Viu que o homem velho se renova continuamente e a mulher envelhece eternamente. Voltou à adolescência. Com sonhos eróticos. A fazer muitas birras e muitas asneiras. Nas suas buscas encontrou Delfina, que despertou em si uma parte do corpo que dormia e deu-lhe uma filha como que afirmando ao mundo a sua virilidade renovada.

Os velhos amigos, mortos de inveja e espanto, davam-lhe palmadas amigáveis nas costas, elevando-o mais alto no voo de sonho: o velho lobo está de volta, está vivo e está em forma! Conseguiu emprenhar a mais fogosa sereia! Grande macho!

Por isso morria de amores por Delfina. Suspirava por ela em cada instante. Velho apaixonado, jura queimar todas as cartucheiras da virilidade antes do fim da estação e gozar as últimas loucuras da paranoia do mundo com a sua Delfina.

Soares afasta-se gentilmente, despedindo a esposa com muita doçura: fica aí cuidando de tudo, mulher. Vai fazer croché, vai! Se te cansares, borda, que sabes fazer isso muito bem. Não te esqueças de cuidar das esmolas da igreja, olha, fala com o padre, comecem já a organizar o Natal dos pobrezinhos. Não me esperes para jantar que volto tarde. Não te esqueças de fechar bem as portas quando anoitecer, vou conversar com os meus amigos toda a noite, não volto.

A esposa enfrenta o dilema do fim do ciclo. Os filhos que partem. As forças que se esgotam. Os sonhos que morrem. O marido que foge. Ela senta-se na varanda, e borda. Em ponto de croché urdindo as melhores palavras para justificar gentilmente as loucuras do seu homem. Bordando em ponto de cruz as palavras de consolo: a melhor parte deste homem, tive-a eu. Por mim ele consumiu toda a sua energia. A mim e só a mim deu a melhor parte de si: quatro filhos maravilhosos. A dignidade e a honra me pertencem, não me vou ralar com as criancices de um velho em decadência. Essas mulheres com quem ele se mete, tal como os porcos, recebem as sobras de tudo o que consumi!

Ela lutava e resistia, mas desesperava. Soltava lamentos profundos nos ouvidos confidentes, buscando conforto.

— Ele vai embora — delirava ela —, deixa-me espaços vazios, a cama fria, a refeição solitária. Às vezes apetece-me ir atrás dele e trazê-lo aos arrastos. Apetece-me insultar essa mulher que o desvia com os nomes mais feios deste mundo. Um dia vou arrancar-lhe os cabelos postiços e com ela lutar a noite inteira. Apetece-me atirá-la à lama e lutar com bravura pelo meu homem, meu lar, minha honra.

— A dignidade e a honra te pertencem, és a legítima esposa!

— Muitas vezes desperto angustiada: onde está o meu marido? E se ele estiver morto? Mesmo sabendo que está a viver momentos de felicidade, mortifico-me ao imaginar os pormenores: onde estarão poisadas as mãos dele? No traseiro de preta? Onde estaria a sua boca? Na boca dela? E o resto do corpo? Depois sinto um enjoo forte e o vómito vem.

— Todo o homem é um bode. Por mais distante que esteja o pasto, sempre vai, mas volta.

— Começou por voltar completamente embriagado e dormia na sala. A seguir na cozinha. Depois na varanda ou na entrada, porque não conseguia abrir a porta. Parece que a chave ficava enorme e o postigo microscópico. Ultimamente parece que já não encontra nem a chave nem a porta. Fica mais tempo do lado de lá.

— O homem não cresce. Quanto mais velho, mais criança.

— Perdi todos os encantos, envelheci. Só me restava o choro. Chorar tudo o que sinto, tudo o que tive e perdi. Dói o abandono, dói o repúdio, ai, meu Deus, dói muito ser mulher.

— A águia voa pelas alturas, atravessa fronteiras e continentes, mas sempre conhece o caminho de regresso.

— Descerei até ao último degrau, se for preciso, para salvar o que é meu lar.

— Não, não deves. Fica no teu pedestal. Não fica bem a uma mulher da tua classe cair até esse nível.

— Eu vou partir, sim, para um mundo novo. Afastar a imoralidade dos olhos dos filhos. Vou para a Lisboa livre, sem superstições, nem mitos, nem feitiços.

— Deixar o teu homem nesta selva? Isso nunca!

A esposa de Soares rende-se perante o poder de Delfina. Que segura um homem com garras e o usa até à perdição. Apesar do ciúme, admira-a. Soares aparenta felicidade. Juventude. Já não se queixa das articulações nem do reumatismo crónico. Ri à socapa e aos quatro ventos. Esqueceu o mau humor que o acompanhou a vida inteira.

Ondas de empatia se abatem sobre ela e recorda José dos Montes. Belo negro. Como eu, caídos na mesma malha. Ambos sofrendo, vítimas do mesmo feitiço. Solta o suspiro das mulheres traídas e reconhece: no capítulo da dor, negros ou brancos choram da mesma maneira.

Delfina penetrou na casa de Soares subtilmente. Encheu a casa do branco de quezílias até fazê-lo sentir-se bem fora de casa. Do lado dela. Usou os favores de um serviçal da casa que se aliou à trama e organizaram um verdadeiro carnaval de magia na sua residência. Introduziram um ambiente místico dentro de casa colocando bruxedos em vários cantos: escorpiões, sapos, cobrinhas, aranhas negras. Abriam e fechavam as portas, simulando a misteriosa presença dos espíritos errantes, nas noites de lua. Aterrorizaram a família inteira semeando insónias, enigmas, choros, pavores, doenças neuróticas, numa bruxaria qualificada, genial, experimentada, depurada, aprovada, que acabou por enlouquecer um dos filhos de Soares.

— Não era a loucura do menino que eu queria — desabafava Delfina com Simba —, mas sim a cabeça da minha rival na bandeja de triunfo. Seja como for, valeu a pena. Ela levou os filhos e abandonou esta terra e os seus mistérios. Agora o Soares é só meu!

O feitiço de preto acabava de fazer efeito no branco. Simba ganhou a casa prometida. Um barracão com teto de zinco e soalho de cimento. Bela e espaçosa. Vistosa. Lá dentro cabiam as três esposas e oito filhos. Mas... faltava a mobília e todo o recheio!

18

A história se repete. As lendas antigas se reproduzem e se materializam. Lendas dos tempos em que Deus era uma mulher e governava o mundo. Era uma vez...

Há muito, muito tempo, a deusa governava o mundo. De tão bela que era, os homens da terra inteira suspiravam por ela. Todos sonhavam fazer-lhe um filho. A deusa, tão maternal e tão carinhosa, jurou satisfazer o desejo de todos os homens do mundo. Mandou dizer, pela voz do vento, que numa noite de lua haveria dança. Que ela desceria à terra no seu carrossel dourado para que as mãos humanas pudessem, finalmente, conhecer a macieza da sua pele. O momento chegou. Banhou-se, perfumou-se e usou os melhores unguentos. Subiu ao pico dos Montes Namuli, tirou o manto e dançou. Nua. Para que todas as mulheres invejassem os seus encantos. Chamou os homens um a um e agraciou-os com a divina dança. Engravidou de apenas um, afinal não tinha poderes para parir o universo inteiro. A descoberta dos seus limites foi fatal. Todos ficaram a saber que afinal a deusa era uma mulher banal e o divino residia no seu manto de diamantes. Descobriram ainda que era feita de fragilidade e tinha a humildade de uma criança. Os homens sitiaram-na. Roubaram-lhe o manto e derrubaram-na. Tomaram o seu lugar no comando do mundo, condenando todas as mulheres à miséria e à servidão.

Esta é a origem do conflito entre o homem e a mulher.

É por isso que todas as mulheres do mundo saem à rua e produzem uma barulheira universal para recuperar o manto perdido.

19

Dizem que tudo aconteceu como num conto de fadas. Dizem que uma certa noite incubava os mistérios do mundo e o planeta girava numa velocidade nova. Na densa escuridão ouviu-se uma perdiz com forma de mulher cantando gurué, gurué! O mundo inteiro se espantou porque só as corujas cantam de noite. O canto da perdiz numa noite sem lua era mau agouro. Muitos abandonaram os quartos, e com tochas acesas tentaram iluminar o céu para testemunhar o insólito. Viram uma imagem difusa muito perto das nuvens. Seria mesmo perdiz?

Era uma mulher com voz de perdiz, ululando triunfos no miradouro do mundo, dançando nua no ponto mais alto do monte. Espalhando pela atmosfera cheiro de erotismo, de sexo, cheiro de pornografia cafreal. Os olhos do mundo perguntaram ao mesmo tempo:

— Quem és tu que galgas as encostas do monte com a leveza da luz e ululas triunfos nas montanhas de glória?

— Eu sou a Delfina, a rainha!

— Quem te coroou rainha da noite?

— Vivo no alto, sou rainha, sou mulher de homem branco.

Dizem que o mundo inteiro se iluminou de espanto. Alguns negros viam a ascensão de uma jovem negra. Alguns brancos viam as loucuras de um velho colono. Alguns negros e brancos viam em comum a perversão das suas raças. Delfina fechava os ouvidos às bocas do mundo e voava alto.

Descobriu que o paraíso de Baco tem a cor do vinho, sabor a azeitona e a bacalhau à Gomes de Sá.

Dizem que, nessa noite, o pai de Delfina, tentando salvar a filha da vertigem das alturas, lançou a voz ao céu gritando até à rouquidão. Delfina respondeu com arrogância e loucura, imitando o canto da perdiz.

— Delfina, minha flor, vives bem aí? — gritava o pai preocupado.

— Sou a primeira negra a viver na cidade alta, ao lado dos brancos. Estou no dilúvio da fortuna, agora sou rica, gurué, gurué!

— Minha borboleta, o pico do monte é tão aguçado como uma agulha. A ponta da pirâmide comporta apenas um só grão de areia, aí em cima o corpo não tem sustento. Delfina, desce! Não se pode viver longe da terra, aí no céu não se semeiam couves.

— Ah, meu pai, meu preto ignorante, meu pobre velho, fecha essa boca, come este grão de milho que te dou por esmola.

Ofuscada pela felicidade, Delfina baila na acrobacia das alturas, ignorando os poderes mágicos da gravidade. Dizem que nesse momento o mundo inteiro se contorcia de medo e suspense.

— Estou seguro no conforto do chão, minha Delfina. Saiba pois que a natureza se vinga contra os que a contrariam. Até as águas do Rio Licungo, que nascem no pico do monte, abandonam as alturas e buscam segurança no leito do chão.

— Preto invejoso! Nunca quiseste a minha felicidade. Não aceitaste ser assimilado para me dar acesso ao diploma de professora indígena. Estás com dores de consciência? Consegui fortuna com o meu suor e o meu sexo!

Dizem que o velho pai chorou. Prenunciando o futuro de maldição no curso das gerações. Depois riu. Porque a filha, afinal, estava na aula magna sobre o grande monte e o grande precipício. Sobre a escalada e a queda. Sobre o deserto e o pântano.

— Atravessarás o deserto, minha Delfina, minha perdiz com penas de pavão!

— Obrigado, meu velho, gurué, gurué!

20

Delfina comparava os dois maridos. O Soares falava de coisas do mar, dos barcos, das festas e das grandes cidades, coisas belas que a faziam sonhar. O José falava-lhe de chicote, de acampamentos e de plantações. Coisas tristes que a faziam chorar. Ela não falava de coisa nenhuma. Nem da vida nem do trabalho. Sabia, sim, de coisas proibidas, do pôr do sol, de dentro do quarto e das festas dos marinheiros.

Entre sorrisos e abraços, Delfina e Soares namoram e fazem as suas juras de amor.

— Soares, gostas de mim?

— Adoro-te, minha preta.

Minha preta, negrinha. Uma expressão ofensiva, humilhante, redutora. Porque já tinha ultrapassado as fronteiras de uma negra. Ela já tinha um homem branco e filhos mulatos. Ela já falava bom português e tinha a pele clareada pelos cremes e cabeleira postiça. Sou preta sim, só na pele. Já sou mais do que uma preta, casei com branco!

— Eu não sou preta, Soares, sou?

— Então não és?

— Já sou quase uma branca, com os cremes que uso. Vivo como os brancos, como comida de branco e já falo bom português.

Os indícios de degradação arrepiam o coração de Soares. É como se alguém deixasse a luz para seguir os caminhos do abismo, numa viagem sem regresso. Pode alguém mudar de raça? Tenta travar o abismo com palavras de carinho.

— Ah, minha negrinha!

— Hás de me levar contigo para Lisboa.

— Levar-te? Sim, claro. Qualquer dia Lisboa será a pátria de todas as raças. Qualquer dia. Lisboa, ah, Lisboa. Que saudades de Lisboa!

— É verdade, Soares?

— Claro, minha santa!

— Santa, eu?

Isso sim, agradava a Delfina. Que era santa na palavra e não na obra. Porque o pecado tem gosto de mel e ela ama o pecado. Ser santa é abster-se dos prazeres deste mundo.

— Minha joia, minha pérola negra!

Pérola, sim, mas negra? Nesse momento ela se enternecia toda e rebuscava palavras nas gavetas da memória para retribuir com longas palavras de amor, contorcidas melopeias, urdidas como poemas.

— Eu te amo porque és branco, és civilizado, és bom. Antes de ti tudo era negro, era pobre. Hoje temos rádio e até eletricidade. Aqui em casa tudo é higiene, não falta roupa, não falta comida e até comemos bacalhau.

— Delfina, meu anjo, falas como se os pobres não fossem humanos.

— Os pretos não são nada, Soares.

— Minha negra, cansei-me do ódio e busco em ti o amor. A simplicidade. Os caminhos da liberdade.

— Liberdade? Que liberdade?

— Um mundo mais justo onde todos caibam. Um mundo sem donos, nem escravos, nem senhores.

— Onde está esse mundo?

— Podemos tentar construir.

— Haverá, nessa liberdade que sonhas, bacalhau e vinho? Roupas boas? De que liberdade me falas tu, Soares, se estou livre e sou feliz, estou bem, tenho-te a ti que me proteges?

— Liberdade, Delfina, liberdade. Um mundo onde pretos e brancos possam viver em harmonia. Um mundo de igualdade para todos.

— Ah, Soares, deves estar enganado. Um preto é um preto, um branco é um branco. Foi Deus que fez o mundo e colocou as coisas assim como estão. E se acontecer essa liberdade de que tanto falas, quem vai lavrar o palmar? Quem vai colher o coco? Quem irá lavar em barrela as minhas saias brancas e corá-las ao sol? Quem cuidará das minhas hortas?

Na afirmação de Delfina, o fanatismo. A tirania e o poder, criando fascínio nos seres humanos. Confirmando que mesmo sem a perversidade da cruz e da espada, as guerras dos bárbaros eram também sangrentas. Muito, muito antes dos colonos, a vida era também dura, amarga, impossível. Foram outras perversidades que fizeram o Soares atravessar os mares até chegar à Zambézia. Para sofrer o desespero de uma vida longe do seu berço. Guardar no peito a saudade da terra, companheira de todos os momentos. Amar e odiar esta terra que o acolhe.

— Se dividires as terras com todos esses pobres, o que ficará para nós? Que liberdade é essa que nos tira os nossos privilégios? Não, Soares, não quero liberdade nenhuma.

— Pensa no sofrimento do teu povo, Delfina.

— Essa conversa das liberdades faz-me lembrar o meu pai e os condenados do cais. Toda a hora falando em liberdade. Conversa de pobres e de pretos, Soares, quem te ouve falar assim pode até pensar que está diante de um desses terroristas do regime. Ah, Soares, eu quero só estar contigo, não quero liberdade nenhuma!

— Não te compreendo, Delfina.

— Sou mulher como as demais. Seria boa moça, até, se a vida não fosse tão penosa, tão díspar e tão selvagem.

Ele reconhece: sim, Delfina, serias uma boa menina. Uma rainha ou uma guerreira se noutro mundo tivesses nascido. Talvez fosses a décima esposa de um homem mais velho que o teu pai. Mas terias uma dignidade tua. Estás aqui transformada em algo que nem se pode nomear. Não queres ser preta. Sonhas ser branca ou mulata. Sonhas em ser um objeto animado, sem sombra, sem peso. Vestígio de uma raça. Uma branca imaginária. Sim, Delfina, serias uma boa menina.

A verdade instala-se na mente de Soares, aumentando a sua visão do mundo que o acolhe. A imagem de Delfina reflete-se. Umas vezes infantil. Outras vezes objeto. Outras vezes pensante, penetrante.

Somos ambos emigrantes, Delfina. Eu, da Europa para esta Zambézia. E tu saindo de dentro de ti para parte nenhuma. Nenhum de nós tem poiso seguro. Vítimas do tempo, procuramos o respiradouro do mundo. Entre superioridades e inferioridades nos amamos.

— Maria das Dores, esfrega-me os calcanhares e corta-me as unhas dos pés.

— Sim, mãe.

— Agora traz os meus chinelos, a minha toalha, a vaselina, traz o pente, traz o creme.

— Estão aqui, mãe.

— Vê se a mesa está posta, vê se a Jacinta comeu, se o Luisinho dormiu.

— Sim, mãe.

— Agora traz a minha roupa, quero vestir-me. Traz as minhas joias.

Ela quer gozar de uma vez tudo o que nunca teve, e que não sabe se terá amanhã. Debaixo daquela abundância há vestígios da fome. Por isso como de tudo, antes que acabe. Há elementos de incerteza em todos os atos. Antes que o sol se apague. Antes que a vida se acabe. Antes que o branco se vá. Antes que a tristeza volte. Enfeita-me agora com essa seda cuja textura atrai os raios do Sol. Dá-me esse creme para dormir um sono de beleza. Dá-me esse bacalhau, esse vinho, essa batata, esse camarão, esse peru e esse leitão. O branco paga tudo hoje, e amanhã?

— Delfina, meu anjo, o que te leva a recusar a tua própria existência? Amei-te por seres negra e não por seres a imitação de uma branca. Esposa branca tive eu. Muito branca, muito loira, com a pele tão branca como trigo nos campos. Amo em ti a cor da terra, a cor da fertilidade.

— Deixa-me usar as minhas armaduras, meu amor, não me perturbes. Preciso de atrair todos os brilhos do firmamento sobre o meu corpo. Das raças desenharam-se já os caminhos do futuro. Os que vestem a cor da lua suplantam à nascença os espinhos da vida.

— Devias voltar à escola e realizar o teu sonho antigo. Ter o diploma de professora primária, para aprender as maravilhas de um mundo novo e ter uma profissão nobre.

— Tinha esse sonho mas perdi. Trabalhar é coisa de mulher sem homem que a sustente. Estou contigo e estou bem.

— Um marido não é toda a segurança, Delfina. O homem morre. Adoece. Empobrece.

— Deixa-me em paz, Soares.

Soares, velho, cansado de guerras, tenta mostrar pelos gestos o que as palavras não dizem. Demasiado carinho para as crianças. Oferece-lhes prendas.

— Comprei roupa para a Maria das Dores.

— Fica para a Jacinta.
— É grande.
— Há de usar quando crescer.
— Delfina, por que tratas as crianças com esta diferença?
— Soares, esses filhos são os meus e não os nossos.
— Não sentiste as dores de parto, não sangraste por cada um destes filhos negros?
— Tudo é diferente, não vês? O céu é diferente. As estrelas diferentes. O paraíso diferente. Os mulatos nasceram com a lua no ventre. O mundo é deles. Por isso todos querem ser como eles. Os pretos branqueando-se e os brancos bronzeando-se.

Os filhos negros representam o mundo antigo. O conhecido. São o meu passado e o meu presente. Sou eu. E eu já não quero ser eu. Os filhos mulatos são o fascínio pelo novo. Instrumentos para abrir as portas do mundo. A Zambézia ainda é virgem, não tem raça. Por isso é preciso criar seres humanos à altura das necessidades do momento.

— Delfina, meu anjo, procurei-te para mostrar ao mundo que o ódio nada vale. Que o amor transpõe as comportas de uma raça. Mas tu não me entendes.
— Acreditas no amor entre as raças, Soares?

Soares chorou, sem perceber que chorava. Olhava para si e se espantava. Não sou o mesmo, sou outro. Sou aquele que chora pela flor que se envenena. Pelos anjos que se matam na pirâmide das raças. A igualdade é coisa dos direitos humanos lá nos catecismos dos tempos que ainda hão de vir. Aqui não faz mais sentido falar de amor. No mundo de Delfina nem sequer existe a palavra harmonia.

Na hora da refeição repetia-se o mesmo discurso. Jacinta, lavaste as tuas mãos? Não podes vir para a mesa com as mãos sujas de poeira da terra, senão ficam pretas como as da Maria das Dores. Não comas essas verduras, nós pretos é que comemos isso. Pode comer galinha à zambeziana. Come mandioca seca tu, Zezinho, tu, Luisinho, não podes comer, senão vais cheirar a catinga de preto.

— Por que maltratas as crianças, Delfina?

— Queres que eu respeite os negros, Soares? O pai deles, esse pescador, sipaio, plantador de coco, o que é que já lhes deu? Eles deviam agradecer a mim, Delfina, pela sorte de lhes ter dado um padrasto branco.

Um dia as crianças rodeavam Delfina e Soares lançando uma saraivada de perguntas. Com palavras cáusticas, tal como aprenderam dentro de casa. Soares entra em pânico. Meu Deus, estas crianças que me acusam, e eu só lhes queria dar abrigo, alimento. Onde irei buscar as respostas sábias para explicar os conflitos do mundo?

— Mãe, por que me fez preto? — pergunta o Zezinho —, eu também quero ter uma pele clara como a Jacinta ou meu pai branco.

— Ah, Zezinho, se eu pudesse adivinhar o futuro, não teria casado com o vosso pai, esse preto, esse pobre!

— Pai, por que me fez com uma preta? — pergunta Jacinta. — Eu queria também ter uma mãe branca, para ser igual à sua outra esposa.

— Cala-te, Jacinta — grita Delfina —, se não fosse eu a arranjar-te um pai branco, terias nascido preta como os teus irmãos. Se não fosse o meu zelo na tua educação, tu terias crescido com coração de preta, como a Maria das Dores.

Maria das Dores revolta-se e fala. Ela tem doze anos, ela pensa.

— Não, minha mãe. Não eram essas as palavras que querias proferir, não eram. O teu desejo era alimentar-nos com os melhores manjares deste mundo. Nem era essa a voz com que nos falavas quando o nosso pai negro estava aqui. Eu era a princesa do pai negro, mas nesta casa tudo é novo, tudo mudou, desde que o pai branco chegou.

Uma seta mortal atravessa o peito de Soares. Porque o céu e o inferno vivem debaixo do mesmo teto. Ele se autorretrata. Nós, marinheiros, para exorcizar os nossos medos e superstições, matámos. Matámos o corpo do outro sem perceber que a nossa alma também morria. O comportamento de Delfina é, em parte, o reflexo dos nossos atos. Que viéssemos a essas terras, sim, mas para apertar as mãos uns dos outros e trocarmos saberes, amores, calores. Receberam-nos com amor, com danças e batuques. Podíamos ouvir-lhes as canções harmoniosas com que embalam todas as mágoas. A lição já foi aprendida. Talvez a experiência vá servir à história nos tempos que só o futuro poderá revelar.

Traíram-no os olhos de marinheiro. Fizeram ver em Delfina o barco e o rio. Os remos. Com ela sonhava navegar para longe e para o fundo do céu. Descobrir o mar e medir o comprimento das ondas. Os olhos de marinheiro fizeram ver em Delfina as asas das gaivotas. Com ela queria voar para conhecer a espessura das nuvens. Compreender como é que os montes atraem o germe da água, se as pedras são duras e não têm vida.

Soares caminha à beira do mar até sentir os pés doloridos. Senta-se na areia. Exatamente no mesmo lugar onde se sentara José dos Montes no dia do adeus. Os olhos seguem a linha do horizonte. Vê gaivotas, barcos, mastros. E olha para o mar. Mar azul, mar doce mar bravo, mar do tamanho do infinito. Recorda histórias do mar dos tempos em que era jovem, era tropa, era marinheiro. As inúmeras viagens na estrada do mar. As ondas bravas que engoliam barcos. Recorda as sereias. Adamastor. Luís de Camões. Lisboa. A imagem da esposa surge com a maior nitidez de sempre.

Onde andará a minha esposa? O que estará a fazer neste momento, em Lisboa? Nunca mais soube dela. Será que se lembra de mim? Faz a contabilidade na linha do tempo: sete anos longe dela, ao lado de uma concubina negra. Como é que vim parar aqui?

Sente que acaba de despertar de um sonho e recorda: quebrei a vitrina do exótico, atraído pelo mel que havia do outro lado da vida. Caí nas mãos de Delfina.

Ah, minha doce esposa que está em Lisboa. Por que não saíste de casa aos murros e aos berros para lutar pelo teu direito de família e afastar-me desta prisão onde me encontro? Não quiseste entrar em guerras com as pretas? Se fosse o filho que te saiu do ventre a perder a cabeça pelas pretas do cais, ficarias calada? Por que é que cruzaste os braços e apenas choraste quando a vítima era eu? Alguma vez sentiste amor por mim? Não tinhas ciúmes? Acreditas na história de que os homens são fortes? Das garras de uma mulher, só outra te pode salvar. Feitiço de mulher, só outra mulher entende. Preferiste o teu lugar sagrado de senhora recatada, piedosa e educada, no alto do pedestal, deixando-me sucumbir nas mãos de uma louca? Podias mandar prender a Delfina, mandá-la para o degredo, para as plantações, mas não o fizeste. Preferiste a conivência e o silêncio. Partiste sem uma despedida. Mas sabias que este passo não ia dar certo, porque mais dia menos dia eu teria saudades de ti e dos nossos filhos.

Por que é que as mulheres brancas ficam passivas perante a devassidão dos seus maridos, deixando-os mergulhar no corpo das negras sem um gemido, reagindo com as lágrimas que correm como resina caindo da velha árvore? Por que é que só se limitam a rezar e gemer, tão passivas e tão submissas como todas as mulheres do mundo? Eu me perdi porque me faltou a minha salvadora. As mulheres negras lançam-se na batalha, batem-se na rua, fazem desordem pública e acabam na polícia. As brancas assistem solenemente à devassidão dos seus homens. Será cumplicidade?

Admira as sereias negras do cais, excelentes artistas. Tentando homem aqui, homem ali, até que acertam. Pesquisadoras. Jogadoras. Com ouvidos grandes para auscultar as intimidades mais secretas dos lares onde são serventes. Estudar os desejos corporais mais perversos dos maridos das patroas para melhor dominá-los. Impressiona-o o sorriso de vitória de algumas negras cujo triunfo maior é destruir o casamento de uma branca, num ato de pura vingança, transformando as grandes senhoras em grandes perdedoras.

Ah, minha esposa que está em Lisboa. Por causa da tua apatia, a Delfina entrou na nossa intimidade e destruiu-nos. Eu entrei na família dela e destruí-a. Mutuamente destruindo, eu e ela construímos uma nova família de questionamentos constantes. Onde estavas tu para defender o lar? A culpa de tudo é tua, a culpa é tua, a culpa é tua!

Desperta do grande sonho e questiona-se. Quem sou eu e o que faço aqui? De repente vê o ridículo da sua existência. Delfina? Por acaso teve algum encanto? Sim, teve. Tem a cor da noite onde as almas suspiram e os corpos se aproximam. Ela é o repouso, a sombra. A noite sem lua onde brilham e dançam todas as estrelas do firmamento. O nimbo prenhe de chuva anunciando fartura. O barro negro da criação divina com que se molda a perfeição do mundo. Ela era a cor da terra boa, terra da fertilidade. Tem na pele a fragrância do coco e no sangue o vinho da palmeira brava. Ela é o palmar imenso. É ela a Zambézia inteira!

21

Soares, saciado da aventura, acordou cedo e deu um beijo a Delfina e aos filhos. Disse palavras curtas, doces, que Delfina iria recordar até ao fim dos seus dias.

— Cuida bem das nossas crianças. Não quero que nada falte, nem sequer aos meus negrinhos. Trata a todos por igual, saíram todos do teu ventre.

— Ah, Soares, desde quando faltei a esses cuidados?

Com o sorriso habitual Delfina acompanhou o homem até à porta. Acenou em despedida, ondulando a mão levemente, sem saber que aquele seria o último aceno ao seu homem, sua mina.

O branco Soares partiu para Lisboa, no mesmo dia, sem saber que dezenas de anos depois muitos brancos o seguiriam, deixando atrás de si, na hora da debandada, afetos, saudades e um espólio magnífico, que seria disputado à facada.

O meu branco foi embora, o que será da mim? Estou desamparada. Sem emprego, nem marido, nem amante.

Inspirada, Delfina escreve no ar poemas de amor. Sentada na cadeira de balanço na sua varanda. Diz que o grande amor é um grande sonho. Gota de mel que se engole e se defeca. Canção de amanhecer que embala e se cala. Inspirada no amor, coloca as mágoas na melodia suave que lhe corre pela garganta e as deixa voar nas ondas sonoras do seu choro.

Chora pelos dois maridos. Analisa semelhanças e diferenças. José era simples fuligem na chaminé da memória. Mas era seu, inteiramente seu. Por ser tão seu o desprezou. Soares também era seu, mas por partilha, troféu humano ganho na grande disputa. Por isso o desejou loucamente. Era seu por empréstimo.

De longe vê um homem caminhando em sua direção. Um sipaio garboso. Másculo. Quem será? A imagem do marido preto ergue-se com todo o esplendor. Talvez traga notícias de José dos Montes. Talvez de Soares. O homem aproxima-se e sorri. Nos lábios de mel e o olhar de desejo.

— Boa tarde, meu senhor. O que deseja?

— Vim para dizer que te amo, Delfina linda.

— Como se chama o senhor?

— Não me conheces. Mas eu sei que precisas de um homem. Por isso estou aqui.

— O quê?

Delfina amava os olhos suspirantes dos homens. Simula uma zanga mas por dentro sorri. Afinal ainda era bela. Afinal era desejada. Um homem parte, mas se arranja outro. Só a mãe é única. Só o pai é único.

— De onde vem o senhor, que nunca antes conheci?

— De lugar nenhum. Vim para te amar e levar o dinheiro que o branco deixou.

— Qual dinheiro?

— Isto é um assalto.

Um punhal brilha ao sol, nas mãos decididas do sipaio louco. Delfina estremece. Ergue-se. Com o punhal rente ao pescoço, ela obedece ao comando do estranho homem.

— Vamos, levanta-te! Preenche o meu olhar com o teu sorriso de ternura, vai, excita-me. Afasta de mim esta mágoa de te querer, oferece-me um beijo. Dança para mim, ah, Delfina, eu te quero hoje, agora.

O homem arrasta-a para dentro de casa. Eram eles a bela e a fera no princípio da tarde. Empurrando Delfina do alto do monte até à poeira do vale. Ela chora. Por José dos Montes, que a amou até à perdição, a ponto de levá-la ao altar e proclamá-la rainha sobre todas as mulheres. Pelo Soares, que por ela se perdeu a ponto de destruir a família. Morreu a minha árvore, a minha sombra, a minha galinha mágica dos ovos de ouro.

— Lamento a forma original de dizer que te amo — diz o estranho —, nua, rica, pobre, desesperadamente te amo. O amor que sinto encoraja-me a esta loucura. Vou prender-te o coração neste punhal, meu churrasco, minha carne no espeto, para seres só minha. Mato-te se arranjares outro cabrão!

Delfina sufoca um delírio, um choro e um grito. Meu Deus, meus anjos, meus defuntos, acudam-me. Tragam sol para esta casa. Tragam também veneno contra este verme que me destrói.

— Já não tens dono, Delfina, o teu branco foi-se embora, não volta mais. O teu dono sou eu a partir de hoje. Temos que dividir o dinheiro do branco. Queres segurança? Protejo-te. Queres briga? Esmurro-te. Queres um confronto? Mato-te.

— Deixa-me em paz, não te fiz mal nenhum, larga-me, sai da minha casa!

— Não acreditas em mim, princesa? Os assassinos também amam, minha santa. Sou um deles. O branco foi embora e deixou-te muitas coisas, palmar, terras e gado, vim para ajudar-te a cuidar disso, sou casado mas não faz mal, serás a minha segunda esposa.

Preciso de abrir clareiras para a oxigenação da esperança, pensa, pela paz desta casa, pela saúde dos meus filhos eu tenho que encontrar uma solução. Tenho que resolver isto. Não sei como, mas Deus guiará os meus caminhos.

— Deixa-me em paz, não volta mais aqui.

— Engano teu, porque voltarei sempre, Delfina, só para te amar.

O homem voltava. Para esgotar a despensa e a garrafeira. Vezes sem conta ia direto à cozinha para contar na panela os nacos de carne que comeria, as garrafas de vinho que beberia. Sentava-se na mesa e metia a língua no prato de sopa, que depois segurava com as duas mãos e bebia. Comia à mão, enchia a boca, cuspia os espinhos e os ossos para todo o lado. Colocava galinhas dentro da sala para comerem as migalhas que ele espalhava debaixo da mesa. Abria garrafas à dentada e enfiava o vinho do gargalo para a garganta, perante o olhar espantado de Delfina e dos filhos. Quando partia deixava atrás caos, desordem e lágrimas.

Maria das Dores e Jacinta escondiam-se debaixo da cama e cochichavam.

— Dores, o meu pai foi embora — gemia Jacinta aos soluços.

— O meu também foi — respondia Dores.

— Somos ambas órfãs — diziam em uníssono.

— Não sabia que era difícil não ter pai.

— Ah, não chores, Jacinta! — consolava-a Maria das Dores. — A vida é assim.

Era a vingança sádica da sociedade abatendo-se sobre Delfina. Por ter pisado o risco vermelho de destruir famílias. Por ter amado um branco e rejeitado um preto.

Meu Deus, quantas vezes terei que lutar para me afirmar?, perguntava-se. Julgava que o mundo era meu. Pesa-me a vida, pesa-me o mundo, pesa-me a ideia de estar aqui.

Eis-me nas mãos de um estranho, que me varre como lixo para o fundo do chão. Delfina aprende pela primeira vez o sofrimento do lar sem protetor, das crianças sem pai. Jura que vai resolver o problema, que vai fazer vingança, com a ajuda das magias de Simba.

Procurou Simba e este colocou veneno de rato numa garrafa de vinho que o intruso beberia de certeza. Matá-lo-ia aos poucos, primeiro o inchaço, a diarreia, a fraqueza, a loucura e finalmente a morte. O sipaio veio. Nesse dia estava mais doce do que nunca. Bebeu o vinho pelo gargalo e gostou. E se declarou.

— Delfina, sabes quem sou? Sabes por que estou aqui? Fui pago para vingar a tragédia do Soares. Fazer-te desaparecer da superfície da terra, depois da tortura. Cobrar o preço da tua ousadia. Desafiaste os pretos, desafiaste os brancos. Tens que morrer para moralizar a sociedade. Sou bom a matar, sou bom, matei já muitos. Mas a ti não tenho coragem. Porque te amo. De verdade te amo.

Era uma cobra silvando de amor, depois de provar o paladar de uma dose de veneno. Delfina é acometida por uma crise de piedade. Experimenta pela primeira vez a estranha sensação de embalar alguém que em breve estará morto. Abraça-o.

22

Não tenho porto, não tenho âncora, esta é a única verdade. Tenho que buscá-la. Encontrá-la. Estou de novo só. Um amigo aqui, outro ali, não tenho nas mãos nada que dure.

Delfina busca caminhos novos em lugares antigos. Volta à casa de Simba como quem regressa.

— De novo aqui, Delfina?

— Traz o Soares de volta, Simba. Vamos, invoca-o, invoca também os teus espíritos para que o tragam de volta aos meus braços.

— À custa dos meus espíritos? Quando é que vais aprender que a alegria se cultiva e o pão vem do labor? Quando é que vais entender que o brilho vem da mente e da capacidade de criar? Tens tudo para ser feliz, Delfina. Tudo. No lugar de usar as tuas capacidades, lá vens tu pedir-me reforços. E depois não pagas as tuas promessas.

As palavras ferem como a espada da justiça. Condenando. Censurando. Delfina fica em silêncio, escuta. Da voz de Simba ecoam sons do além. Esta conversa de ascensão e queda era a preferida do meu pai. A história do mar calmo, da tempestade repentina, de barcos e naufrágios era a preferida do meu pai. Ele gostava muito de falar da travessia do deserto. Começa então a entender o sentido daquelas conversas. Assusta-se. Terá chegado a hora da travessia do deserto?

— Eu pago as promessas, sim, pago.

— Prometeste-me uma casa, Delfina.

— Não te dei?

— Faltava o recheio. As mesas, as camas, as cortinas.

— Mas!...

— Uma casa só é casa quando está completa. Tu me deste paredes...

— Não foi o combinado?

— Se queres um serviço meu, primeiro paga as contas antigas.

Delfina humilha-se pedindo clemência. Exprimindo os sentimentos numa representação artística.

— Ah, Simba, se soubesses a desgraça que caiu sobre mim. As casas, terras, armazéns, a padaria e as máquinas, foi tudo dividido pelos filhos.

— E tu, minha santa?

— Não recebi nada. Até os meus filhos pretos herdaram do velho. Todos menos eu. Para mim deixou uma mesada insignificante que não chega para três meses. Por isso estou de novo aqui.

— Se os teus filhos são herdeiros de uma grande fortuna, sendo menores, então és a gestora. Não vejo a razão de tua preocupação.

— Até da gestão da família o Soares me deserdou. Deixou claro, no testamento, que eu não posso gerir nem um cêntimo do património das crianças. Foi injusto comigo.

Tinha plena consciência de que nenhum tribunal lhe daria a gestão do património por causa da má reputação, dos vícios e das extravagâncias visíveis aos olhos do mundo.

— Estou de novo aqui para me ajudares a recomeçar tudo outra vez.

— Impossível. Acomodaste-te no trono que eu esculpi. Não cumpriste as tuas promessas. Assentaste os teus arraiais, andavas fugitiva e nem respondias aos meus apelos, esquecendo que nas minhas mãos está a chave de toda a tua vida. Fui eu que serrei o pedestal e caíste. Quem confia em poderes alheios devia conhecer esta lição.

— Que me dizes tu, Simba? Como? Porquê?

— Tinha a chave do teu segredo. Cansado de esperar pela recompensa, quebrei o encanto. O branco despertou.

Ela se espanta mas não muito. O amor de magia é feito de truques, não perdura.

— O que faço da minha vida, Simba? Ajuda-me agora. Será a última vez, prometo.

— Vou tentar, mas antes paga-me. Dá-me um selo, uma garantia. Hipoteca algo muito valioso.

— Dou o meu sangue, a minha vida, tudo.

— O teu sangue já não presta, está gasto, sujo, não aceito. Mas fala-me dos teus planos.

— Quero melhorar o meu negócio de venda de pão.

— Ah, já iniciaste o negócio?

— Sim, mas não rende.

— Bravo, Delfina! Mas... o que me dás em troca? Pensa rapidamente. Nas coisas que ainda tem. No recheio de casa que reclama. Nas joias que pode vender, para pagar os serviços. Pensa nos inúmeros vestidos, capulanas, sandálias. Pensa em Maria das Dores. Para a mulher, estudar não é importante. Porque o amor não precisa de leitura nem escrita. Parir um filho não exige escola. Agarrar um homem rico é uma questão de tática e não de matemática. Prender o homem na cama é uma questão de magia e sabedoria. Viver bem é uma questão financeira. Ela, que mal lia e escrevia, conseguira caçar um branco rico que trocou toda a família por ela, deixando para os filhos uma boa fortuna. O mais importante para uma mulher não é um diploma, mas a sorte na vida e a tática de caçar um homem que sirva. Depois do longo silêncio, volta à superfície com uma proposta macabra.

— Dou-te a virgindade da minha filha.

— O quê? És capaz?

A resposta dói, por isso não diz nada. Porque não é fácil entregar a própria filha a um bruxo que também é seu amante. Sente nojo de si própria. E jura que esse ato, se for consumado, deverá ser rápido. Pouco tempo e pronto.

Mas ela esquece que a fração de segundo é a marca mais importante do tempo. Um segundo dura uma explosão. Um sismo. Uma bala detonada. A queda de um raio. A gestação de um novo ser.

— Tens coragem, Delfina?

— Eu?

Não diz mais nada. Nem tem a certeza da decisão que toma. Mas crê na maldição que pode vir, caso o acordo não se cumpra. No seu entendimento vale mais a pena uma vítima em casa do que vitimar a família inteira. Não se arrepende. Na sua terra a mulher é peça que se compra e se vende. Selo de contrato. Moeda de troca. Hipoteca. Multa. Sobrevivência. Ela também foi usada pela própria mãe, na infância distante. Entregue aos brancos das lojas a troco de comida. De resto, aquele contacto duraria pouco tempo.

— Delfina, a fé que te salva também te mata.

— A sorte me abandonou, Simba.

— Os espíritos bons são assim, Delfina. Vão e voltam. Não soubeste preservar a bênção que te deram. Não culpes mais ninguém do teu insucesso a não ser a ti mesma. Tu és a mulher mais feliz do mundo porque Deus materializou todas as maravilhas.

Simba calculara tudo. Maria das Dores, essa doce pequena, não é apenas a mulher, mas a herdeira de quatro casas de arrendamento na cidade alta, muitas terras e uma parada de palmeiras desfilando até ao horizonte. Tê-la nas mãos significa uma vida nova. Vale a pena aceitar a oferta. Encher-lhe o ventre de filhos, logo que for possível. Levá-la ao altar quando atingir a maioridade e gerir aquele património na primeira pessoa.

— Para quando o cumprimento desta promessa, Delfina?

— Hoje. Amanhã. Quando quiseres.

— Que seja hoje ao pôr do sol. Hoje, ouviste, Delfina? Que seja hoje antes que os espíritos se revoltem.

Delfina parte. O coração diz-lhe que ama aquela filha mais do que nunca, depois de tanto desprezá-la e humilhá-la. Promete a si mesma protegê-la depois de selar o pacto.

23

Vários incidentes marcaram a vida de Jacinta. O maior deles aconteceu quando passeava pelas ruas da cidade com as suas colegas de escola. Viu o pai a entrar num edifício enorme, com muitas escadas. Ela espevitou-se e entrou. Procurou-o nos gabinetes, corredores, gritando alto pai, pai, pai, com a liberdade de qualquer criança. Quando o viu, saltou-lhe aos ombros plena de felicidade. O homem que falava com o seu pai perguntou:

— Quem é essa pretinha? O que faz ela aqui?

O pai corou e respondeu encabulado.

— É filha de uma amiga. Uma africana.

— Que te chama pai?

— Sim.

— Já sabia, já me tinham dito e fazia ouvidos de mercador. És a vergonha da nossa classe, Soares, és um cafre. Por esse andar os brancos todos vão andar para aqui de tangas.

O pai foi expulso daquele gabinete com muita arrogância pelo homem que parecia ser o chefe. Por ter uma filha com uma negra. O pior de tudo foi descobrir que o pai nem teve coragem de dizer que ela era sua filha. Renegou-a. Descobriu também, nesse dia, que o seu pai era fraco e não a amava tanto como dizia.

O segundo grande incidente: ela passeava pela mão do avô nas ruelas suburbanas. Um polícia branco viu-os e espantou-se. Um preto com uma criança branca, nos confins do subúrbio? Chamou-os. Indagou.

— Velho, onde roubaste essa criança?

— É minha neta.

— Assim, branca?

— Juro, palavra de honra que é filha da minha filha.

— Ah, velho raptor. Sipaio, dá chicotadas ao preto para obrigá-lo a falar a verdade.

O avô foi chicoteado, quebrado, e ficou muitos meses deitado, com lesões que o levaram à morte. Quebrado ficou também o seu coração de criança. O avô era a pessoa mais maravilhosa deste mundo. E morreu açoitado por ter uma neta de outra raça.

A princípio, Jacinta não sabia que tinha raça. Depois aprendeu que os negros eram servos. Começou a pensar que Maria das Dores era uma escrava e Delfina serva do seu pai.

Quando ela passeava com a sua mãe, pretos e brancos perguntavam:

— É filha da sua patroa?

— Não, é minha — respondia Delfina orgulhosa.

— Ah, branca de mais para ser mulata.

Um dia, no intervalo das aulas, procurou Maria das Dores para brincar. A professora repreendeu. Por estar a brincar com uma preta, e que devia brincar com pessoas da sua raça. Então disse: é minha irmã. A professora escandalizou-se. Mandou chamar a mãe. Para conhecê-la de perto e compreender aquele fenómeno.

— Minha senhora, está a cafrealizar a menina — censurou a professora.

— Mas ela não é cafre e fala bem português, tem o pai branco.

— Fala, sim, mas não diz bem os rr. Ela tem que aprender o r. Com quem vive a menina?

— Comigo. Com o pai.

— Mas passa a maior parte do tempo consigo.

— Sim.

— Pois é. Não tem ninguém assim, que não seja de cor, que possa viver com ela?

— A madrinha. Os padrinhos.

— Então mande-a. Mande-a depressa para aprender a pronunciar um r. Seria uma pena que uma mulata tão apurada, quase branca, não conseguisse pronunciar condignamente o r. É melhor mandá-la já antes que ela entorte. De pequeno é que se torce o pepino, lembre-se.

Era sempre excluída da dança de roda pelas meninas do bairro. Porque ela era branca, e a dança de roda é coisa de pretas. Não queriam suportar as birras de Delfina, ameaçando de prisão ou de chicote e usando as influências de um marido branco, caso ela se magoasse. Maria das Dores brincando com as pretas. Jacinta brincando com as mulatas. Em casa, Maria das Dores esfregava o chão e ela ficava a fazer os deveres da escola. Maria das Dores transportava lenha, cozinhava, limpava, e ela só brincava.

Foi a partir desse momento que começou a olhar em volta. E viu que os negros eram muito negros. Que os brancos eram muito brancos. Diante dos pretos chamavam-lhe branca. E não queriam brincar com ela. Afastavam-na, falavam mal da mãe e diziam nomes feios. Diante dos brancos chamavam-lhe preta. Também corriam com ela, falavam mal da mãe e chamavam-lhe nomes feios.

Um dilema que crescia na sua cabecinha: afinal de contas qual é o meu lugar? Por que é que tenho que me ficar entre as duas raças? Será que tenho que criar um mundo meu, diferente, marginal, só com indivíduos da minha raça? Começou a desenvolver uma raiva contra o pai. Que amou uma preta para transformá-la em mulata. Sentia uma raiva contra a mãe. Que não a fez preta como Maria das Dores e por isso não podia entrar na dança de roda nas esquinas do bairro. Começou a amar Maria das Dores, que era oprimida dentro de casa por causa da sua raça, e porque lhe fazia os penteados mais fantásticos e lhe contava histórias ao adormecer. Viviam sob o mesmo teto, dormiam no mesmo quarto, mas a mãe separava os pratos, os copos, os talheres. Ela questionava-se sem saber que estes momentos a perseguiriam a vida inteira.

Era estranho viver numa casa de todas as raças. Fazia-lhe confusão absorver o comportamento de pretos e de brancos em simultâneo. Era mais complicado ainda estar numa refeição dividida. O pior de tudo era não haver ninguém para responder aos seus dilemas. O discurso da mãe ela conhecia. Se o pai estivesse perto, também não responderia.

Os olhos de Maria Jacinta correm para longe, como quem desafia as montanhas do horizonte. Um olhar de quem domina o mundo. Ela tem a segurança do pai e ganhou de Delfina o génio da aventura. Pode ser que um dia venha a mudar. Para reconhecer o destino é preciso que as pessoas cresçam e os caminhos se revelem. Aprendera desde cedo a fazer a distinção entre as raças. A olhar para os irmãos escuros do alto das nuvens. A ouvir a voz do ódio sobre a raça humana. A sua canção de embalar foi tecida com notas de ódio.

Vários acontecimentos marcaram a vida de Maria das Dores: o maior deles foi a partida de seu pai, com quem sonha a cada instante perguntando ao vento as razões daquela ausência. Quando despertava suspirava: mas onde foi o meu pai, que nunca mais vi? Para onde foi e por que não me levou? Outra mágoa: quando a irmã mulata nasceu, o colo da mãe emigrou para a outra margem do rio, numa mais o alcançou. Buscava no céu a compreensão de tudo o que lhe acontecia. Ela pensava em fugir, refugiar-se na rua ou em qualquer lugar. Mas a ideia de que o pai voltaria prendia-a.

Suportava em silêncio a cólera que a mãe derramava sobre ela. Era injusto, ela sabia, mas não queria reivindicar. Do ventre daquela mãe ela tinha nascido e não a queria desafiar, porque desafiar uma mãe é desafiar o destino. Daquela boca ouvira o primeiro canto e o primeiro beijo. Não podia contrariá-la. Porque praga de mãe é profecia. Aquela mãe era a sua árvore e a sua sombra. Não podia sacudi-la. Sacudir uma mãe é sacudir o próprio alicerce. Ela sabia que a mãe a amava, perversamente, mas amava-a. Como filha não podia odiá-la. Odiar uma mãe é odiar a sua própria existência. De José, seu pai negro, aprendera que o sofrimento é uma etapa da existência. Que se devia sorrir perante a mais incrível dor. Que se devia aceitar o sacrifício para que a vida continue. Do pai branco aprendera que a alegria é um direito. Que a bonomia gera harmonia. Aprendera que a beleza do mundo é a diversidade, todas as raças, de todo o mundo, porque somos todos filhos do sol.

Outro momento marcante da sua vida foi a doença do Zezinho, seu irmão negro. No dia fatídico o irmão passara a tarde a jogar futebol com os amigos do bairro. Depois do banho e do jantar sofreu enjoos e vómitos.

— Dói-me a barriga, Dores, ajuda-me.

— O que andaste para aí a comer?

— Nada.

— Então descansa.

Gotas de suor soltam-se como pérolas brilhando na testa do Zezinho. A pele ardendo. Os movimentos lânguidos vencidos pelas febres, cansaço e vertigens. Maria das Dores acudiu e levou-o até à cama.

— Mãe, mãe?

Zezinho gemia como um gatinho abandonado, naquele quarto ora quente ora frio, chamando pelo pai negro e pelo pai branco. Maria das Dores responde em silêncio, numa canção de desespero.

A mãe não está.
Seguiu os caminhos do oriente,
...

E não voltaria antes da aurora. Escapou-se pelas sombras altas dos coqueiros na dança do luar, foi ao bar beber um trago no despertar soturno dos morcegos, voltará cansada, despenteada, embriagada. Meu Deus, há uma coruja piando no teto da casa, é mau agoiro, o Zezinho está a morrer, vai morrer hoje, talvez!

Maria das Dores corre apavorada, desafiando o uivo noturno do mar e chega num zás ao bar do cais, onde tenta sacudir a mãe num espasmo desesperado.

— Mãe, o Zezinho precisa de ajuda.

— Não precisas de gritar na presença dos meus amigos, vou já — grita Delfina, levando o copo à boca. Aquele bar é a visão do caos. Não se via ali nem pretos, nem brancos, nem mulatos, a miséria nivela todas as raças. O ambiente desperta em Maria das Dores um leão interior que ela nem imaginava possuir. Solta um rugido, sacode a mãe com fúria e revolta.

— Vai-te embora, Maria das Dores. Não permito que me faltes ao respeito na presença dos meus amigos.

Ela regressou magoada para junto do irmão. Esperou, a mãe não vinha. Empreendeu uma nova corrida e uma nova busca.

— Mãe, o Zezinho piorou. Desmaiou.

— Como é que sabes?

Naquele momento sentiu que estava definitivamente só. O pai está longe, muito longe. Talvez neste mundo, ou noutro. A mãe está perto, muito perto. De corpo presente com a alma errando nos mistérios do mundo. A ansiedade ganha forma do desespero.

— Mãe! — era o sopro de revolta da garganta de uma criança.

— Para de gritar, não vês que estou com os meus amigos?

— Mãe?!

Um coro de vozes embriagadas enxota Maria das Dores como uma intrusa, vai para casa, menina, desaparece daqui, o bar não é lugar para crianças. Os bêbados olhavam para ela, levantavam os copos, bebiam, afogando os seus medos, amarguras, entregando-se à decadência de corpo e alma, sem lhe prestar a menor atenção, porque as crianças não existem, nunca existiram, nunca sabem nada. Maria das Dores foi então acometida por uma náusea de indignação. O ambiente fedia a tabaco, a álcool, a fermento barato, a catinga dos marinheiros.

Os olhos de Maria das Dores crescem como berlindes de vidro e abandonam as órbitas. Ela sente no âmago a mordedura do escorpião.

Regressa desvairada, como uma criatura perdida em busca de socorro. Alcançou a casa. Olhou-a. Era a mais linda do bairro, com um jardim de todas as cores. Entra no quarto e tapa os ouvidos aos gemidos do irmão, porque não valia a pena viver de aparências, de amarguras, de bebedeiras, de racismo.

De repente apetece-lhe fazer explodir todo aquele luxo e transformar o quarto num fogo imenso, que amanhã será entulho, ruína, com os corpos dela e do Zezinho carbonizados, deixando Jacinta e Luisinho vivos por terem lugar na vida e no coração da mãe. Decide acabar com todo o sofrimento do irmão, com o seu próprio sofrimento, abrir maior espaço de liberdade à mãe para que possa saborear à vontade todas as bebidas de todas as garrafas, de todos os tipos, de todo o mundo. De cócoras, enterra a cabeça sobre os joelhos, animada pelo riso das cortinas no beijo do fogo. Já não dá conta gemidos desesperados de Zezinho.

— Fogo, Maria das Dores, fogo!

Um estrondo forte quebra portas e janelas e, do outro mundo, Maria das Dores sente a frescura, a morte tem sabor a chuva, a nuvens, ela está no alto em direção ao paraíso. De repente sente-se elevada pelas alturas. Eram os vizinhos acudindo, transportando-a e ao Zezinho ao hospital, com queimaduras ligeiras. Foram arrancar Delfina do bar com a Jacinta e Luisinho nos braços.

— Delfina, a tua casa ardeu.

— Vou já, estou com os meus amigos.

— Delfina, os teus filhos estão a morrer!

— Hã?!

Delfina regressou na marcha cambaleante dos bêbados. Viu, com olhos embaciados, os vestígios de um desastre abortado, mas só na próxima aurora irá compreender a dimensão da desgraça. Ou nada irá compreender, cega pela vaidade. Foi deitar-se, vestida. Maria das Dores não estava para cobrir-lhe o corpo. Ralhou para as paredes. Barafustou. E gritou os mesmos palavrões de sempre, mas no fundo chorava.

Os olhos de Dores são tímidos, furtivos, de quem se abriga na ausência. Herdou o génio de quem será pisado ou se deixará pisar por todos os outros. Maria das Dores vivia amargurada e o seu desespero crescia. As interrogações voavam na mente como um enxame de abelhas zumbindo. Começava a questionar todas as coisas deste mundo. Por vezes caía em si com lágrimas a correr sem saber que chorava. Tudo era muito confuso. Fazia muitas perguntas a si própria e crescia depressa. Procurava dentro de si um lugar para se esconder, sempre esquiva e tímida. Invejava as amigas, maltrapilhas, descalças, esfomeadas até, mas sempre de sorriso nos lábios. Ela vestia bem, tinha merenda de pão e queijo, mas não sorria. Sentia saudades profundas do pai negro.

24

Era um quadro bonito de ver. Duas irmãs sentadas na varanda entrançando os cabelos uma da outra, ao entardecer. Uma preta e outra mulata. Falando de coisas do princípio do mundo, no desabrochar da vida. Cabecinhas no ar descobrindo estradas celestes e os contornos da lua. Maria das Dores fala de um príncipe celeste, o tal centauro, um homem-cavalo em forma de estrela, e conta as mais incríveis aventuras.

Delfina vem e espreita. Emociona-se. As filhas crescem cada dia mais belas. Sente que lhe nasce uma profunda mágoa mas mesmo assim simula um sorriso.

— Então meninas, esse penteado nunca mais acaba?

— É difícil entrançar os cabelos de uma mulata, mãe — diz Maria das Dores —, escorregam.

— Os cabelos das pretas é que são difíceis, parecem palha, não são bons. Tu, Jacinta, herdaste do teu pai um cabelo bom, para que queres tu esse penteado de preta?

— É tão bonito, mãe! — reclama Jacinta.

Maria das Dores vai caprichando no penteado, colocando missangas coloridas em cada trança. Em cada missanga um sonho. Delfina estremece, porque entardece. Daqui a pouco anoitece.

— Maria das Dores, vem! Vamos!

— Para onde?

— Quero levar-te a um lugar de sonho. Apressa-te, antes que anoiteça. Retomarás esse penteado no teu regresso.

— Falta tão pouco para acabar, mãe.

— Vamos.

— A Jacinta vai?

— Ela é criança ainda. Mas a situação dela é diferente. O mundo dos brancos tem outros códigos, não precisam desta viagem. Para eles é mais importante a escola dos livros que a escola da vida.

Mãe e filha metem-se no carreiro, arrefecido pelo entardecer. Caminham com passos apressados para chegarem antes que seja tarde. Antes que a consciência mude o percurso das coisas. Antes que a noite e os sonhos lhes tragam novas respostas.

— Para quê tanta pressa, mãe?

— Não fales tanto, caminha!

Dão passadas largas, rápidas, e vencem a longa distância em pouco tempo. Chegam ao lugar ansiado. Vê-se uma clareira. Uma palhota. Um Buda negro meditando no umbral da palhota. Os olhos do homem fulminam o rosto tímido de uma menina. No sorriso, a satisfação secreta. Disposto aos atos de amor e de ódio na tarde que finda.

— Boa tarde, Simba — diz Delfina.

— Boas-vindas — responde o homem levantando-se.

— Aqui estamos.

— Ainda bem.

O homem ergue-se e segura Maria das Dores pela mão. Arrasta-a com firmeza até ao interior da palhota com uma máscara de vitória no rosto. Já estava preparado, de armas limpas e posicionadas para o combate. Foi direto à ação sem palavras inúteis. Lança sobre ela toda a energia de um homem no auge da vida, pássaro sedento na frescura do lago. Mergulha. Era o criador amassando o barro, moldando uma escultura à medida da sua inspiração. Ser mulher é mesmo assim, não custa. Basta uma facada, uma dor e um grito:

— Pai! — suspira Maria das Dores.

Morre tudo naquele instante. A infância. A inocência. Apagam-se todas as estrelas em sinal de luto. O ato é violento, frio, com todos os requintes de um martírio. Maria das Dores estava a ser violada. Extraviada. Roubada. Uma menina submetida à sádica obsessão daqueles que a deviam amar.

— Pai, pai!

Imagens difusas fluem na mente de Maria das Dores. Vêm-lhe à memória todos os pequenos momentos. As picadas da barba do seu pai negro no beijo matinal. A cor do seu sorriso. O número de pelos no peito que ela nunca conseguiu acabar de contar. O pai branco que lhe oferecia bonecas, chocolates. O seu pai negro que lhe oferecia bananas e cocos.

— Pai, meu pai! — grita novamente em gemidos de morte.

Do outro lado Delfina treme, encharcada de medo e suor. Ela ouve tudo. O grito da filha. Os gemidos do homem. O grunhido de uma bestialidade saciada. A princípio sorriu, pensando na dívida saldada. Maria das Dores era um bicho caçado, era pasto, sangrando no cativeiro. Mas também se entristece. Aquela filha já era mulher. Uma mulher que veio dela. Herdeira dos seus genes, do seu destino e dos seus amores endiabrados. Que aguardava o fim da tortura naquele ato de sexo iniciação, sexo vingança, sexo negócio.

Depois de tudo, o homem vai ao encontro de Delfina, satisfeito. A missão estava cumprida. No sorriso de uma mãe o choro de uma criança.

— Obrigado, Delfina. Finalmente cumpriste a palavra.

— Então podemos ir?

— Ela vai ficar aqui, por hoje.

— Mas!

— Não está em condições de andar. Está fraquinha, está cansada, está com sono. Ela vai ficar.

Delfina, experiente, deita contas à vida e adivinha o que se segue. O homem vai usá-la. Gastá-la. Abusá-la. Não, não foi esse o acordo.

— Está bem. Virei buscá-la, então, amanhã de manhã.

— Ela ficará aqui. Para sempre.

— O quê?

Simba responde num tom agressivo. Na discussão que se segue há uma voz que sobe e outra que desce. Uma que grita e outra que chora.

— Devolve-me a menina, já cumpri a minha parte — geme Delfina.

— Não te enganes. Entregaste-me a virgindade da menina sem pestanejar, Delfina. Por quê?

— Por que não disseste isso na devida hora? Consumaste o ato. Por que me queres condenar agora?

Maria das Dores conclui que José, seu pai, partiu para nunca mais voltar. De nada lhe vale gritar pelo seu nome. E compreendeu que já não tinha mãe. Que iria lembrar eternamente aquele dia em que a sua vida se modificara para sempre.

— És o meu homem, Simba. Não se pode ter a mãe e a filha ao mesmo tempo. Que será de mim sem ela?

— Vai-te embora daqui e deixa-a. Tratá-la-ei como a uma rainha. Aqui ela terá o amor que nunca teve. Cuidarei dela como marido e como pai. Dar-lhe-ei o lar digno que lhe roubaste e o pai que lhe tiraste. Tu não queres a filha, queres a escrava. Não a terás de volta. Nunca a quiseste. Ela que não pense em fugir de mim. Ah, se isso acontecer, hei de amaldiçoar toda a vossa família e farei da tua vida um inferno, Delfina.

Na voz do homem a convicção. Inspiração. Paixão. Traição. Mesmo assim, Delfina, apesar de manhosa, não percebeu ainda as reais motivações do homem. Maria das Dores ouve tudo. As palavras injuriosas, as tramas que a conduzem à noite mais longa da sua vida, levada pelo braço da mãe para o centro de fogo de uma guerra que mal entende.

— A minha sorte e o meu azar são obra das tuas mãos. Sem a tua intervenção, a minha vida não teria tido este rumo. Por que me abandonas agora?

— Sou um homem livre, Delfina, dormi contigo mas nunca fui teu. Fazer bruxedos é a minha profissão. E sou competente, sabes disso. Não me provoques.

— Hei de queixar-me à polícia — grita Delfina desesperada.

— Que entendem de magia esses brancos em quem confias? Quem será condenado? Tu ou eu? Tenta, se quiseres. Sabes do que sou capaz, Delfina.

— Logo que tiver dinheiro pagarei todas as minhas dívidas.

— Quando?

— Quando melhorar o meu negócio de pão.

Delfina sonhava com o regresso triunfal, as mãos cheias de moedas de ouro, mas saiu vencida, está salpicada de sangue, de arrependimento e de espanto. Na batalha final perdeu a filha, a serva, a fortuna do branco que ficará nas mãos do bruxo.

— Ah, Delfina. Desta vez apanhei-te. Ela é um pedaço de ti, ah, meu Deus ela é tão bonita! Tu és prostituta e ela uma santa. Tu és grosseira e ela requintada, tem berço. Tu dormes com todos e ela é só minha. Não, não posso perdê-la. Se ela tentar fugir eu mato-a, garanto-te, Delfina, e mato-te. Vou guardá-la a sete chaves e protegê-la de qualquer cobiça.

— Deixa-me vê-la pela última vez — implorava Delfina, entre lágrimas.

As mães são poderosas, escrevem com a própria mão, a letras negras ou a letras de ouro, nas páginas do destino. Transformam os filhos em heróis ou cobardes, em santas ou madalenas. Podem parir ou abortar. Elas detêm o destino dos filhos na palma da mão. É por isso que os filhos lhes chamam deusas. Ou feiticeiras.

— Sai da minha casa já! Caminha e não olhes para trás, senão soltarei maldições para ti e para todos os teus.

Delfina levanta os olhos para o céu. Em lugar de ver Deus, um pássaro lança-lhe caganitas no olho direito. Arrepende-se e delira. Ardeu o meu teto de palha. Caguei no meu próprio barco e não tenho como atravessar o rio. Abandona a casa de Simba como um sapo morto. A lua está redonda, apetitosa, como uma bola de queijo.

Ali estava Simba, vitorioso. Com ar profético. Poético. Boca de subtilezas e sabedorias ininteligíveis. Loucura camuflada em luminosidade sapiente que durante anos alimentou a grandiloquência de Delfina e a fez pensar que tinha garras para domar as rédeas do mundo.

Ali estava Maria das Dores, entregue ao desconhecido. Palavras como vergonha, dor, consciência, são pedras mortas de significado na boca de sua mãe e desse Simba que ela mal conhece. Reconhece o abismo em que se encontra mergulhada e recorda os únicos momentos felizes desenhados no rosto da sua boneca. Nos cabelos de Jacinta. Nos braços do seu pai negro e no sorriso do seu pai branco.

25

Depois da invasão original, as mulheres ficaram escravas. Lutaram pela libertação. Recuperaram de novo o seu reino e mataram todos os homens. Decretaram uma lei: toda a criança que nascer varão deverá ser morta, para exterminar a maldição do masculino. Assim o fizeram. Durante um longo tempo as mulheres viveram num paraíso total, absoluto. Um paraíso pudico, sem emoções, sem sexo, sem partos, sem nexo. Num belo dia nasceu uma criança linda como um anjo. Era varão. As parteiras, hipnotizadas pela beleza da criatura, esconderam a verdade e declararam que era fêmea. Cresceu vestido de mulher e aprendeu a fazer trabalhos domésticos. O tempo passou. A barba surgiu e a voz engrossou. Começou a invadir e a engravidar de novo todas as mulheres do reino, como um galo na capoeira. A rainha ordenou a sua morte, mas as mulheres apaixonadas pela criatura uniram-se, mataram a rainha e proclamaram o homem como o novo rei. Assim surgiu o primeiro harém. As mulheres tornaram-se escravas e tudo voltou a estar como antes. Porque o homem é um bicho indestrutível, ambicioso.

A rivalidade entre homens e mulheres agudizou-se. Para solucioná-la, é melhor colocar os homens na terra e as mulheres na lua. Assim, olhar-se-ão com saudade pelo espelho celeste, tal como acontece quando a luz aclara as eternas imagens dos longínquos e distantes habitantes da lua.

26

A vida de Jacinta tomava rumos inesperados. Via a casa a ser visitada por outros brancos das redondezas, ocupando o lugar que era do seu pai. As bebedeiras de Delfina cada vez mais prolongadas. Mas a ausência da Maria das Dores era o mais doloroso. Pelas ruas as pessoas interpelavam-na e contavam todos os pormenores da tragédia de Dores. Falavam da sua mãe e diziam nomes feios. Para uma criança, nada mais amargo do que ouvir epopeias malévolas de sua mãe na boca do mundo.

Jacinta repara na explosão de suspiros que os clientes da mãe soltavam na sua presença. Calculavam-na. Pesavam-na, preparando talvez o grande assalto. Ela sente em si a sereia virgem que a mãe venderia a um marinheiro qualquer, tal como fez com Maria das Dores. Maria Jacinta sente-se desprotegida, sem pai nem mãe para protegê-la dos olhos gulosos dos homens.

Crescia depressa. Não era ainda mulher, mas tinha a idade ideal para ser violada por qualquer um. O medo impele-a a buscar uma proteção, uma defesa. A desafiar a sua mãe na procura de uma solução.

— Delfina!

Estremece. Percebeu, na voz da filha, o presságio de uma guerra. Quando um filho te afronta, está próximo o dia da separação. Alargou os olhos e suspirou. Descobriu que a filha era mulher e era bela. E tinha uma coragem de ferro. Que a venceria, que a aniquilaria.

— Diz, minha flor.

— Onde está a Maria das Dores?

O olhar de Jacinta tinha a firmeza de uma guerreira. A voz áspera, ácida. Delfina sente um desarranjo no ventre. O terror penetra-a, tritura-a até curvar-se e ajoelhar-se diante da filha.

— Jacinta, minha flor, tens que compreender.

— Compreender? O quê?

A mente de Delfina procura uma palavra, uma resposta, um ponto de fuga.

— Está com o marido.

— Como é que aconteceu esse namoro, esse casamento?

— Eles amam-se, e decidiram ficar juntos.

— Mentes, assassina. Vendeste a Maria das Dores. Lá fora o mundo açoita-me de boca cheia. Todos me falam de ti e me dizem nomes feios.

Delfina transpira. A filha silenciosa falara. Mau agouro. Sente o mesmo desespero de um lavrador ao descobrir que as plantas mais belas da horta foram arrasadas pelo ciclone. Ou que depois da grande lavra não choveria. Ou choverá o dilúvio. Ou cairá uma onda de gafanhotos na grande praga.

Nos olhos de Jacinta a guerra declara-se.

— Alguma vez pensaste em mim, mãe? Alguma vez perguntaste a minha opinião?

— Ah, minha Jacinta, dei por ti o melhor de mim. Há coisas que ainda não entendes, ainda és criança.

— Sou criança, sim. Por isso andavas comigo ao colo, exibindo-me como um troféu às tuas amigas. Achas que sou feliz? Usaste a minha imagem para humilhar os meus irmãos mais escuros do que eu. Pensas que gosto?

Delfina fora sempre guerreira, vencera todos os combates, dominara o mundo e os homens, mas nunca se preparara para a luta contra a própria filha.

— Mãe, traz a Maria das Dores de volta.

— Sim, minha filha. Tentarei.

— Se não a trazes tu, a trarei eu. Lutarei por Maria das Dores até ao fim, eu juro. E não ficaremos mais nesta casa. Levarei comigo o Zezinho e o Luisinho.

— Irei buscá-la, sim. Será feita a tua vontade.

Delfina ficou hipnotizada por aquele comando que José dos Montes reconhecera ao primeiro choro. Olha para trás para medir a dimensão do abismo que cavara. A filha exige repostas com as armas em riste, fazendo-a navegar até aos confins da consciência, disposta a abanar a árvore maligna até à queda.

— Filha, eu errei, sei disso. Na minha mente a fórmula era: que o preto morra para que o branco viva. Nunca perceberás isso, Jacinta, o teu mundo é outro.

— Se o meu pai se foi embora é porque não te podia suportar. És uma mulher horrível, mãe.

— Não refiles tanto comigo, filhinha. Fiz tudo para o teu bem. Para teres mais pão. Para o negócio melhorar. Para poderes manter o teu estatuto de mulata, de assimilada, e não baixares de nível.

— És nojenta, mãe.

Descobre que criar um filho é criar uma guerra. Um cadilho, um chocalho, um guizo nos artelhos. Delfina decide depor as armas e submeter-se à tortura. Nunca se sai vitorioso num combate quando a filha é a principal inimiga. Na luta entre pais e filhos não há vencedores. Todos ganham e todos perdem. Era preciso acalmar a contenda.

— Tenho vergonha de ti, mãe!

— O sacrifício da Maria das Dores foi por ti, para que não sofras.

Maria Jacinta percorre o mundo para trazer de volta

Maria das Dores. Mas encontra uma barreira, o mesmo discurso: não vale a pena! Os adultos são predadores da pureza. Apanham uma virgem, dão uma facada e um enterro, com machadadas e frenesim, como índios na dança do fogo, celebrando a mágica felicidade colhida nos espasmos das crianças como cowboys matando à bala todos os bisontes nas pradarias da América.

Procurou os conselheiros da Igreja e expôs o caso. Estes cruzaram os braços e declararam: já não é pura, não vale a pena, enquanto o padre, nas homilias, gritava: que se acabe a escravatura, a exploração e o trabalho forçado. Que se liberte o povo e haja mais harmonia entre as raças. Que se pare com a deportação, para que as famílias possam crescer e viver unidas. Mas o caso Maria das Dores? Já é tarde, não vale a pena.

Maria Jacinta desesperava-se e monologava no seu silêncio: Ah, Maria das Dores. Por ti ninguém mais se interessa, porque já não és virgem, foste manchada, desonrada. Colocam pedregulhos sobre o teu corpo, para eles já não existes. Preferem socorrer a mulher assaltada por um ladrão de papaias, de bananas ou de mandioca. A ti tiraram a existência, a vida e o sonho, ninguém te acode e todos dizem que não vale a pena. Ela desespera-se, sem saber que um dia virá em que o mundo inteiro se prostrará para pedir perdão aos negros pela escravatura. Nem imagina ainda o dia em que os homens do mundo inteiro se ajoelharão pedindo perdão a todas as mulheres pela opressão, pela exclusão e pela violência que sobre elas exercem desde o princípio do mundo.

Depois das tentativas frustradas, Jacinta descarrega toda a raiva contra a sua mãe.

— Mãe, mataste a Maria das Dores.

— Nada disso. Ela está com o seu homem. E é muito amada.

— Por que não nos fizeste iguais, mãe? Por que não nos fizeste todos pretos ou todos mulatos? Por que ergueste tu esta divisão e esta fronteira?

— Ah, Jacinta! Um dia reconhecerás todo o bem que por ti fiz.

— Mãe, jamais te irei agradecer por um crime. Enterraste a tua filha viva. Por que odiavas tanto a Maria das Dores?

Delfina não odiava Maria das Dores. Nem se odiava. Odiava o mundo. O regime. Odiava as diferenças, que criavam senhores e escravos. Não podia odiá-la. Maria das Dores era uma criança obediente, trabalhadora incansável, servente do bar, cozinheira, vendedeira de pão no mercado do subúrbio, que cuidava da higiene da casa e das crianças, que tudo fazia para a Jacinta estar livre e estudar sem interferência. A filha que suportava as birras maternas sem reclamar, porque era negra e não tinha pai. Não, não podia odiá-la.

Naquele momento Delfina sente saudades da Maria das Dores sentada na varanda, de cabecinha no ar, vendo a lua a nascer no coração do mar. Sente saudades da alegria nos olhos de Jacinta depois do penteado e das histórias de estrelas e centauros. Saudades de ser desancorada do bar pela mão da filha a arrastá-la, bêbada, cansada, que lhe tirava as roupas, os sapatos e a cobria com um lençol engomado, perfumado. E depositava-lhe um beijo no rosto, como quem semeia uma flor. Ela nunca disse à filha o quanto a amava, porque o amor, tal como a dor, tem muitas maneiras de se manifestar. Só o amor entre o homem e a mulher precisa de cânticos. O amor entre mãe e filhos faz-se com zangas e palavrões, porque é doce, dúctil, maleável, sem artifícios, é tão natural que não precisa de homenagens nem discursos.

— Eu te odeio, Delfina. A minha presença aqui é um engano, não nasci de ti, nem tu és digna de ter uma filha como eu.

— Um dia me compreenderás, mesmo que não me perdoes. És filha deste ventre negro, como o verde palmar reverberando nesta Zambézia. És minha. Eternamente minha!

Maria Jacinta é tomada por um momento de revolta. De choro e de histeria. Grita contra o pai que a deixou sozinha nas mãos de uma louca. Que a trouxera ao mundo no ventre de uma negra e não no da esposa branca com fama de todas as virtudes. Contra a ausência de Maria das Dores patente na sujeira da casa, na desordem da cozinha, nos resultados da escola que baixavam a cada dia por não haver ninguém para orientar a caligrafia, nos seus cabelos desarranjados, nas histórias de coelhos e de monstros, na canção de embalar que cantava até ela adormecer, enquanto a mãe cuidava da sua beleza e se olhava no espelho.

Jacinta chora e fala ao vento.

— Estou só, Maria das Dores. Sem pai e sem mãe, com dois irmãozinhos desorientados como eu. Não sei cozinhar, não sei lavar, não sei procurar alimentos. Desde que saíste, comemos mal, comemos lixo. Faltam as tuas mãos para dar o toque artístico a todas as comidas. Comemos a verdura da horta da avó e as sobras de peixe oferecidas pelos pescadores do cais. Delfina come sozinha o bacalhau e bebe o vinho com sabor a pecado. Ela continua mais linda do que nunca.

Dias depois Maria Jacinta arrumou as malas dela e dos irmãos e partiram. Os padrinhos brancos e as freiras pretas e brancas responderam de imediato ao seu pedido e apressaram-se a afastá-los do antro de perdição. Recolheram todos menos a Dores. Era já um caso perdido, estava grávida e prisioneira de um feiticeiro mau, não valia a pena. Para fechar o caso, uma assistente social mandou passar um certificado de insanidade moral contra Delfina, enviando todas as crianças para o colégio.

Delfina estremeceu quando viu a filha a cumprir com todas as ameaças, atingindo-a por todos os pontos vitais até não mais poder respirar. Sofrera uma derrota equivalente a uma morte com todos os requintes de crueldade. Ficou só. Pela noite dentro chamava por Maria das Dores, e, em seguida, recordava que ela partira para sempre. Começou a beber um trago pela manhã, para animar a dor do despertar. Um trago pela tarde, para matar a força da recordação. Outro à noite, para matar os pesadelos e adormecer.

Delfina vê em si uma heroína. Não encontra nenhum mal em todos os seus atos. Deu uma lição a toda a gente. Mostrou que o branco feroz afinal é humano, domestica-se pelo coração. Mostrou que negra é gente, pode amar o branco e construir família. Inverteu as regras do jogo. Se ela tivesse sido uma boa menina, seria apenas mais uma mulher entre as outras. Sem história. Anónima. Que nasceu, pariu e morreu. Mas ela é marco. Referência. Todos falam dos tempos em que Delfina era nova. Dos tempos do marido preto e dos tempos do marido branco. Foi a primeira negra com casa eletrificada. A primeira com uma casa de cimento coberta de zinco no bairro dos negros. Foi dela o primeiro homem branco a residir no bairro dos negros. Foi ela a primeira negra a residir no bairro dos brancos. Os mais velhos suspiram por ela: Delfina, como era bela! Delfina, a rainha! Que desafiou brancos, desafiou o sistema, entrou na guerra, ganhou e perdeu, e pela vida se perdeu. Por isso a sua vida foi transformada em canto, em conto, em poema. Ela é parábola e ditado. Provérbio. Esta é a Delfina.

Delfina, gente fina
Que dormiu com os brancos
Por causa do chá e do açúcar

O nascer do sol é doloroso como a gestação de um filho. Engravidar o ventre da noite. Romper as membranas da terra e da madrugada. Vencer a força e a distância e o poder ofuscante das negras nuvens do horizonte. Brotar do chão. Sorrir. Soltar toda a luz interior para dar conforto à terra, fazer as flores desabrochar e iluminar o mundo.

Da natureza, Delfina aprendeu com quantas tochas acesas se faz um sol. Reúne as últimas forças e ergue e realiza um sonho antigo: abrir um prostíbulo para fornecer raparigas virgens por encomenda. Faz recrutamentos maciços nas aldeias, com ajuda de alguns sipaios. Algumas mães negras, movidas pelo mito da honra, levavam as filhas pela mão para serem desvirgindadas pelos clientes de Delfina.

A casa era uma *passerelle* de velhos colonos satisfeitos, bebendo virgindades e taças de sangue, pisando corpos vivos com botas de soldados, derrubando a moral à força do ouro. E as raparigas recebiam depois umas parcas moedas, um cabaz de bacalhau e azeitonas e uma garrafa de vinho inquinado, das mãos de Delfina. E o ouro voltou a correr nas mãos.

Muitas daquelas raparigas, desfilando trémulas, esfomeadas, magoadas, descalças, trariam ao mundo crianças da nova raça, de pai incógnito, que no futuro terão que fuçar a sua identidade nas raízes da História.

27

No princípio dos princípios, o mundo era só de mulheres. Elas lavravam, caçavam, construíam e a vida florescia. Os seres humanos, como a flora, nasciam do solo. Bastava semear uma aboboreira e as abóboras cresciam. Passados uns meses as abóboras abriam-se como ovos de galinha, deixando sair as mulheres mais lindas do planeta. Um dia, uma das mulheres caçou um ser estranho. Parecia gente, mas não tinha mamas. Tinha cabelo no queixo e, contrariamente aos outros bichos, tinha uma cauda curta à frente e não atrás. Prenderam aquele ser e levaram-no à rainha. A rainha olhou, espantou-se. Mandou lavar aquele animal e trazê-lo para junto dela. O animal tinha magia. Só o olhar dele provocava umas massagens concêntricas no coração, no peito, na mente. Quando lhe tocava, o sangue corria e o coração batia. A rainha deu por si a executar a dança da lua e da cobra com os lábios suspirando poemas nunca antes recitados. Da cauda do animal cresceu uma serpente, tímida, violenta, que derrubou a rainha à procura de um abrigo para esconder a cabeça. Encontrou um subterrâneo, entrou de imediato e se escondeu. A rainha estremeceu e rendeu-se. Soltou o primeiro suspiro de amor e descobriu que o animal era, afinal, um homem. Ela começou a engordar, a engordar e nunca mais conseguiu caçar. Passado um tempo, um filho nasceu.

O animal foi ao seu reino e falou da sua descoberta. Afinal ele também era rei. Convidou os seus para uma expedição àquele país de maravilhas. Os homens vieram, colonizaram todas as mulheres e instalaram-se como senhores. Foi assim que surgiu o primeiro amor e o primeiro ódio. Recebidos com amor, roubaram o poder às mulheres e por isso foram condenados a caçar cada vez mais longe e a trabalhar cada vez mais para sustentá-las.

É por isso que os homens morrem nas guerras, nas minas, nas plantações, para levar para casa a vitória prometida. Foi assim com os marinheiros. Recebidos com amor, acabaram senhores. Tentavam arrasar tudo e levar a vitória às suas damas. Falharam. Não se pode carregar toda a extensão da Zambézia dentro de um barco. Ou de um avião. Nem se pode destruir toda a vida com a força das armas.

No mundo onde a mulher manda, os filhos são do José, Abdul, Ndialo, Charles, Lu Xing, Stephany. A família tem peso de vento, é leve e esvoaça como uma nuvem tecida de sangue de diferentes cores, formas, e texturas. A alegria e a liberdade são filhas do matriarcado, onde se obedece às leis da natureza porque só a mulher conhece o verdadeiro pai dos filhos que tem. Os homens são simples reprodutores, seres menores.

Por isso eles devem pagar por tudo. Pelo lazer, pelo prazer que é concedido pelas mulheres. Pagar pela maternidade e pela dignidade que as mulheres lhes dão, pois sem elas não construiriam família.

No mundo onde o homem manda, os filhos são de um só. A família tem peso de chumbo, tecido por laços do mesmo sangue. Mas é um reino de lágrimas e de sofrimento. Com violência, os homens mantêm as mulheres fiéis à paulada. A violência é produto do patriarcado, porque os homens roubaram o poder às mulheres.

28

Não, não houve drama na chegada de Maria das Dores. As duas esposas antigas sentiram o que qualquer mulher sentiria em igual situação: magoadas, humilhadas, acabadas. Elas sufocaram os gritos, mas ostentaram máscaras de dor nas curvas da boca. Conformadas. Se não fosse com aquela mulher seria com outra. Se não fosse daquela maneira seria de outra.

Simba só tinha olhos para Maria das Dores. Oferecia-lhe flores, prendas, chocolates, bolachas, que ela recebia como cabra morta. Enquanto isso, amolecia o ciúme das outras mulheres com sal e pancada. Por isso elas lamentavam a própria sorte com sarcasmos na boca.

— Mulher bonita, bendita sejas tu. Com a tua chegada ficámos três no coração de um homem só. Mulher nova, vens chorando? Porquê se o casamento não tem dor nenhuma? Sorri, que, como nós, viverás acarinhada pelos feitiços desta casa.

Ensinara-lhe a beber. A fumar um pouco de soruma para relaxar, cuja dose aumentava gradualmente. Ela foi esquecendo, pouco a pouco, as coisas antigas. A achar normal aquela pobreza. A conviver com aquela falta de limpeza. A suportar o homem de quem era cada vez mais dependente, por causa do álcool e da droga que consumia. Quando por alguma razão ela lhe desobedecia, ele aplicava-lhe apenas um castigo: retirava o estupefaciente e matava-a de ansiedade. As outras mulheres soltavam palavras de gozo.

— Mulher amada, julgas-te a única? O que tu tens também temos. As mulheres belas nascem todos os dias. És querida, sim, por pouco tempo. Em breve virão outras e ficarás no esquecimento. As mulheres são flores, desabrocham de manhã, de noite morrem.

Um dia tentou pilar milho com a mulher mais velha. Fazia muito esforço mas não conseguia. Lânguida. Embriagada. Malcheirosa. A mulher mais velha comentou:

— Vieste linda e fresca, Maria das Dores. Estás velha, cheiras a álcool. Ficaste gasta em pouco tempo.

— Achas?

Maria das Dores olha para o seu aspeto e confirma. Estou envelhecida, sim. Dezoito anos de vida. Três filhos. Eu já não sou a mesma, eu sinto. Entrei aqui com treze anos. Como foi que o tempo passou? Onde é que eu estava, que nem vi correr os dias? Não tenho pai, não tenho mãe, estou neste inferno em que me meteram. Esta casa não é a minha casa. Este homem não é o meu homem, mas o homem da minha mãe. Como seria o meu homem? Bonito e alto como as estrelas de cinema? Bondoso e carinhoso como o meu pai José?

— O teu funeral não precisará nem de caixão, já estás enterrada.

— Eu não estou morta — defende-se Maria das Dores.

— Olha para o teu aspeto!

— O amor é belo, construtivo, Maria das Dores. Que amor é esse que te mata, que te suga, que te amarra?

Ela para e pensa. Simba diz que a ama muito. Mas que amor, se ali foi entregue por ódio? Talvez seja o de soruma, que fumavam, amor de cachaça com que se embriagavam e se envolviam nas maiores orgias deste mundo.

Acho que estou mesmo morta, confirma. O meu primeiro filho foi-me enxertado no ventre, numa gravidez que quase não vi nem senti, a dor que tinha anestesiava todos os órgãos dos sentidos. Nem o parto me doeu, hipnotizada que estava pelo álcool e pela revolta. Com o segundo filho foi o mesmo. No terceiro parto eu ia morrendo. Os músculos amolecidos pela soruma não reagiam. No hospital rasgaram-me para o bebé nascer. Escapei por milagre, segundo os médicos.

— Será que estou assim tão acabada, tão gasta? — pergunta Dores, assustada.

— Não vês?

Um dia as três mulheres falavam de coisas de dentro do quarto, sua conversa favorita. Maria das Dores contou algumas intimidades e elas caíram horrorizadas.

— Isso é coisa maldita, é sodomia, é pecado, não se faz com uma esposa. Os homens fazem com as prostitutas, não deves aceitar. Está a matar-te aos poucos.

— Matar-me?

— Ah, criatura, abre os olhos e cresce. Há práticas malignas que matam.

Então Maria das Dores se assusta. Em cada conversa elas repetem a mesma coisa: ele vai matar-te, está a matar-te aos poucos. Será que vou morrer? Meu Deus, não sou ninguém neste mundo, não existo. Ele vai matar-me porque não tenho pai nem mãe que me defendam. Porque sou a sombra da Delfina. É dela que o Simba tem raiva e não de mim. Mas é a mim que tortura. É a mim que mata, eu não sou deste lugar, não existo. Esta vida que levo aqui não me diz respeito. Os ciúmes que lançam sobre mim não são para mim, mas para a minha mãe.

Mãe, por que me deixaste aqui? Chove neste teto, o chão é de barro, não tenho cama, durmo na esteira, na humidade, presa às grilhetas como os escravos antigos. O Simba sai de manhã e me amarra, vem ao anoitecer e me desata. E traz-me a comida pela mão. Neste lar polígamo até as crianças me lançam insultos e sorriem quando me querem morder. Lamentam o meu destino de bêbada e me entorpecem com outros venenos. Rogam pragas contra mim e dizem que lhes roubei o lugar no coração do homem. Até quando viverei assim, minha mãe? Estou envolvida numa guerra que nem sequer promovi. Este é um lar de disciplina militar, chicote e castigo. Mãe, estas mulheres colocam sobre mim o peso das suas cruzes, eu não lhes fiz mal, não sei de nada, mãe, por que me puseste aqui?

Sou a esposa do Simba, canonicamente casada, numa cerimónia sem festa nem bolo. Casei com um vestido feito com pano de lençol branco, comprado no mercado, foi feito por um costureiro de rua, daqueles que se sentam nas varandas das lojas. Nem vieste, minha mãe. Nem houve convidados. A cerimónia foi breve, despachada, foi só entrar na igreja, assinar os papéis e sair pouco depois. O Simba estava feliz, guardou a certidão no bolso, foi deixar-me em casa e saiu. Tratou de extrair uma certidão de insanidade mental por consumo de estupefacientes que ele próprio me administrava.

Uma das mulheres, revoltada, desabafou um dia.

— Que casamento o teu, Maria das Dores! Nem a tua mãe foi convidada. Com tanto dinheiro que herdaste, não houve nem uma festa, nem pompa, nem um manjar diferente, nada! Por que é que o Simba se apressou a levar-te ao altar mal atingiste dezoito anos? Casou, sim, com a tua herança. A nossa vida melhorou com o teu dinheiro. Agora vivemos bem, será que tu não vês?

Então ela começava a compreender o que antes não via. O casamento apressado mal fez dezoito anos. O entorpecimento. A insanidade mental. Assusta-se: o próximo passo será a minha morte, tenho que sair daqui. Tenho que encontrar o meu lugar, o meu abrigo, onde possa acender a fogueira e contar belas histórias aos meus pequenos, bem longe deste lugar.

Pensa desesperadamente na fuga. Mas para onde? A terra é grande mas tem poucos esconderijos. Talvez vá colher chá nas plantações. Ou para a prostituição nos bares. Pensa melhor. Não irá a nenhum desses lugares. Quer ir para um lugar aberto. Longe de tudo e de todos, onde possa viver ignorada como uma planta ou um lagarto. Quer uma casa sem paredes nem teto. Sem cercado à volta do quintal. Um lugar de liberdade e de silêncio. Então recorda todos os mitos dos montes santos que atraem todas as almas na hora sagrada. Começa a sonhar com o coração das pedras. No túmulo das pedras. E sente o chamamento dos Montes Namuli correndo nas veias. Ir sozinha? Deixar os filhos naquela miséria? Não. A morte da aboboreira anuncia a morte das abóboras. Deixará a sua herança, não importa. A vida vale mais que qualquer ouro.

Aguardou a hora e partiu em passos levíssimos, no coração da madrugada. Com a cabeça repleta de medos e sonhos. Levava a Rosinha nas costas. Benedito e Fernando caminhando pelo seu pé. Eles vão tomar banho no rio enquanto lavo a roupa — disse, na hora da despedida. Na bacia de roupa ela escondia alguns mantimentos para a viagem ao desconhecido, à descoberta do mundo e das coisas luminosas.

Para onde vou eu? Vou à busca do meu pai, no sagrado solo dos montes. E se eu morrer nesta busca, será apenas uma nova morte sobre as tantas que já sofri. Entrou no autocarro de madrugada e saboreou o prazer de viajar sentada e ver as árvores a correr para trás. Foi vencendo distâncias.

Uma hora. Duas. Seis. A viagem parecia não ter fim. Ma ela estava maravilhada com tudo. Durante os anos de cativeiro não conhecera uma rua, uma estrada. Nem se lembrava da pureza do ar. Nem dos solavancos de um autocarro. Sentia-se o cheiro agradável da terra e o renovado verde das plantas. Ia apreciando aquela paisagem de vales e montes, de rios e pontes. Viaja de rosto virado para a janela com medo de ser descoberta, a fuga tinha que ser perfeita. Decidiu apear-se antes do terminal para despistar possíveis buscas, caso Simba pusesse a polícia no seu encalço. Queria chegar ao destino na calada da noite.

Atingiu a cidade do Gúruè ao entardecer e suspirou de alívio. Tinha chegado à terra prometida. Olhou. Os montes exibiam o eterno perfil. Demasiado altos. Uma lágrima de prata dos olhos do monte, nascimento do rio. O chá, o pinhal, o eucaliptal. E sentiu uma debilidade na mente. De ansiedade. De fome. De medo de ser descoberta e ser devolvida àquele lugar onde ela vivera prisioneira. Tornava-se imperioso alcançar uma gruta no alto dos montes naquele anoitecer. Para que ninguém desse pela sua presença durante algum tempo. Inicia a escalada com três menores ao colo que não conseguiam andar. De sono. De cansaço e de fome.

Enquanto subia, os remorsos e o medo incomodavam-lhe a consciência. Sentia a vergonha de não ter tido força de suportar um lar, de não ter sido capaz de aceitar o seu destino, acabando por arrastar os filhos para caminhos de consequências imprevisíveis. Condenava-se pelo egoísmo de ter afastado as crianças dos seus laços de família. De repente sente fome. Sede de aguardente e de um cigarro de soruma para ganhar mais coragem para enfrentar o destino.

Já nas alturas, para e respira. Quão difícil é subir a um monte. Que difícil é a busca de um espaço. Que difícil é a busca de si própria. Chamou a si todas as forças e continuou a subir. Rosinha há muito tinha parado de chorar. Entra em pânico e reza em silêncio: chora, Rosinha, chora e prova que ainda entra ar nesses pulmões. Fica assustada com a noite que cai. Com as pessoas que passam à distância. Com a coruja executando a sua serenata macabra. Com o assobio da serpente ouvindo-se entre os arbustos. Vê abutres a rodeá-la, voando a uns centímetros dos seus olhos. Os joelhos tremem. O corpo cede, cai. A mente se apaga.

Despertou num quarto branco, com cama branca e lençóis brancos. Com pessoas brancas vestidas de branco. Será que estou no céu? Olha para todos os lados. Para ser paraíso falta o céu, falta o azul, as trompetas e os anjos. As pessoas à sua volta tinham sexo, não podiam ser anjos. Faltava a leveza do corpo na ausência da gravidade. Sente uma secura na boca. Uma dor no braço. No céu não existem dores, tudo é alegria. Descobre que está num hospital. Como fora ali parar? Olha para todos os lados em busca dos filhos. Não os vê. Entra em delírio.

— Onde estou? Por que me prenderam aqui?

— Dorme, menina, que precisas de repouso — diz uma freira, com sorriso de sol. — Foste trazida numa maca por soldados treinando nas montanhas. Estás no hospital militar.

— A minha Rosinha onde está? Quero o Benedito. Onde está o Fernando?

— Estão aqui perto e estão muito bem. A Rosinha está fora do perigo.

— Perigo? Meu Deus, a minha filha corre perigo!

— Vamos, não te agites que o pior já passou. Fica calma que vou buscá-los. Olha, arranjei estas bonecas para eles. Fica calma que volto já com a linda Rosinha.

Naquele momento se apagam as luzes da mente. No céu as estrelas indicam outros destinos. Ela corre, sonâmbula, navegando no barco de luar, percorrendo todo o mar e toda a terra até completar e ultrapassar todas as fases de todas as luas. Procurando em todas as estações celestiais: não viram os meus filhos por aqui, não viram? Meus filhos de verdade e não estes, que não choram e nem mamam. E o vento respondia: vimos sim. Ali. Lá. Acolá. Quando atingia o ponto indicado encontrava a mesma resposta. Ali. Lá. E ela empreendia um novo percurso até completar o perímetro da terra.

Maria das Dores arremessou a mente à lua com o corpo em terra, numa viagem que deixará estupefactos todos os habitantes do mundo. Os pés conhecerão toda a superfície do planeta, movidos pelas invisíveis rodas da esperança. Ela saberá decifrar com quantas linhas se traçam as fronteiras do mundo, com quantas pessoas se faz um país e com quantas raças se constrói uma nação.

No hospital ficaram três bebés de verdade, paridos por um monte e levados aos braços de uma freira no bico de uma cegonha.

— A vossa mãe viajou no barco da lua — diria a freira um dia —, mora lá no alto do monte, onde só os santos chegam. Vocês são filhos do Namuli, e eu vos criei com leite das cabras.

E ela acolheu-os e tornou-se madrinha. Mãe, protectora. A vossa mãe voltará, um dia, dizia sempre, e descerá dos montes nas asas de um anjo.

Duas esposas aguardam ansiosamente o regresso do marido desaparecido. Gritam. Choram. Lamentam. Ansiosos estão também os filhos delas. Simba desapareceu numa madrugada. Depois de desfazer Delfina em cinzas.

Atitude imprevisível a de Simba, que derrubou tudo e partiu sem ao menos dar tempo para arrefecer amargura.

Ninguém o viu partir. De onde lhe vinha a reação louca, febril? De onde veio o amor repentino por Maria das Dores? Andou louco, esfarrapado, despenteado. Será por amor ou por orgulho ferido? Muitos acham que enlouqueceu e se atirou ao mar depois do suicídio frustrado. Outros acham que foi dar uma volta e regressará. Se ele levou todos os seus pertences, então não morreu, partiu. Todos dizem que a maldição foi de Delfina. Onde ela põe a mão tudo se desmorona.

29

Maria Jacinta está diante do altar, vai casar-se aos dezanove anos. Ah, o tempo passou tão depressa. Parece que foi ontem que ela nasceu. Parece que ontem ela ainda brincava com bonecas e andava no meu colo, de cabelo amarrado com fitinhas de seda, suspiram as mães, o tempo passou mesmo e estamos a envelhecer. Um dia desses Maria Jacinta saiu do colégio e cruzou-se com o amor da sua vida. Agora está ali, para confirmar o ato do matrimónio. Uma Jacinta mulher. Jacinta flor. Jacinta fresca, Jacinta linda.

Delfina está na porta da igreja. Vê a noiva, a sua Jacinta. E arregala os olhos hipnotizados pela imagem. O vestido branco aclara mais a pele de mulata, que até parecia uma branca. Emociona-se. No ar cheira a amor, cheira a paz, cheira a beijo romântico. É tanta beleza a engalanar o dia, tanta flor, tanto perfume. Dentro de Delfina explode o grito de vitória, ela sente-se de novo no miradouro do mundo na voz das perdizes, gurué, gurué! Venci! Gurué, gurué, o meu sonho se fez realidade, Jacinta é hoje uma bela esposa de homem branco! Tudo aconteceu exatamente como em todas as minhas preces.

Como se sente a minha Jacinta neste instante?, Delfina pergunta-se e responde-se, eu também me senti emocionada no dia do meu casamento. Muita confusão nos meus olhos, muita vertigem na mente. Uma multidão de olhos sobre mim. Eu era a rainha.

O casamento é um momento de paz. Delfina estava ali para mendigar o perdão de uma filha, dialogar com o passado e selar a reconciliação. Não recebeu convite para aquela boda, mas foi. Estava decidida a ficar até ao fim, nem que caíssem sobre ela todas as pedras do mundo. Enquanto Jacinta subia ao altar, Delfina chorava. Aquele momento era o coroar de todos os sacrifícios. Vê no rosto dela todas as marcas da família. Os olhos do pai, o Soares. A boca da avó, a Serafina. E revê a sua Maria das Dores. São muito parecidas uma com a outra. Uma preta e uma mulata. Todas filhas dela. O Zezinho está adulto, está lindo, igualzinho ao pai, José dos Montes. O Luisinho, cabeça grande e dedos longos. Do Soares. Naquele quadro falta a Maria das Dores.

No momento de emoção, a linha da vida se comprime. Princípio e fim formam um só ponto. Recordações do trajeto. Desde o parto. A dentição. Os primeiros passos. Os sacrifícios consentidos. As pequenas alegrias.

Uma mulher branca ao lado da noiva a fazer o papel de mãe. Delfina morre de ciúmes. Aquele lugar é dela, aquela filha é dela, a grandeza daquele momento também é dela. Mas Delfina perdera tudo no tempo das zangas. A família desintegrou-se, os filhos partiram, e aquela mulher recolheu as crianças nos escombros da vida. A mulher branca tornara-se madrinha e cuidara da educação dos pequenos enquanto Delfina se divertia. Jacinta cresceu no colégio de freiras, onde levava uma vida dura e sóbria que afastou definitivamente as imagens libertinas de uma mãe absorvidas na infância. Agora colhe os louros do seu próprio esforço.

Delfina chama toda a coragem do mundo e aproxima-se dela. Não foi um passo fácil. Reina um momento de expectativa e todo o mundo aguarda o desfecho. O que irá acontecer? Primeiro, Jacinta desvia os olhos carregados de surpresa. Como se não a conhecesse. Por dentro, a raiva. O que veio esta libertina fazer aqui? Imagens rápidas trespassam a sua mente.

Memórias da infância. Conflitos rácicos. A luta pela busca de espaço a que qualquer mulato se encontra sujeito. Construir amigos novos, uma família nova feita de retalhos de aceitação, de negação, pelos pretos e pelos brancos. Buscar os seus iguais num mundo sem pretos nem brancos onde se sinta em paz, onde a pudessem ouvir e aceitar sem lhe apontarem um dedo, uma arma, um defeito. Um mundo mais humano onde possam ser vistos como seres com seriedade e maturidade. Os pretos e os brancos acusam os mulatos de todos os males do mundo: criminalidade, prostituição, leviandade. Maria Jacinta respira fundo — sou o fruto dos teus conflitos, não, não me aproximarei de ti, minha mãe.

Delfina sente que vai perder aquela filha para sempre. Mas o que significa perder um filho? Um filho nunca se perde, parte. Por isso abandona o ventre da mãe. Por isso rompe o cordão umbilical. Por isso fere, sangra e até mata na hora do parto, porque um filho não pertence à mãe, mas ao mundo.

Tudo o que Delfina queria era abraçar a filha naquele instante. Tocá-la. Sabe que não pode. Tem as mãos impregnadas de manchas, de crimes, que podiam macular a pureza daquele momento. Mesmo sem tocá-la celebra. Afinal a filha era sua. Afinal a honra era dela. Dá mais um passo em direção a Jacinta e para. Estremece. Os olhos da filha eram os de uma guerreira de armas em riste, num duelo de morte. Olho no olho. Eram dois seres no encontro do destino. Prenunciando o princípio ou o fim.

— Estás linda, minha Jacinta!

— Onde está Maria das Dores? — pergunta Jacinta num sussurro agressivo.

As palavras de Jacinta eram ásperas, cortantes. Delfina respondeu com o silêncio e com a ausência. Compreende. A guerra antiga continua acesa e o regresso de Maria das Dores é a única medida de reconciliação. Solta duas lágrimas e funga. Com os olhos pede perdão.

— Ela continua perdida no mundo.

— Delfina, nunca mais olharei para o teu rosto enquanto não trouxeres de volta a Maria das Dores.

— Perdoa-me, filha.

— Não me toques, não me manches, Madalena negra. Afasta-te de mim, esquece que me trouxeste ao mundo, vagabunda.

Delfina resiste. Porque mãe é mãe. Só queria testemunhar o casamento de uma filha que lhe saiu do ventre e depois partir, sem rumo. Por isso se revolta e fala em surdina: tu és parte de mim e é meu o sangue que te corre nas veias. Esse teu vestido branco é produto do meu sofrimento.

Delfina sente-se consolada pela afronta que julga merecer. A menina tem razão, reconhece. Vai para o fundo da igreja e senta-se no banco de trás completamente ignorada. A história repete-se. Era aquele banco que a acolhia, no tempo em que a freira a acusava de distrair os padres com desejos pecaminosos. Encolheu-se no seu canto como uma intrusa, temendo ser escorraçada, o que podia acontecer a qualquer momento. Enquanto o casamento decorre ela pede bênção e perdão. Por si. Por tudo. Por todos. No seu silêncio sonha com o milagre da reconciliação e com o regresso de Maria das Dores. E sente orgulho por aquela filha no altar. Que herdara da mãe todas as virtudes. Lutar pelos seus sonhos. Sabia-se mulata, inferior. Seguiu o exemplo da mãe, subiu um degrau na escada da raça, caçou um branco e casou-se. Uma filha que cresceu com o carinho do vento. Que soube remover os espinhos e colocar flores na sua estrada. Pura. Virgem. Com um diploma na mão e uma aliança no dedo.

Ela vai ao copo-d'água pela mão de Zezinho que, percebendo o conflito, escolheu um canto solene e invisível de onde poderia assistir ao desenrolar da boda. Ela fica ali, encolhida, e contempla o cenário. Os casamentos são todos iguais. Comida, música e dança. Prendas e flores. Discursos de ocasião. Jacinta ignora completamente a presença da mãe. Mesmo assim, Delfina vive o seu momento de sonho realizado. E sente que alcançou a mais bela das estrelas e abriu os caminhos do impossível. Sente tanta alegria no peito como se aquela grinalda de flores estivesse na fronte dela. E estava. Porque era o seu sangue que corria naquela noiva.

Maria Jacinta levanta-se para agradecer as presenças e Delfina morre de pânico. E de espanto. No dia do casamento as noivas devem ficar belas e chorar. Discursar? O que terá Maria Jacinta para dizer ao mundo?

— Agradeço a todos os presentes. A minha emoção é grande neste dia, finalmente tenho uma família.

Começa então a compreender o que antes não vira. Que só um camaleão muda de cor. Que o negro é sempre negro e deve aprender o orgulho de sê-lo. Começa a perceber as mensagens de resistência nas greves dos palmares. Não se pode ser preto e ser branco ao mesmo tempo. Recorda-se das canções de revolta. A terra era minha e roubaram-ma. O corpo era meu e usaram-no. Esta noiva é minha filha e ma roubam. Ah, se eu fosse mais nova empunharia uma arma e lutaria pela minha dignidade e por tudo o que me tiraram.

— Fui aleitada com leite de coco e leite de cabra. A minha mãe morreu no ato do nascimento. Dela não vi sequer o rosto. Ao meu pai conheci bem. Ele levava-me ao colo e compunha só para mim as mais belas canções de embalar.

Aquele discurso era um despertar brutal para coisas antigas. Jacinta não mede as consequências graves para os corações dela e da mãe. Faz um discurso bombástico com palavras cáusticas. Delfina sente um calafrio. Gela. Descobre a cor dos olhos dela. Azuis cintilantes como olhos de uma gata. Penetrantes. Hipnotizantes. A força da voz dela. Ondulante. Comandante. Vibrante. Doce e revoltada. Combatente apaixonada. Guerreira. Heroína. Sente que está num palco de guerra. A filha está disposta a gritar até ordenhar todos os nimbos do céu e produzir o grande dilúvio. Quer libertar o calhau dos seus pesadelos e varrer do peito os espinhos do tempo.

— Eu tive uma irmã que se separou de mim. Foi raptada por uma bruxa e se perdeu pelos caminhos da vida. Ela era negra como a cor da terra. Ela me entrançava os cabelos nas noites de lua e me contava histórias de sonhos. Em cada noite colhia para mim uma estrela e ma colocava na testa, para afastar os pesadelos nos meus sonhos.

A voz de Jacinta ordenava silêncios. Memórias. Era uma espada vermelha com rebordos de fumo. Era fogo na luta do princípio da vida: o filho rasgando o ventre da mãe entre gritos e sangue, na batalha dos séculos. Um grito sacode Delfina e sobe-lhe ao céu da boca. Mas a sua abóbada era de vidro, hermética, e abafou o grito. Era uma luta entre o fogo e o tempo, no espaço ornamentado de uma boda.

De onde vinha aquela coragem, aquela frieza de Jacinta? Vinha de Delfina, que lhe ensinara no berço a lição da diferença. Na canção de embalar dizia que a humanidade tinha raças. Que as raças tinham estigmas, estratos, catálogos. Aquela coragem vinha do ódio das suas origens. Da necessidade de se afirmar e do prazer de magoar. Da urgência de romper o cordão umbilical com as suas origens e o seu passado. Da necessidade de apagar Delfina do seu caminho. Da necessidade de prevenir o futuro. Afastar um possível problema, podia ser que o marido branco não gostasse de ter uma sogra preta.

A multidão aplaude estrondosamente. Em todos os presentes o júbilo, a vingança coletiva. Discurso encomendado pelas mulheres brancas, que guardavam mágoas em caixões de silêncio contra Delfina, rainha dos amores proibidos. Profanadora dos lares santos. Finalmente a vilã foi desmascarada. Delfina tenta levantar-se e fugir dali para poupar os ouvidos dos uivos de uma cadela que lhe saiu do ventre. Mas os pés estão presos de mágoa, de nervos, de ódio. Ela roga pragas e fala baixinho.

— Ah, minha Jacinta, tu não vieste no bico de uma cegonha. Vieste de mim, és a projeção dos meus sonhos de mulher. Busquei-te. Trouxe-te das montanhas da escuridão. Coloquei-te no pedestal da vida e fiz de ti uma esposa para homem branco. Personificas toda a minha luta e a minha vitória.

As dúvidas começam a pairar na mente dos convidados. Quem está a ser rebaixada: a filha ou a mãe? Pode uma filha revolver os trapos da intimidade de uma família, há muito enterrados na lixeira, e trazê-los a público numa boda? Cuspir no rosto da mãe é cuspir sobre si própria. Insultar a mãe é insultar o seu próprio destino. Será que esta menina tem educação, será que pensa?

— Jacinta, um dia chamarás por mim. Sou mais importante para ti que todos esses brancos que te enganam. O meu poder é maior que o deles. Do meu sangue vem essa luz que te ilumina. Comigo está a chave do cofre onde guardei o teu cordão umbilical. Sou o alicerce onde repousas o teu cansaço. Conheço o rumo que a tua vida há de tomar. As pedras dos caminhos se cruzam, se encontram. Tu erguerás bandeiras brancas, buscando-me no manancial das sombras. E chorarás lágrimas ao vento buscando respostas na minha garganta muda. E te responderei palavras que não ouvirás, porque estarei do outro lado do mundo. Eu me vendi, eu me humilhei para construir o teu pão e o teu teto. Fiz de mim uma vagabunda para preparar o pedestal da tua vitória. Nunca me separei de ti, tu é que me abandonaste, escolhendo o teu mundo.

Dentro de Delfina há dinamite. Há explosão. O monte alto se desfaz em pedregulhos que rolam no desfiladeiro. O casamento é a celebração do amor e não a manifestação de dor. Balbucia palavras impercetíveis.

— Por que me renegas, minha Jacinta?

Buscava o princípio e encontrou o fim. As ilusões diluíam-se como sal e Delfina sorvia o seu copo de água salgada.

— Não me arrependo. Entrei num enxame de brancos e me tornei abelha-mestra perante o assombro do mundo. Recebi ferroadas que me estontearam, mas venci. Entrei no duelo das raças e provei que sou humana. Lutei com todas as armas de que dispunha. Da invasão à vitória. E hoje é a celebração do sangue negro. Hoje o amor celebra novas auroras. Encontrei na vida tudo o que procurava. Os teus dezanove anos de noiva são etapas, escadas, passagens do meu percurso de preta. Um dia entenderás o que hoje não vês.

Delfina consegue abrir a boca e falar em voz alta.

— Por que fazes isso comigo, minha Jacinta?

Os convidados trocam olhares de cumplicidade e desviam os olhos. Porque o discurso é maligno, transforma em velório a festa de matrimónio. As pessoas cochicham aos pares: pobre noivo! Leva para casa uma cobra num trono de rainha. Que filha é essa que degola a mãe e serve a cabeça numa bandeja de ouro no banquete dos inimigos? Se até a mãe despreza, o que fará com a sogra, o sogro e os cunhados? Mãe é sempre mãe, independentemente da origem. É uma bênção tê-la viva e ao nosso lado. Mãe não se tem por requerimento nem por deferimento. Mãe é aquela que Deus nos deu. Jacinta aprenderá um dia. Que o remédio que cura também mata. Que as mãos que te elevam aos céus também te enterram. Que o mundo que te coroa de ouro também te coroa de espinhos. Que no amor, a boca que te beija também te humilha.

— Jacinta da minha alma! Eu vim para te implorar amor, para quebrar o percurso da dor. Eu te peço perdão! Eu é que te dei este sol, esta lua, este momento maravilhoso que te engrandece. Venceste-me. Derrubaste o meu trono, espalhaste os meus segredos nos ouvidos dos inimigos. Mas eu perdoo tudo, eu sou a tua mãe. Depois de Deus e do teu pai, sou para ti a pessoa mais importante deste mundo.

Fecha os olhos e sacode a cabeça como se estranhos pássaros lhe bicassem os tímpanos. Uma varinha mágica toca-lhe no centro da cabeça. Ela encolhe, encolhe, e sente-se pequena, pequena. Ergue a cabeça e tenta enxergar o mundo. Vê apenas o ser monstruoso que ela criou. Do peito cansado solta o último sopro.

— Jacinta, meu anjo, conhecerás o deserto!

Delfina expressa toda a sua agonia com palavras velhas. Antigas. Que ouvira tantas vezes do seu pai, que vieram do pai do seu pai. O que Delfina não sabe é que as palavras têm magia. Palavras pronunciadas no ato da zanga tornam-se profecias e materializam-se. Uma palavra é uma prece.

Ouve-se um grito abafado explodindo dentro dela. Sente um milhão de alfinetes picotando-lhe o estômago. Curva-se sobre o chão e rebola. Desmaia. Zezinho corre em socorro da mãe. E recolhe no solo Delfina desmaiada. A ambulância vem e a transporta.

A vida é feita de contrastes. O choro e o canto. O grito e a dança. Os noivos sorriem para o fotógrafo e beijam-se na boca. Cortam o bolo de noiva de cinco andares adornado com fitas de seda. Os convidados batem palmas e a música soa alto na voz de Amália Rodrigues.

São caracóis, são caracolitos
São espanhóis, são espanholitos.

O coração de Delfina dança no espaço. De espanto. Semeou ventos, colheu tormentas.

Fiz do meu corpo uma seara onde cravaram a âncora todos os marinheiros sedentos de ouro. A luz que te ofusca ofuscou-me também. As palavras de hoje, proferi-as ontem. O mundo com que sonhas sonhei-o eu também, ah, minha Jacinta!

Delfina vê um risco no mar. Uma estrada no ar. Vê a filha afastando-se. A terra abrindo-se num grande abismo e elas ficam eternamente separadas por um rio bravo.

Jacinta não disse nada de mais, nada de menos. Disse apenas o que aprendeu da mãe. A desprezar os escuros e a preferir os claros. Se a sua própria mãe desprezou os seus dois filhos por serem negros, que obrigação tinha ela de assumir uma mãe negra, e em público?

— Para onde me levas, Zezinho?

— Para o hospital.

— Onde estou? Para, deixa-me aqui.

— Não. A mãe não está bem, delirou e desmaiou.

— Preciso de vomitar.

— Ah!

— Mas a voz que ouvi? Era dela?

— Dela quem?

— A minha Jacinta. O que disse ela?

— Não ouvi. Disse alguma coisa?

Saltou do carro à beira do mar. Vomitou. Vómito de vinho tinto, de bacalhau assado e de azeitonas pretas. Vómito negro e vermelho, vómito de sangue. E bebe o cheiro da maresia. Da maldição. Da traição. Abre a garganta livre e fala para as ondas.

— Maria Jacinta! Cuidado com as palavras! Com a língua se arrancam as flores dos caminhos e também se molda o barro da vida. Com a língua se constroem as grades de uma jaula e se desenham caminhos de liberdade, Jacinta da minha alma!

As ondas bailam na juventude perpétua e ela caminha, de cabeça baixa, vencida pela vida. Descalça os sapatos e chapinha sobre as águas ribeirinhas. Sente um imenso cansaço e adormece no abraço das ondas. Desperta.

— O que me aconteceu?

Olha para si. A roupa está rasgada. Só lhe resta o coração de mãe e a sua pele de preta. Pegadas em linhas curvas e quebradas marcadas sobre o solo, mostrando a geometria do percurso.

— Eu busquei os caminhos de felicidade sem saber que a felicidade é o passo que se dá em cada dia. Minha luta trajada de glória perdeu o manto. Não me arrependo. Entrei na guerra e provei o paladar da vitória. Mas a minha grandeza eram penas de galinha sobre o corpo, voaram. O paraíso que procurava era vento e nuvens vadiando sem direção. Traí o homem da minha vida. Destruí o lar do teu pai. Agora és tu que me desprezas. Será que as minhas guerras não valeram de nada?

Terá havido algum casamento? Não deve passar de um sonho mau. A voz que ouvira deve ser a projecção dos seus fantasmas interiores. Vê o chapéu de cetim boiando. Houve, sim, a celebração do amor.

— Sei que me amas, Jacinta, no fundo tu me amas. Mas sou a tua vergonha e a tua desgraça. Não queres me ver assim, bêbada. Se não beber, como irei eu enfrentar os fantasmas da noite? Não me queres ver com muitos homens, eu sei. A guerra pela sobrevivência fez de mim o que hoje sou.

O amor verdadeiro reside nas tetas prenhes de uma vaca leiteira. No sol da primavera que floresce os campos. Nas cigarras que alimentam de paz os ouvidos do mundo. No fogo e no gelo que constroem a humidade, incubadora da vida. Na noite e na luz, que produzem ciclos de sombra e sol. No carvão negro, fonte de fogo, que torna o inverno mais romântico, aconchegante. O amor verdadeiro está nas mãos negras e nas mãos brancas que se uniram na construção do palmar da Zambézia, se guerrearam, se odiaram, caíram nas lanças do cupido e se amaram na penumbra, coração de um no outro, na gestação da nova raça e da nova nação.

Volta a deitar-se de costas à beira das ondas. As nuvens ao longe são lençóis de frescura. Sente fome e sede de ternura e de bons sentimentos. Mas o Sol se põe e a noite vem. Terá que esperar o dia clarear para provar a justiça numa garrafa de aguardente.

30

Olhar para o mundo é tudo o que lhe resta. A natureza é sustentável, perfeita. Quando todos partem, há uma sombra esperando por ti. Quando não tens um poiso, há um morro, dunas, um tronco morto à beira do caminho esperando por ti. Uma paisagem bela no horizonte para preencher o vazio. Mesmo que haja fogo no peito há chuva, há vento, há orvalho para arrefecer a dor e acalmar a fervura. Quando o coração penetra nas trevas tenebrosas há sol, há lua, há estrelas no céu para acender a vela da esperança. A natureza está repleta de sons e poemas que te preenchem os ouvidos desertos de palavras de amor.

Delfina está dentro de si mesma, ao lado da natureza que a circunda, com a mente residindo nas proximidades da lua. Sente a pulsação do ar, do vento e da água. E tem a impressão de estar viva na memória do tempo que foi e não volta mais. De outra dimensão escuta vozes antigas, que lhe explodem aos ouvidos como sacos de vento.

Delfina, minha filha,
Atravessarás o deserto!

O deserto faz ouvir com nitidez todos os sons do teu corpo. E recorda-te que existes. Que és carne, és cinza, poeira, e como os ventos também passas. Ensina cada um a sentir a sua própria presença e a valorizar uma gota de água. Longe da vegetação, o deserto espelha a tua consciência. E te obriga ao confronto com a tua própria imagem até ao diálogo e à reconciliação. O deserto te faz compreender que a vida é uma tempestade de areia, uma nuvem no alto que vagueia, que passa, que chove e desaparece. Mostra que de nada vale estar rodeado de multidões porque a dor é solitária, íntima e surda.

Delfina, que dormiu com o Sousa, o branco,
por causa do chá e do açúcar

Mil caminhos entrançados como serpentes venenosas. No coração dorido, Delfina grita. Gente perfeita, por que não me eliminam, por que não me lançam ao inferno de uma vez? Defuntos impotentes, insanos, tirem de mim este sol, esta lua. Deus surdo e mudo, por que não me trazes notícias da minha filha? Sou uma árvore seca de ramos, não sou nada. O meu nome é sátira e cantiga. Aclamada no gozo e no escárnio. Refugiada na lembrança doce dos tempos de brilho. Estou na dança da carne assando na brasa. Eu, pecadora, me confesso... estou no deserto da vida morrendo de sede!

Abre os olhos. Crianças ágeis passam por perto, em grupos. Com saias azul-escuras e blusas claras. Juntam-se como nuvens negras muito perto dela. Cantam. Batem palmas. Dançam. Corpos pequenos invocando momentos de cio dos tempos que hão de vir, quando forem obrigadas a dormir com qualquer um por causa de chá e de açúcar. Por causa da submissão. Da pobreza e da injustiça humana.

Gaivota, gaivota.
Diz à minha mãe...

Nos ouvidos de Delfina o zumbido cresce medonho, despertando memórias, momentos, percursos. A canção dá asas para voar à retaguarda. Obriga-a a segurar a dor como um tesouro. A arrancar o coração do peito e colocá-lo na palma da mão para extrair o espinho que lhe causa amargura. Sente o crepitar das chamas no corpo. O sangue em fervura. O corpo a subir de temperatura. Toda ela se transforma em floresta morta, lenha, palha seca, gás, no incêndio dos séculos. As canções da criançada despertam outras cantigas enterradas na raiz da memória. E suspira. Essa voz parece de Maria das Dores. Esse grito parece o de Maria das Dores. Essa dança de meninas, erótica, é a mesma que encantava Maria das Dores! Essa alegria, essa liberdade, era a mesma de Maria das Dores. Diz-me, Maria das Dores: trazias a desgraça no punho fechado na hora do nascimento? Maria das Dores, como deves ter sofrido neste mundo. Como deves estar a sofrer agora, se estiveres viva. Por onde andas, que nem dás sinal?

... que vendeu a virgindade da filha,
Para melhorar o negócio do pão.

Ah, Maria das Dores. Percorri vales e montanhas com a planta do meu pé. Varri paisagens com as antenas dos meus olhos. Falei com as ondas e desesperei. Arranquei confissões disparatadas nos búzios falantes das pitonisas. Disseram que estavas viva e eu caminharia emocionada ao teu encontro. Nada disso serviu. Nem esperança, nem desespero, nem velas acesas aos santos, nem sacrifícios de sangue de galinhas para os mortos. Passaram mais de vinte anos e nada aconteceu. Uma coisa te digo. Eu não quero morrer antes do teu regresso.

Delfina, gente fina...

O mundo de abutres alimenta-se das minhas feridas. Não as deixam cicatrizar, avivam-nas, sangram-nas com cantigas mortas. Olha para o céu, para o azul, para as nuvens. Depois entabula um diálogo choroso com o seu corpo. Ventre meu, veja a desgraça que geraste. Veja a dor que criaste. Ventre meu, por que não abortaste? Por que não mataste? Ventre mudo, ventre surdo, ventre cego, por que fazes tudo nas trevas e no silêncio? Por que não respondes às minhas perguntas, por que não me falas? Em cada gestação sofri ansiedades, sofri visões, os medos retalharam-me o meu coração ante o teu silêncio. Via monstros, fantasmas, estradas, destinos, a desfilarem no meu imaginário como bandos de pássaros. Imaginei abortos. Partos difíceis. Bebés nascendo antes do tempo. Deficiências. Doenças. Morte. E molhava o rosto de lágrimas. As bocas supersticiosas do povo alimentavam a minha fantasia. Sonhava que paria cobras, peixes, gatos pretos, sapos, monstros de duas cabeças e um corpo, três pernas. Aprendi com a gravidez da Maria das Dores que a eternidade da mulher dura nove meses de espera.

Eu te gerei com muito amor, Maria das Dores. Mas quando nasceste, a vida me impôs regras contrárias ao jogo da maternidade. O mundo nos desumanizou e nos desuniu. E me fez esquecer que foi deste ventre que te pari.

Delfina que pariu pretos,
Que pariu brancos

Tens o teu destino igual ao meu. De dores, de cinzas, de raivas e sarcasmos. Atrair o amor e acabar em dor. Eu e tu conhecemos tudo. O choro e o riso. O sol e as trevas. Tivemos nas mãos o amor que todos procuram e não o conseguimos segurar. O Simba te amava. De voz irada soltou protestos contra a tua partida. Enlouqueceu e rogou pragas terríveis contra o teu destino. Acusou-me de te ter escondido e espancou-me selvaticamente. Com um tronco nos braços quebrou-me a casa inteira, o mobiliário e todas as vidraças. O povo invejoso o ajudou e todos me assaltaram, incendiando tudo, por vingança. Fiquei na desgraça. Ninguém me socorreu. O padre aplaudiu. Os bombeiros divertidos apagaram as chamas. A polícia riu-se e só veio para libertar algumas raparigas cativas que morriam de medo, de frio, de insegurança, no meio daquele incêndio medonho.

O Simba não me venceu, não. Tinha dinheiro suficiente para o mandar matar, mas não queria sujar as minhas mãos com o sangue de um bruxo, que era o pai dos teus filhos. Venceu-me, sim, a saudade que sinto por ti. Saudade dos meus filhos que me deixaram e partiram. Saudades dos meus maridos que por me amar se destruíram. O Simba desapareceu. Espero bem que se tenha atirado ao mar e que a sua alma repouse em paz no estômago das piranhas.

Os teus três filhos devem estar lindos, sinto que estão vivos. Vejo-os nos meus sonhos, morro de saudades, eu te amo, Maria das Dores.

Delfina tem sempre a mesma rotina. Despertar, varrer a casa e o quintal para estar tudo em ordem quando José dos Montes chegar. Arrumar os brinquedos para estar tudo em ordem no dia em que Maria das Dores voltar. E arruma-se. Compra um litro de óleo de palma e besunta o corpo inteiro. E brilha como uma estrela. Aí estava ela. Imponente. Rainha Delfina cansada de guerra. Que insultou os negros. Que provocou os brancos. Peixe solto à margem do cardume vagueando sem rumo, com saias de folhos e rendas rasgadas pelo vento. E viveria sempre de olhos postos no mar, procurando algo escondido debaixo das ondas. Ao lado da garrafa de aguardente, sua doce companheira. Talvez repousando da vida atribulada de outrora. Talvez recordando e revivendo o tempo dos marinheiros.

31

Dia Nacional da Mulher.

Delfina decidira juntar-se à marcha das mulheres na celebração do dia. A marcha fazia sonhar. O sonho era tudo o que ela queria. Pensa em Maria das Dores.

Ouves estas vozes, ouves, Maria das Dores? Cantam a palavra liberdade. Fazem-me lembrar as greves dos meus tempos de menina, lá nas plantações do chá e do palmar. Hoje são as mulheres que levantam as vozes e clamam contra outras escravaturas. Arremessando ao vento a amargura dos séculos. Queimando os aventais, amolgando panelas, partindo as vassouras, abandonando os tanques de roupa e as tábuas de engomar, para se tornarem cantoras de sonhos. Projetam um mundo que não existe. Querem ter o amor para sempre. A terra para sempre. Tudo para sempre. Mas como pode uma mulher ser dona do mundo se tem braços curtos e olhos pequenos? Como pode uma mulher ser feliz se o amor se faz de flor e a flor é mesmo ela?

Esse canto desperta as cinzas do tempo. Ressuscitam do túmulo todas as almas das raparigas mortas no meu prostíbulo. São elas a cantar os sonhos que lhes roubei, a vida que lhes tirei. Estas canções falam de mim e de ti, Maria das Dores. Hoje as mulheres cantam na rua. Na rádio. No meu tempo, cantavam ao vento. Cantavam para as ondas do rio, lavando roupas, lavando mágoas. Cantavam no pilão, pilando milho, pilando sonhos.

Ah, esta ilusão veio tarde. Assisto, à margem, às mudanças do mundo. Os pretos a subir. Os marinheiros a partir. A pobreza a aumentar. Nasci nos tempos em que a vida não tinha norte, acabando vítima das minhas ilusões. Naveguei o meu barco em caminhos bravos. Encalhei. Por isso me vendi para preencher a geografia erótica dos marinheiros.

A história desta marcha não começa nesta data. A guerra dos sexos é muito, muito antiga. Tudo começou nos tempos sem memória. Era uma vez...

No princípio de tudo havia um reino só de homens. Nasciam das bananeiras e eram muitos, num só cacho. Cada banana era um bebé. Deve ter sido nesse tempo que se inventaram os biberões, as crianças eram alimentadas com leite de coco porque os homens não têm mamas. Tinham o trabalho de semear as palmeiras. Esperar o coco maturar. Subir, colher, ralar, espremer e preparar o leite para os bebés. A maior infelicidade dos homens desse tempo residia na lavagem das fraldas com cocó de bebé.

Descobriram o reino das mulheres do outro lado do mundo. Descobriram ainda que elas eram mais evoluídas, tinham no peito duas leitarias móveis, automáticas, eletrónicas, digitais, e ainda por cima cada mulher só paria um filho por ano e, excecionalmente, dois. Fizeram um plano. Conquistando-as, não teriam que cuidar das fraldas nem depender do leite de coco. Invadiram-nas. Depois de bravos combates veio o pacto. As mulheres passariam a fazer os filhos e a cuidá-los e eles tratariam da segurança e do alimento. De princípio os homens cumpriram o pacto mas, tempos depois, começaram as violações e as mulheres foram transformadas em escravas. É por isso que elas saem à rua e reclamam a liberdade perdida. Na reivindicação do Dia Nacional da Mulher, a ameaça: se os homens não cumprem o pacto, haverá greve de sexo e tudo voltará a ser como antes. Os filhos nascerão de novo das bananeiras, os homens dependerão do palmar e terão muitas fraldas por lavar. Para prevenir esse desastre ecológico, os cientistas apressaram-se a desenvolver tecnologias de clonagem humana, bebés proveta e barrigas de aluguer.

As mulheres sozinhas são rainhas e têm orgulho de existir como no princípio do mundo. Escravizadas, saem à rua, lutam pela liberdade, mas quando estão dentro do quarto imploram de novo pela escravatura e domínio masculino. E os homens, esses heroicos vencedores, são reis apenas quando estão sós. Nos braços das mulheres uivam como crianças.

32

Quando o dia terminou estavam exaustos. Os dois irmãos sentaram-se na varanda do padre para um repouso. Reinava o escurecer, a calma, o silêncio. Nem o cantar de um galo. Nem o piar de um mocho. Foi neste ambiente que a lua chegou. A lua e a magia. O sono teimoso fugiu, ninguém queria dormir. Falavam de tudo. De nada. Nunca antes falaram tanto de coisa nenhuma. Desde que nasceram. Desde que cresceram e se fizeram homens. A palavra era a única força vital gravitando no cosmo. Estavam juntos e exorcizavam o medo do papão pairando na infância distante. As palavras eram lenha acesa na fogueira contra o medo. Dentro de cada um, o coração sonhando o afeto de uma mãe.

A louca do rio surge do nada e trespassa o portão da casa numa rajada. Parece que foi assolada por um pavor estranho. Vê um horizonte de trevas profundas e elevações malignas que a pretendem esmagar. Vê fantasmas do tamanho dos montes e foge das ciladas, das emboscadas e pedradas. Treme como um navegador diante do gigante dos mares revolvendo as águas em ondas bravas. Sem pedir licença, busca socorro e segurança no interior da casa do padre.

Cada um tem a sua loucura — comenta o médico —, e deixam a louca penetrar nos aposentos e circular em liberdade. Os dois homens levantam-se ao mesmo tempo. Seguem-na, apenas para espiar os seus movimentos. A curiosidade arrasta-os, como um magnetismo extraordinário. Não sentiam piedade nem compaixão, mas algo simplesmente inexplicável. A magia da noite era a principal responsável. A solidão lembra-nos que há um quarto dentro de nós. Para ser habitado por sons. Sentimentos. Calor, frio. Movimento. Lembra-nos que nada somos sem companhia para preencher o vazio da nossa alma. Lembra-nos que só se é alguém quando se tem alguém. A louca para na sala de jantar do padre. Olha para a parede. Vê um crucifixo pendurado com um Cristo negro sangrando pelas chagas.

Fixa os olhos no Cristo pendurado na parede. Talvez transferindo para aquela imagem a força da sua revolta. Talvez fazendo preces em silêncio. Ou talvez esteja simplesmente a apreciar uma escultura de barro. Ou olhando para o corpo disforme de um homem na parede. Descobre-lhe muita coisa anormal. Um nariz gordo, de preto. Narinas do tamanho de búzios. Lábios do tamanho das conchas marinhas. Tronco nu e estrias no ventre como um esfomeado qualquer. E tinha os olhos muito tristes e cabelos longos. *Dreads*. Cristo Rastafári. Cristo *Ragee*. *Cristaragee*, *Cristafári*. Se ele morreu tão longe, por que é que o penduraram aqui? Se ele não era preto, para quê pintá-lo? Desvia os olhos. Esperava ver era um Cristo branco e não negro. Um rei e não um bantu. Tudo aquilo destoava com tudo o que aprendera.

Senta-se na cadeira e viaja para o espaço através da janela aberta. Os montes brilhavam no manto da lua. E via a lua completa, lua branca, lua redonda, que ilumina o mundo com candeias de leite. Lua virgem com gente bonita lá dentro.

Ouve-se um sopro de pássaro flutuando nas ondas de vento. É um titubear mudo, saindo da garanta da louca. Uma cantiga doce, bela, triste, que vem de um lugar sem nome. Os dois irmãos escutam, hipnotizados. Sem saber que iriam gravar para sempre o poder magnético daquela cantiga.

Maria volta a olhar para o Cristo de barro que agora pisca os olhos enquanto os lábios tremem e se abrem como uma concha antiga soltando dentes luminosos. Fala.

— Olá, Maria!

Ouve-se um crack na parede. O Cristo de barro dissolve os pregos que o prendem à cruz, que afinal são também de barro. Desce e poisa os pés no solo. Faz umas flexões para ativar a circulação nos membros, como quem acaba de despertar de um sono de dois mil anos. Sacode a poeira dos ombros e caminha ao encontro de Maria. O padre e o médico seguram a louca que grita desvairada. As suas forças não bastam e pedem a ajuda do cozinheiro mudo. Tentam segurá-la até que se acalme. Naquele ato, a estranha sensação de segurar a mãe que nunca tiveram. Que morreu ou que está viva. Que se perdeu na memória dos tempos. A louca é mesmo louca, confunde o cozinheiro e o Cristo de barro numa só pessoa. Da boca de ambos escuta a mesma voz perdida nos tempos.

— Diz-me tudo sobre ti, Maria — pede o homem de barro.

— Sou eu, a Maria das Dores, a louca. Aquela que saiu em busca de amor e perdeu todo o seu tesouro. Aquela que tudo quis e nada tem. Filha do José dos Montes e da Delfina.

— Ah, Maria.

— Por que me abandonaste, meu pai? Por que não me levaste contigo para o teu reino de barro?

— Ah, Maria, diz-me o que te faz sofrer que hoje te darei a resposta. Desfaz o nó que tens no peito, eu estou aqui para te amparar. Vamos, Maria, diz-me um desejo, um desejo só, que eu te darei.

Maria abre as comportas da alma e endereça o desejo num grito pavoroso:

— Quero o meu Benedito, o meu Fernando e a minha Rosinha, meus bebés de verdade.

— Onde estão?

— Perdi-os na gruta do monte. Há muito tempo. Foram levados por uma freira.

— Conta-me tudo, Maria.

Ela conta. Os Montes Namuli. A escalada. A gruta. Soldados brancos em treinos militares no coração da guerra colonial. O hospital, os médicos. A freira que lhe levou os filhos. Três homens permanecem quietos, assistindo ao insólito. Presentes. Ausentes. Hipnotizados pelas palavras que correm em torrente da boca de uma louca. O Cristo bantu ergue Maria no ar e pronuncia encantamentos. Ela fecha os olhos e saboreia o momento.

O Cristo negro solta uma lágrima e um sorriso.

— O teu desejo será respondido, Maria, liberta-te, voa, busca os teus pertences no espaço, regressa à terra que eu te darei a resposta.

Há um clarão na mente de Maria das Dores. É a loucura partindo para a lua. Porque ela agora pode contar com a proteção da terra. Maria voga nos céus, em movimento descendente. Despede-se de todas as estações celestiais. Ursa. Centauro. Cruzeiro do Sul. Cassiopeia. Via Láctea. Apanha os pedaços da sua alma na superfície lunar e regressa. Despe a loucura que a cobre e repousa a infinita trajetória de vinte e cinco anos de marcha descalça. Procura o Cristo de barro com olhos lúcidos, mas este voltou ao seu posto. Olha para os lados, como quem desperta de um grande sonho. Um espasmo enorme a sacode. O padre e o médico seguram-na com toda a força para que ela não fuja e conte tudo o que sabe.

— Chama o velho Simba para hipnotizá-la até acalmar, rápido! Ela está possessa — grita o médico.

Simba vem a correr e cura o transe. Maria acalma-se e desperta para a realidade que a rodeia.

— Que faço eu aqui? — pergunta Maria, encabulada.

— Maria, afinal de onde vens tu? — pergunta o padre, emocionado.

— Venho de lugar nenhum. Venho de um ventre de luto, coberto de fogo. Fogo posto por demónios. Sou a flor dos catos no deserto distante. Sou a solidão e o desespero. A minha história jamais será compreendida.

— Também tivemos uma mãe e perdemo-la. Não sabemos se está viva ou morta.

— Ah!

— Fomos encontrados numa caverna dos Montes Namuli — explica o padre. Somos três irmãos. Benedito, Fernando e Rosinha.

— Como aconteceu tudo, Maria? — pergunta o padre.

— Uma longa história.

Maria conta. Histórias de pretos, brancos, mestiços debaixo do mesmo teto, residentes do mesmo ventre. Histórias de negócios e de feitiços. Histórias de violência, de violação, de sexo, de entorpecimento. História dos partos inconscientes, de ciúmes e de poligamia. Conta factos sobre trajetórias, sofrimento e ansiedade. Do preço da virgindade para saldar dívidas de negócios. Fala das curvas de nível de todos os calvários que conheceu. Do curso das águas nos vales e nos montes. Das estradas, das aldeias, cidades e vilas que percorreu.

— Diz-me o teu verdadeiro nome, Maria — pergunta Simba, o curandeiro.

— Maria das Dores.

Os dois irmãos olham para Maria das Dores com redobrada ternura. Arregalam os olhos sobre a mulher que delira, vasculhando na noite a memória dos tempos. Era sim. Era ela o motivo da eterna procura. Encontram todos os traços que se buscam na identificação. Colocam sobre ela a imagem de Rosinha. Comparam. O arco de seda que cai sobre as sobrancelhas como uma meia-lua. Lábios gordos como um tutano, cheios de sangue, cheios de carne. Cabelos e cílios fartos como novelos de seda. Pele de negro ouro com olhos de gata. Gata que mata rato na calada da noite. Aquele busto farto. Voz de quem canta quando fala. Difere apenas a cor da pele. A pele de Rosinha é mais clara, uma mistura de negro e pêssego.

Maria das Dores procura no padre e no médico todas as marcas de infância, daquelas que só uma mãe conhece. Pequenas manchas, pontos negros, cicatrizes. Semelhanças. Diferenças. Cor da pele. Olhares. Tonalidades da pele.

— Serás tu a mãe que procuramos, Maria?

— Serão os filhos que eu procuro? O meu Benedito tem uma marca de nascença no corpo, na omoplata, redonda, completa, como um ovo de lagarto.

O padre e o médico estavam habituados à ideia de não ter mãe. Maria estava habituada à ideia de ter perdido os filhos. Aquela verdade era tudo o que desejavam, mas queriam que a verdade viesse gradual e vagarosamente. Que os preparasse psicologicamente. Acenderam muitas velas para que o que está a acontecer acontecesse. Mas que não fosse daquela maneira. Que afinal foi a melhor maneira. Inesperada mas desejada, surpreendente, ansiada.

Mãe e filhos emergindo num cenário de fogo e tempestade. O fim e o princípio no mesmo ponto. O milagre da noite acontecera.

— Por onde andou todo este tempo, mãe?

Onde? Tinha seguido os caminhos do poente. Enquanto isso os fantasmas e as sombras más vieram para brincar na alma dos filhos em tortura. Tinha partido para longe nas asas das aves noturnas que piam lúgubres cantigas. Onde?

Nos caminhos do Ile, Namarrói, Gilé, Gúruè, Milange, Molócue e mundos desconhecidos. Em busca dos seus três meninos que choravam e mamavam. A vida dava-lhe bofetões, puxões de orelhas e beliscões. E os montes metiam-lhe medo e fechavam a visão do horizonte. Por vezes atraíam-na transformando-se em espelhos que lhe falavam como falos.

Deixaram-se ficar assim abraçados momentos intermináveis. Não estavam ainda conscientes daquele encontro. Podia ser um sonho. Podia ser uma realidade.

O cozinheiro mudo abriu a boca. Falou.

— Minha primogénita, minha dor, minha afirmação de homem!

— Ah?

— Sou o teu pai.

— Meu pai? José dos Montes?

— Sim. Eu. Que te gerei por amor. De ti ouvi pela primeira vez a palavra papá e me senti mais homem. Eu te abandonei com dor, refugiei-me aqui e fingi-me mudo para abafar a reprodução da minha tragédia.

— Ah, meu pai!

— Sobrevivi à solidão, ao desgosto. Para te ver assim, Maria das Dores? O que aconteceu? O que fez de ti este mundo mau? Quem te destruiu o coração, quem? Quantas vezes pensei eu em assaltar-te como um vadio para me realizar como homem que ainda sou? No momento exato eu dizia que não, como se uma mão mágica me impedisse. Porque eras a minha primogénita, ah, maldita vida!

O curandeiro chora como uma criança. De emoção. De qualquer coisa que ninguém entende.

— O que foi, meu velho? — pergunta o médico.

— Doutorzinho, sou eu, o Simba. O que amou a Maria das Dores até à perdição. Sou eu...

— Quem?

— O marido dela. O vosso pai.

— Ah! Tu? Todos estavam aqui. Por que nos deixaram sofrer tantos anos de angústia? — grita Benedito, descontrolado.

Ficaram mais mudos que nunca. Nenhum dos presentes imaginara que naquele espaço poderia realizar-se o fantástico milagre. Nenhum deles sabia que neste mundo não haveria palavras nem magos para descrever o mistério daquele instante. Nem padres. Nem filósofos. Nem videntes. Nem poetas. Talvez aquele Cristo de barro pendurado na parede. Talvez Deus.

Choveram muitas palavras naquela noite. Palavras dinamitando muralhas do espaço na cumplicidade da lua. Falaram tanto que não conseguiam parar. Não podiam. Primeiro foram as palavras pesadas como granizo. Depois suaves como poemas e refrescantes como orvalho. O festival de lágrimas acontecia naquela casa. Primeiro densas e profundas como mares revoltosos, para depois se tornarem mansas como as águas do Rio Licungo na hora do nascimento.

Os pássaros do amanhecer cantam gurué, gurué. Maria das Dores sente um fio de mel correndo pela boca, caindo diretamente da nascente de um rio. Volta a olhar para a sala do padre à luz do sol. O Cristo de barro regressara ao seu posto na eterna prisão da parede. Sofrera uma alucinação, talvez, mas o reencontro era verdadeiro.

Todos retrocedem no tempo, vogando para o passado numa canoa de ternura. E chegam ao mesmo ponto. Ao umbigo do céu. No pico de um monte. Ponto de chegada e de partida. E reiniciam a viagem em direção ao futuro com uma paragem no presente.

Três gerações sonhando com o mesmo monte. Buscando-se eternamente. Estilhaços de um vidro que se apanham, que se colam e se enformam numa bilha nova, refractária, fraca, que já não pode conter água mas ornamenta o centro de uma mesa. Buscando a identidade roubada pelo bico de um abutre.

A sobrevivência dos meninos era uma história maravilhosa. Apanhados por soldados em treinos e entregues a uma freira, que lhes acendeu as velas para afastar a escuridão dos caminhos. Uma freira branca. Que os amara infinitamente como se fossem seus. Que colocou o nome do lugar onde os encontrou como apelido. Que afinal era o apelido da própria mãe. Que afinal era o nome de um Monte Santo.

Para aqueles filhos termina o tempo dos devaneios e das perguntas descabidas. Como será o sono nos braços de uma mãe? Por que é que a canção de embalar faz adormecer todos os bebés do mundo? Por que é que umas crianças têm mãe e outras não? Como será a vida no ventre de uma mãe? Confortável como uma vivenda? Climatizada? Terá cadeiras, mesas, ar condicionado? Como terá sido o rosto da nossa mãe?

Maria das Dores não queria dormir. Nem descansar. Nem pestanejar. Queria manter os olhos abertos, para resgatar as imagens de vinte e cinco anos de ausência.

33

Madrugada. Delfina estava nas margens do seu rio. Queria ficar ali sentada até muito depois de o sol nascer para absorver, em cada raio de luz, todos os sinais de esperança. Como se tivesse a certeza de que um milagre chegaria no dorso daquele sol que nascia. No marulhar daquelas ondinhas mansas vai invocando nomes, imagens, lugares, pessoas.

De repente ouve uma voz masculina chamando por ela. Não lhe presta atenção nenhuma, é mais outra ilusão. Sorri. E fala sozinha em voz alta.

— Esta voz parece a voz do José dos Montes, que se perdeu e morreu há mais de trinta anos.

— Perdeu-se por tua culpa, Delfina — respondia a voz —, deixaste-o e foste amar outros homens.

Ela olha para o lado, de esguelha. E vê uma sombra velha, oriunda dos confins do mundo. Os medos e ansiedades projetam imagens vivas que se materializam nos olhos de quem os invoca. Isso já lhe acontecera antes.

— Este vulto, este sorriso, esta sonoridade na fala me fazem lembrar o meu José. Tenho tantas saudades do meu José!

— A culpa foi toda tua, Delfina gulosa, que o expulsaste de casa para dormir com os brancos por causa do chá e do açúcar.

— Sombra doce, sombra má, quem és tu e o que sabes de mim?

— Sei que és doce, que és má, mas isso não conta neste instante. Escuta o canto das perdizes na madrugada e o troar dos batuques da boa nova. A floresta densa se requebra nas batucadas de nhambarro, vem e junta-te à dança de roda.

— Sombra boa, sombra da saudade, para onde me levas tu?

Dentro dela, a pergunta. De quem é a voz que fala de doçuras? Timidamente, ergueu os olhos. E viu uma imagem que não era humana, não podia ser. Há muito que se divorciara das coisas deste mundo e se aninhara no casulo da ausência. Todos a desdenhavam e ninguém dela se aproximava para lhe dirigir sequer uma palavra. Só podia ser um fantasma benigno oriundo dos confins da saudade. A voz tem a doçura de um amor antigo. Abre os olhos que fixa na imagem. Identifica alguns traços que resistiram ao salitre do tempo.

— Sombra do meu José, diz-me, para onde me levas tu?

— Para a felicidade sem fim, para o início da vida nova. Os crocodilos do Rio Zambeze devolveram à vida todas as pessoas que comeram durante séculos. Lá em Morrumbala, o Monte Juju acaba de abrir a monumental portada e dá de comer a quem tem fome.

José dos Montes desperta a sua Delfina. Vagarosamente. E prepara-a gradualmente para a grande nova prevenindo uma morte súbita por congestão de felicidade.

— O que aconteceu?

— É a festa do novo século.

Desta vez Delfina reage, José dos Montes traz à memória paladares antigos. Fala das necessidades do corpo a quem se alimenta dos restos dos restaurantes do cais. É uma das idosas que povoam as ruas na sexta-feira de esmolas.

— Sombra do José, falas de comidas boas que persegui a vida inteira.

— Vem, Delfina, à celebração do sol.

— Não, não vou. Não tenho roupa de boa aparência, não posso andar por aí de qualquer maneira.

— Vaidosa!

— Sou a Delfina, a que no leito da terra dormirá de cabeça erguida, rainha negra em trono de barro.

José dos Montes derrama sobre ela um olhar de ternura. E piedade. Identifica-a. Ela é uma rainha. Sempre foi. Guerras, mágoas, vaidades, roubaram-lhe a realeza por algum tempo. Mas ganhou novas asas. É uma árvore nobre onde os pássaros poisam e compõem doces cantigas. Uma rainha é sempre uma rainha mesmo num trono de areia, tal como as Pia Mwenes das grandes linhagens de toda a Zambézia. Descalças. Empobrecidas. Mais representativas que qualquer cidadão eleito por voto democrático. Não têm assento no Parlamento, mas têm um trono dourado no coração do povo.

— Trouxe-te roupa nova. Uma saia preta de seda pura. Uma blusa amarela de renda. Uma capulana amarela com flores vermelhas. Um lenço dourado para a tua cabeça de rainha.

Ele arrasta-a pelo braço até dentro de casa. Ela se deixa levar como um camarão ao sabor das ondas. Obedecendo ao comando das almas de outro mundo, por ela invocadas, acreditando que os mortos são os verdadeiros governadores da vida. Os videntes prenunciaram a ressurreição das almas mortas no princípio do século.

Ela banha-se, traja-se de novo, apruma-se e rejuvenesce para a festa do século. Foi então que percebeu. Que não havia sonho e era tudo verdade. Que aquele fantasma era mesmo ele, o seu José, o homem da sua vida. Absorve um raio de luz e sorri. O sorriso afasta as trevas e ressuscita num só instante o coração sepultado pela amargura.

José dos Montes percorre os labirintos da casa que abandonara há mais de trinta anos. Pela sala as mobílias espalhafatosas assinalam vestígios de grandeza. O chão está limpo, no teto há teias de aranha. Há quanto tempo Delfina não olha para cima, para o sol? Ainda se lembra que o céu é azul e tem estrelas? Coloca os dedos nas paredes, nos móveis e em todos os objetos. Os vidros quebraram-se no edifício em ruínas. Revive pelo tato a estrutura do ninho antigo. Revive sentimentos, pensamentos. Vive um momento de êxtase, de loucura, de descoberta, de redescoberta, num renascimento rápido, violento. Fala, ri. Aquele quarto era a reprodução do dia da sua partida. Há quarenta anos deixara o cachimbo de osso de antílope sobre a mesa. Deixara uma camisa pendurada na cadeira. Tudo estava ali, na mesma posição. Apalpa as cuecas velhas, as peúgas, as roupas de contratado com cheiro a sabão e cânfora. A guitarra de lata pendurada na parede. Parecia que tudo fora ordenado pelos deuses aguardando o seu regresso. Afinal é bom ter passado onde regressar e reviver. Compreende. Este é um santuário e eu era para ela um objeto de veneração, um defunto, um deus, talvez. Na sua solidão chama por mim, ah, minha pobre Delfina.

Espreita debaixo da cama. O punhal está ali, onde o deixara. Na bainha de couro, manchas de sangue. Estremece e sucumbe perante o poder da memória.

Fecha os olhos e saboreia a noite por um instante. Nas manchas de sangue aparecem-lhe os olhos e a voz de Moyo, censurando-o por todos os crimes. Esta arma alimentou as minhas ilusões e a minha cobardia. Com ela me julguei um homem de verdade e detinha poder sobre os outros. Com ela me afirmei um negro por engano, um branco de verdade e não uma imitação de branco. Mostrei a todos os pretos que tinha mudado de raça e já não lhes pertencia. Aquela baioneta recorda-lhe todos os seus atos. Queimar o cereal do seu próprio celeiro. Matar o pai ou a mãe para agradar ao patrão. Caçar gente para deportar ou vender. Buscar os dissidentes nos bares, nas ruas, nas plantações, nas prostitutas do cais, para alimentar as receitas dos patrões. Aquela baioneta o tornou conhecido como o matador dos negros.

— Por que é que guardaste esta arma, Delfina? Com ela matei a minha gente. Matei os meus irmãos e meus amigos, mas não matei os marinheiros que dormiam contigo nos matagais, neste quarto e nesta cama. Calava a boca dos pretos com essa navalha para defender a minha posição de marido traído, porque estava cego de amor por ti. Ah, Moyo! Por que não ouvi eu os teus avisos, a tua voz de sapiência? Por que te matei eu?

O passado não se esquece. Adormece como semente no fundo da mente. Cai no solo e germina espinhos no presente.

— Por que choras, José dos Montes?

Ele esconde as lágrimas e simula um sorriso. Justifica-se.

— É uma característica dos homens bravos. Quando adocicados pelas pancadas da vida, comportam-se como mulheres. Perdoa-me estas lágrimas e deixa-me ao menos chorar neste instante.

Olham-se com amor e ódio. Reenamorando-se das imagens novas que cada um ostenta. Ela pensa: aqui está o homem que magoei. Ele pensa: aqui está a mulher por quem me perdi. Depois olham para baixo, para a terra, estão muito distantes das estrelas. Amor? Alguma vez existiu? Existe? Recordam o tempo dos desvairos e loucuras, tentações, ilusões em nome do amor. Quando a velhice chega, os corações refreiam-se e olham para tudo como meros espectadores das loucuras do mundo.

— Estou bem vestida?

— Estás bela. Muito bela!

— Então leva-me. Eu já não levo a vida — confessa Delfina. — A vida me leva. Leva-me então para o túmulo imenso, para fim do mundo, para o esquecimento.

— O Monte Pinda matou o dragão da água e atirou-o ao Rio Chire, já não há perigo. O Monte Tumbine engoliu o dragão de sete cabeças, que com sete bocas de fogo destruía o monte e devorava vidas. Os Montes Namuli engalanaram-se de rosas brancas e antúrios vermelhos. Levo-te, sim, para o miradouro do mundo. Vamos para a grande celebração.

— Toda essa festa por causa do século?

— É o regresso da Maria das Dores.

— O quê? Ah? Mentes, José, mentes, não podes fazer uma coisa dessas! O que dizes tu? Maria das Dores? Onde está ela, onde, onde, onde?

Delfina rodopiava, urrava, chorava. Dava passos para a esquerda, para a direita, para direção nenhuma. Caminha à volta de si mesma como um escorpião na hora da morte.

— Não morras agora, Delfina, segura-te, a viagem ainda é longa. De Quelimane a Gúruè são mais de trezentos quilómetros de estrada poeirenta.

— Deus meu! Empresta-me as tuas andas para subir ao monte, fazer uma prece e colher uma flor para a minha menina.

— Velha tonta! Subir ao monte não custa nada. Basta fechar os olhos e deixar a alma voar até ao alto, colher a flor mais bela e colocá-la no peito. Vamos!

Delfina dá passos apressados, mas só consegue mover-se no caminhar viscoso dos sonâmbulos em direção à viatura que os espera. O sol vermelho emerge do solo. As lágrimas são rega no deserto e as plantas brotam e florescem. De repente ela recua. José se inquieta.

— Achas que ela me vai perdoar? Vai-me receber, a mim, que lhe matei? Destruí-lhe a vida e os sonhos. Achas que ela me quer?

— Ela chamou por ti a vida inteira, Delfina. Chamou por mim. Chamou por nós dois. Vamos depressa, que ela nos espera.

— Espera só mais um pouco.

— Ah! Esperar o quê?

— Vou buscar uma coisa.

— Qual?

— Um pote mágico. Enorme. Tão grande que dá para cozer um elefante com todo o seu marfim. Guardei-o para ela e quero levá-lo agora.

— Um pote enorme? E como o vais transportar?

— Vais ver.

— Eu ajudo.

— Não. Podes morrer.

— ?!...

Vai e volta com um pote de barro de tamanho vulgar, coberto por um pano negro, cheio de joias colecionadas para pagar a dívida a Maria das Dores. Joias arrancadas à força das mãos dos marinheiros e oferecidas a Delfina para lhe agradar. Aprendera dos comerciantes asiáticos a guardar fortuna debaixo da cama guarnecida por uma cobra preta, venenosa, domesticada para matar os intrusos que tentassem apoderar-se do seu património. Demorou. Tinha que ajoelhar, segurar a cobra. Matar. Remover o pote do chão. José dos Montes se espanta.

— Delfina? Pedias esmolas nas sextas-feiras com tanta riqueza guardada? Tens a real dimensão da fortuna que tens nas mãos?

— Absolutamente!

— Como conseguiste?

— Esqueceste? Eu sou Delfina, a sereia do cais!

Seguem viagem. O mesmo percurso feito por Maria das Dores durante a fuga. Sem paragens, acelerados pela ansiedade. Chegam ao destino onde toda a família se reúne. Olham-se intensamente.

— Estás desajeitado, José dos Montes. Mal arrumado para a festa da nossa filha. Camisa mal abotoada. Não tens espelho?

José avalia agora como a solidão é amarga. Como a sua vida fora sempre triste. Olha de perto para Delfina e suspira. Mulher minha, eternamente minha. Que bom ouvir a sua respiração a encher-me o peito, inalar o perfume de cada partícula do seu corpo. Mas como é bom o perfume de mulher. Ser feliz é mesmo isto: segurar na palma da mão a alma da pessoa amada. Sorrir. Sonhar o sol que há de vir. Ansiar pela noite que há de chegar. Sentir o corpo a vibrar de êxtase. Ouvir mensagens verdes e azuis, do céu, do mar e do palmar.

— Não tenho ninguém para me olhar.

— Não casaste outra vez?

— Para quê, se ainda me esperas?

Abraçam-se e ficam em silêncio. Os olhos caminhando para o mesmo alvo. O coração batendo no mesmo compasso. Descobrem que o sol vive dentro deles, que o coração ainda pode produzir o mel que rega todos os seus atos. Descobrem que são novamente mar, barco, marinheiros que navegam até à imensidão. Falta ainda um beijo de amor nesta história. Que não virá tão cedo. Porque para se amarem e serem felizes ainda têm que nascer outra vez.

Nesse instante, José descobre algo que nunca tinha notado. Que a palmeira é uma mulher. Com frutos redondos e leitosos como o peito de uma mãe. Com folhas verdes e longas como cabelos de uma sereia. Com o tronco estriado e tatuado como o tronco de uma mulher. Que oferece tudo: alimento e vinho. Casa, teto, mobília, remédio, combustível. Como o corpo de uma mulher.

Nesse instante, Delfina dá um passo em direção à filha. Para. Algo de estranho, doloroso, delicioso, lhe brotava do íntimo, preenchendo o vazio do tamanho do infinito. A cabeça é sacudida por um violento remoinho. Estava num mar sem fundo lutando contra a vergonha. A criatura que ali via inspirava piedade. Demasiado pequena. Frágil. Indefesa. Uma adolescente, que parou no tempo pelo crescimento interrompido. Semente guardada no celeiro, aguardando a magia da gota de orvalho no desabrochar da primavera. Como pôde acreditar que a virgindade da própria filha lhe podia salvar a vida? Delfina estava perdida, invadida de vertigens, de remorsos, de ansiedade, e grita de alegria:

— Minha filha, meu anjo, minha primeira sorte!

Maria das Dores dá um passo em direção à mãe. Também para. No arquivo da mente se abrem gavetas de um cancioneiro antigo.

A tua mãe não está,
Seguiu os caminhos do oriente.
Se choras dou-te um bofetão
Um puxão de orelhas e um beliscão.

A balada da mãe é mel, a dos irmãos é sal e limão. Com puxões de orelhas e beliscões. Sorri. Finalmente pode regressar a casa e retomar o penteado de Jacinta que ficou por terminar. Pode voltar a conversar com o centauro, esse cavaleiro de diamante, com corpo de homem e cabeça de cavalo. Pode voltar e arrumar os livros que deixou abertos sobre a mesa há mais de vinte e cinco anos. Abraçar a boneca na cama da infância. Voga no espaço, voa até se transformar numa mancha, num ponto, num germe pronto a ser de novo incubado pelo ventre da mesma mãe. Sente a vertigem da leveza e tenta desesperadamente buscar um alicerce que a sustente no grito de libertação:

— Minha mãe, minha mãe, minha mãe!

Correm para os braços uma da outra num abraço fatal, para se protegerem das vertigens. O mundo inteiro assiste à perfeita imagem do renascimento. Uma mãe dando à luz uma filha nova no corpo antigo. Uma filha dando forma e sentido à existência errante de uma mãe.

— Mãe!

— Finalmente juntas, Maria das Dores!

— Ah, minha mãe, minha mãe, minha mãe!

Elas agarram-se, aninham-se, encaixam-se. Riem e choram.

— Andei perdida nos caminhos do mundo, minha mãe.

— Tu não te perdeste, mas te encontraste. Eu é que te perdi, porque te expulsei deste mundo. Impus-te fardos que não suportaste. Partiste. Para o espaço e para dentro de ti. Deixaste o teu lugar entre os humanos e ganhaste a leveza da brisa. És de nós a mais livre, a mais próxima da criação. Ou do criador. Não temias a morte nem a noite. Nos dias quentes te despias e caminhavas nua na inocência das crianças. Tentaste explicar o teu dilema e o fazias na linguagem dos anjos, por isso o mundo não te entendia. Sorrias para o alto, no canto dos pássaros, porque voavas. O teu percurso era entre o íntimo e a lua.

— Eu estava maluca, minha mãe.

— Não, nunca estiveste louca, nunca!

Delfina oferece à filha o melhor abraço do mundo. Sente-lhe a pele áspera. Ela é um pedaço de barro da criação divina, barro negro com sangue vermelho. Que foi vítima da loucura. Loucura da fome e da guerra. Da vitória e da derrota. Da hierarquia entre as raças. Da imoralidade social. Da união e da rutura. Loucura do destino, loucura de sorte e azar, loucura de vida e de morte. Loucura na cidade, no campo. Loucura de terra na luta pela existência.

— Separação? Nunca! Nunca mais! — grita Delfina.

— Falas a verdade, mãe?

— Estaremos juntas para sempre! Na alegria e na tristeza. Na saúde e na doença, até que a morte nos separe!

Um pássaro solta um acorde a solo. O bando responde e as vozes se unem numa bela canção. Uma nuvem densa esconde o sol e os montes. E transforma-se em gotas de chuva que caem no peito apagando fogueiras antigas. Arrastando detritos. Amassando mágoas e espinhos que germinarão na primavera como antúrios vermelhos com rebordos de barro.

— Receba esta prenda que guardei religiosamente só para ti, durante todo o tempo da tua ausência.

— Os meus olhos há muito se desabituaram dos brilhos deste mundo. Ouro é cor, é fantasia, os filhos são fortuna. Para a minha felicidade basta apenas a nossa existência. A vida vale mais que qualquer fortuna. Mesmo assim agradeço o seu gesto, minha mãe.

Música e chuva caindo dos olhos da mãe e da filha. Ao longe, o som bucólico das flautas. A emoção paira no ar. Com silêncios. Suspiros. Murmúrios. Lágrimas. Estes montes altos foram criados para incubar os mistérios do destino.

Delfina e Maria balançam, animadas pela vertigem. Talvez ambas recordem o dia do parto. Os sorrisos de mãe explodindo no céu como fogo de artifício, espalhando no céu milhões de estrelas que encandeiam o mundo como lágrimas luminosas. Sonhos, visões, desejos, preces. Nova razão para viver. Depois do parto o desafio. Transformar o sonho de mãe em montanha. Iniciar a grande escalada para o pico do céu em busca da felicidade do recém-nascido. Resistir aos ventos e tempestades para fazer o filho florir.

— Preciso de ti, Maria das Dores.

— Tinha tantas saudades, minha mãe!

34

Vieram todos com fome de séculos. Eles eram grãos de areia, partículas de barro que a mão divina moldava para insuflar o novo sopro de vida. Começam a surgir figuras, formas, rostos, almas. A vida começava naquele instante.

Sou o Simba, o poeta, o mago, o profeta! Sou o que vê longe, mas não vê a cor dos próprios olhos. O que cura as dores dos outros mas não conseguiu curar as suas. Casei com a vossa mãe por ódio, sem perceber que era amor o que eu sentia. Sempre farejei o destino dos outros, mas não farejei o meu próprio desgosto.

Sou a Maria das Dores, a caminhante. Plantei na Zambézia inteira a marca do meu pé. As vibrações do solo, do mar, das palmeiras, expulsaram-me da terra e gravitei sem rumo até encontrar refúgio no mundo da lua. Vivi entre a lucidez e a obscuridade. No meu percurso conheci outros sóis e outras galáxias. Sou a bela adormecida e hibernei vinte e cinco anos. Invejo a sorte das árvores que nunca saem do lugar e nem se separam dos filhos.

Sou a Maria Jacinta, a mulata, troféu de guerra, bandeira branca, escudo de combate. Defendi a família da escravatura. Ao lado dos brancos sou branca, ao lado dos pretos sou preta, sozinha sou mulata, mudo de um lugar para outro para sobreviver. Invejo a Maria das Dores e invejo o meu pai. Nunca saem do seu lugar e nem precisam de esforço para se afirmar. Foi a minha mãe negra que me colocou acima dos negros. Fiel da balança entre duas raças, não conheci escravatura nem deportação. Sou da casta das sinhás e das donas, senhoras de terras e de escravos, o poder é a minha herança. Na fila do emprego sou logicamente a primeira. As fábricas eram do meu pai. Os bancos eram do meu pai. As companhias aéreas também. Sou de todos e de ninguém. Sou diferente e igual. Amai-me e odiai-me, à altura da vossa paixão e da vossa raiva, mas atenção: sou vossa, eu vos pertenço! Esta é a minha terra. Aqui é o meu céu e este o chão dos meus antepassados! Vim também em nome do meu pai. Para recuperar toda a herança usurpada e deixá-la nas mãos da Maria das Dores, sua legítima proprietária.

Sou o Zezinho. Filho da Delfina. Não sei que magia eu tenho, mas sou o que mata de amor todas as mulheres brancas, sou belo. Casei com uma branca por amor. No nosso lar abolimos a hierarquia das raças, preto e branco comem com a mesma colher e bebem água do mesmo cântaro.

Sou o José dos Montes, o assimilado! Bravo guerreiro! Arrasei todos os grevistas e silenciei todos os que se opunham à escravatura. Foi o sangue do povo que me elevou e me fez importante. Mudei de identidade e simulei a mudez durante quarenta anos, andei isolado, escondido, para me proteger de possíveis vinganças. Quando a noite cai, as vozes do passado se erguem contra mim e me torturam. Sou sonâmbulo!

Sou a Delfina. Mulher amada e odiada. Eu voei, tal como o vento que não tem asas mas voa. Naveguei o oceano da vida com um só pé. Como um peixe. Peixe mulher. Sereia do mar. Fui tudo: pura e profana. Serena. Louca. Prostituta e santa. Maga, feiticeira. Verdade e mito. Deusa e demónio. Canibal. Fiz do meu lar uma frente de combate com vítimas, vitórias, aliados, inimigos, mortos, feridos, traumatizados.

Como os bombardeiros, destruí o meu ninho em pleno voo mas superei em liberdade todas as mulheres do mundo. Eram meus os montes no horizonte e as asas das andorinhas no alto dos céus.

Somos o Benedito, o Fernando e a Rosinha. Filhos de uma freira branca e do barro negro dos montes. Viajávamos nas estrelas na carruagem da ânsia porque somos filhos do azul, e fomos trazidos de uma constelação distante no bico de uma cegonha. Talvez de Cassiopeia. Ou do Cruzeiro do Sul. Somos filhos de uma ursa celestial, maior ou menor, éramos como Rema, Rómulo e Remo, criados por uma ursa.

Sou a freira, a ursa terrestre de que eles falam. Um dia, recebi uma trouxa do bico de uma cegonha com três maravilhosos pintos, que mal abriram os olhos para mim piaram: mamã! O meu coração se enterneceu no parto daquela aurora. Eu me apaixonei e morri de amor naquele instante! Levantei as mãos ao céu e orei com fervor. No lugar de leite, Deus colocou-me uma vela acesa na mão direita. Espantei-me: o que faço eu com esta vela? Bom Deus, preciso de três biberões e muito leite, por que me entregou isto? Não imaginam o meu desespero. A resposta divina estava dada e o destino traçado. Logo me tornei mãe e madrinha. Com a luz daquela vela vencemos os adamastores dos caminhos, navegámos contra as trevas que nos habitam e mantivemos a luz da esperança que nos sustentou nos vinte e cinco anos de ansiedade. Em cada dia rezávamos para que esta reunião acontecesse. Aterrorizava-me a ideia de morrer antes deste encontro, porque Deus me iria perguntar: o que fizeste com a vela acesa que te dei? Fiz o que pude até os pintos ganharem asas. Estas três criaturas provaram-me que riqueza é dar vida a outra vida. Que onde existe um desejo há um caminho. Onde existe um ser humano há sempre uma família.

Eles fizeram-me esquecer que sou mulher e sou branca. Que importa a raça, o sexo, quando a obra não é transcendente?

Os olhos dos três irmãos identificam Simba, o homem que fora objeto de sonhos, de fantasias, pesadelos, miragens. Reconhecem semelhanças naquele homem delgado. Que sempre estivera ali, curando-lhes as feridas do corpo e da alma. Dando a esperança de que um dia encontrariam o pai com que tanto sonhavam, sem saber que o pai era ele. Olham para a mãe como uma casca de ovo quebrada na hora do nascimento. Olham-se. Descobrem que já têm asas mas ainda não voam, precisam muito do conforto da mãe.

Caminham de pessoa em pessoa. Reconhecem os traços genéticos de uns e outros. O Benedito herdou a áurea filosófica do pai. O Fernando o andar felino da mãe. A Rosinha herdara tudo de todos. Da Maria das Dores. Do Simba. Da Delfina.

Vivem-se momentos de libertação no festival dos antúrios. Nesta celebração, o beijo se torna pão e alimento. O corpo humano, frágil como a brisa, precisa de sons e palavras vivas para ganhar força. Delfina e José dos Montes assumem o comando da festa, maestros da palavra. Levantam os véus e as muralhas da mente. Eles detêm a sapiência da vida e histórias do nascer do mundo.

Para suavizar a verdade e penetrar na profundidade, José dos Montes conta histórias antigas. As melhores histórias começam todas da mesma maneira. Era uma vez...

— A voz do sangue convocou este magno encontro — explica José dos Montes —, sob as nossas veias corre o sangue sagrado das pedras. O céu azul foi chocado nos Montes Namuli, num ovo de perdiz. Nasceu com asas de pássaro, voou e colonizou a terra inteira. Aqui nasceu a primeira estrela, do ovo da mesma perdiz, estalou até ao céu, explodiu e espalhou-se como fogo de artifício formando a Via Láctea. É aqui o princípio do mundo. O fim do mundo. Todas as raças nasceram aqui. Dão a volta ao mundo e regressam, porque os Namuli unem todos os que se querem bem para que comam numa só concha e bebam a água da mesma nascente.

Os braços do canavial ondeiam ao vento, soltando uma fanfarra imensa. Trazendo memórias de todas as origens e a razão da escravidão humana à volta dos cocos, do chá e do sisal.

O Rio Zambeze, o mar, o palmar e os Montes Namuli unem-se num polígono de diamante. Deus criou esta terra num momento de felicidade e a prendou de beleza extrema, causando paixão exacerbada em qualquer viandante e, por isso, era uma vez...

Histórias de navegadores que se fizeram ao mar em busca de piripiri numa terra distante. Histórias das onzes sereias, todas irmãs, sendo a Zambézia a mais bela. Memórias dos marinheiros e do chicote dos prazeiros. Histórias das donas e sinhás. Da Companhia da Zambézia, do Boror e do palmar. Histórias das mulheres guerreiras que penetraram na fortaleza do invasor, roubaram as sementes dos homens e construíram a barreira da vida, mostrando ao mundo que, perante a mulher zambeziana, o invasor não tem omnipotência. Provando que a superioridade das raças era simples treta. Histórias dos deuses dos montes que abençoaram a Zambézia com o sangue divino de pretos, brancos, amarelos, numa sopa de raças mais recheada que a sopa de pedra.

— Somos fazedores de chuva e guardiães da água — explica José dos Montes. — Comandantes da trovoada. Nascemos ao canto das perdizes, gurué, gurué! Construíamos nas cavernas. Agricultávamos os cereais com cornos de antílope. Dos ossos longos das gazelas fazíamos os cachimbos para o tabaco dos nossos guerreiros. Vieram os brancos e fomos apanhados como ratos. Escravizaram-nos.

Todos erguem os olhos para contemplar mais uma vez a imagem da terra mãe na gestação do mundo. Deixando aflorar a emoção no coração do Éden. Contemplando os montes à distância, confirmando tudo o que já sabiam. És filho apenas no ventre da tua mãe. Desde o nascimento estás só e viverás só. És mãe apenas quando o filho te habita o ventre. Depois do parto, cada um ganha identidade própria e segue o seu próprio destino.

— Somos de passos silenciosos, que pisam o chão em segredo. Que não aceitam a prisão de uma casa. Passos de aventuras na descoberta do novo mundo. Construímos o lar nas encostas dos montes e fomos arrastados pelas enxurradas, éramos filhos das aboboreiras semeadas nas bermas das estradas, colhidos por qualquer viandante. Palmilhámos o solo até aos confins da terra. Demos a volta silenciosamente e estamos aqui, no ponto de partida. Aqui tudo começa e tudo termina. O mundo é redondo.

A voz inquisitiva dos filhos se ouve. Se os antepassados foram ontem heróis, não se entende que os descendentes saboreiem a parte mais amarga do percurso.

— Por que nos trouxeram ao mundo, para nos fazer sofrer? — perguntam os filhos de Maria das Dores. — O pai estava aqui e não sabíamos. A louca do rio era a nossa mãe e sofria nos carreiros. Como é que tudo aconteceu?

Simba viera ao encontro disposto a ajustar as contas antigas e cumprir uma promessa caduca. Arrancar os olhos da bruxa com dardos de fogo. A feiticeira era Delfina, só podia ser ela, tinha que ser ela. Esconde os olhos e justifica-se numa voz gasta como um pano comido pela traça.

— Eu era um ramo seco governado pela noite. Conheci

o sol do deserto por vos amar. Busquei-vos no céu e no inferno. Persegui-vos muito para além do horizonte. Foram vinte e cinco anos de ansiedade. Nessas buscas, bebi a água dos pântanos e alimentei-me de frutos silvestres. Caminhei sobre as pedras para não deixar pegadas com medo dos inimigos. Vivi anos de fel. Tudo por culpa de Delfina.

Delfina penetra na escuridão dos tempos. E sente que está na arena lutando contra um passado que ressuscita. Toda a mulher é feiticeira, isso é verdade. Por governar os mistérios da criação, acaba causando todas as desgraças do mundo. Toda a mãe deve ser torturada por gerar um filho sem lhe pedir licença.

— Culpada de quê, meu Deus?

— Vieste ao mundo para destruir os corações dos homens. Não soubeste educar a tua filha para o amor, mas para a dor. A Maria das Dores abandonou-me para fugir de ti e não de mim.

No mundo de Simba, o coração e o sonho hibernaram de braços dados, aguardando o desabrochar da primavera. Entre o trovejar das palavras e a abundância das lágrimas, compreendeu-se que o homem era uma criança mimada reclamando aos berros a sua gota de água. Sabe das suas culpas mas, para tábua de salvação, inventou a sua bruxa. Que podia ser a própria mãe ou qualquer outra mulher. Por se ter isolado do mundo, os olhos também ficaram cegos e não via na louca do rio a sua bem-amada, provando que os olhos só veem o que o coração alcança.

— Reservei uma flecha envenenada para te matar, Delfina, mas a arma foi roída pelo vento e o veneno consumido pelo tempo.

Delfina sente uma pontada no peito e baixa os olhos em sinal de luto. Vidas, momentos, sentimentos, boiam como ilhas no oceano da mente. Depõe as armas, disposta a deixar-se retalhar como uma mulher na hora do parto.

— Preguiçosa! — grita Simba. — Por causa da preguiça fizeste-te mulher dos brancos. Dividiste a família em pretos e mulatos. Tu mereces a morte!

Pena de morte? As leis de hoje não julgam os atos de ontem. O passado já partiu e levou os seus sóis e os seus sonhos. Dos crimes antigos ficaram apenas recordações reavivadas no xadrez da memória.

— Ah, Delfina, ratazana velha! Apanhei-te. Pagar-me-ás por tudo o que sofri. Não vi o crescimento dos meus filhos por tua causa, Delfina maldita!

Maria das Dores se encanta. Nunca esperou ver um homem a chorar por ela, completamente perdido de amor. Descobre que Simba não tem nenhuma semelhança com o seu pai e nem é o homem da sua mãe. Era dela e era belo. Sensível. Romântico. Aprende a apreciar aquela imagem esguia, com o falar fino dos poetas, de barba grisalha e os cabelos coroados pelas cãs da vida. Lamenta o tempo que perdeu a temer um homem que afinal era seu.

Apesar do pranto, Simba aprecia a sua Maria das Dores e jura. Que a pele macilenta, agreste, naquela mulher sua, brilharia. A magreza daquele corpo fugiria. O traseiro incharia e preencheria o espaço alargado de uma poltrona até amolgar todas as molas fortes de uma cama. Daquela debilidade física e mental ele cuidaria, estava ali para remendá-la, consertá-la, renová-la e fazê-la sorrir outra vez.

— Foste a razão de todas as guerras, Delfina.

Ela entende a insinuação daquelas palavras. Mas aprendera da vida que nada se ganha guerreando os filhos. Por trás daquela zanga, o palpitar adolescente das paixões. A raiva vai amaciar. A voz adocicar. O coração adormecer.

— Fui a causa da desgraça, sim. Atraí guerras para o mesmo teto. Esses filhos pretos e mulatos herdaram um conflito, terão que se guerrear até se entenderem.

As diferentes gerações compõem eternos melodramas nas cordas da mesma guitarra. A ingratidão dos filhos é o cancioneiro das mães. A incompreensão dos pais é a litania dos filhos. A elegia pelo tempo perdido é o suspiro de cada pai. José dos Montes luta contra o conflito e tudo faz para expulsar a discórdia.

— A culpa não foi nada tua, Delfina. Fomos um homem e uma mulher na construção do mundo. Eu e tu assimilados. Voluntários servidores do regime. Lacaios. Matámos e morremos. Enquanto eu usava a força dos braços, tu entregavas o teu ventre para não faltar o pão na mesa. Traímos, sofremos e pagámos as contas da nossa existência. Queremos agora celebrar a reunificação da família.

Para José dos Montes a felicidade está perto e a dor mais distante. O ambiente é propício para matar a discórdia e deixar o novo mundo nascer. Chegou a hora de enterrar o sofrimento.

— Resta-nos apenas gerir a vida nova — apela José dos Montes. — Esqueçam as lutas antigas e enfrentem as novas. Selemos agora o pacto de coabitação. Construímos o novo mundo, vamos fortificá-lo.

— Não, não construímos nada, José — lamenta Delfina. —Matámos tanta gente!

— É preciso destruir para construir, Delfina. A história do mundo é feita de barbaridades e de sangue. Vocês, mulheres, tiveram um papel-chave nesta história.

Delfina está disposta a arrancar os espinhos e exorcizar todos os fantasmas e pesadelos antigos para renascer. Encosta os lábios nos ouvidos de José dos Montes e fala baixinho.

— Por que me mentes, José dos Montes?

— Eu e tu vivíamos na noite negra. Os rios transbordaram e fecharam-nos todos os caminhos. O céu fugiu para longe. As nuvens esconderam no horizonte o espelho das nossas origens. Perdemos a terra por algum tempo, mas ganhámos o palmar. Perdemos as mulheres mas ganhámos a mestiçagem em todas as parcelas da nossa Zambézia. As nossas muralhas de barro se quebraram com o fogo dos invasores, mas ganhámos edifícios de pedra. Já são nossos os palácios que os marinheiros arquitetaram e os nossos braços construíram.

Delfina sorri, o sol traz a esperança de um mundo novo. Suspira. Sobrevivi. Venci. Logo a seguir entristece. Na Zambézia o palmar sofre de doença amarela. A cura ainda não existe, os doutores terão de encontrá-la, é urgente. A afirmação do zambeziano reside na altivez das palmeiras, o palmar não pode morrer. Os casarões de Macuse, Quelimane, Chinde, Pebane, os armazéns e os navios antigos tornaram-se monstros fantasmagóricos, falta-lhes o suor e o sangue dos negros condenados e o chicote dos marinheiros para lhes dar vida, faltam os choros das mães a quem arrancaram os filhos dos braços. Faltam os gritos da revolta dos homens nas greves e nos massacres. A morte e o luto desocuparam a terra, no ar governam os alegres cantos das perdizes, gurué, gurué! A escravatura acabou e não voltará nunca mais! Somos independentes. Vencemos o colonialismo. O palmar também viverá. Vencerá!

— Não negues o passado, José dos Montes — repisa Delfina —, fomos assassinos, sim.

— Tens razão. Mas os tiranos como nós eram necessários para dar à pátria novas imagens.

— Surpreendes-me, José dos Montes. Não mudaste, não cresceste. Os tiranos não eram necessários, nunca foram.

— Tu foste a maior vidente deste processo, de que te acusas? As tuas alianças antigas construíram um novo império. Os negros que resistiram, Delfina, morreram nas prisões e massacres, foram comidos pela terra, e só ganharam estátuas mortas no centro da praça. Os descendentes estão na orfandade vivendo na maior miséria deste mundo.

— É verdade. A vida é feita de injustiças. Mas não houve heroísmo na nossa vida, José.

Um clarão trespassa a mente de José, que solta os olhos para o poente. Sente um remoinho. Fecha os olhos. Naquele silêncio, a viagem atribulada com remoinhos de vento a remover pedregulhos, espinhos, poeira, lixo, coágulos de dores mortas. O suor encharca o corpo que a brisa refresca. O coração ganha asas e voa ao encontro do sol que ressurge com cores de bonança, lá na aurora do mundo.

— Delfina, minha deusa. Estás coberta de razão.

— Veja só a ironia desta vida, José. É a língua antes rejeitada que se busca e se acarinha. Nós, os assimilados, remetemos o povo ao sofrimento. Facilitámos a opressão, o exílio, a deportação. O povo lutou, resistiu e a terra é livre. Quando tudo estava pronto assaltámos de novo o comando. São os nossos filhos, nós, os assimilados, que lideram a vida com o saber e a língua dos marinheiros.

Tem razão, a Delfina. O colonialismo incubou e cresceu vigorosamente. Invadiu os espaços mais secretos e corrói todos os alicerces. Já não precisa de chicote nem da espada, e hoje se veste de cruz e silêncio. Impregnou-se na pele e nos cabelos das mulheres, assíduas procuradoras da clareza epidérmica, na imitação de uma raça. As bocas das mães negras expelem raivas contra o destino e perdem a melhor energia na fútil reprodução de um deus perfeito. Trinta anos de independência e as coisas voltam para trás. Os filhos dos assimilados ressurgem violentos e ostentam ao mundo o orgulho da sua casta. O colonialismo já não é estrangeiro, tornou-se negro, mudou de sexo e tornou-se mulher. Vive no útero das mulheres, nas trompas das mulheres e o sexo delas se transformou em ratoeira para o homem branco.

— Neste aspeto, Delfina, foste a pioneira. A Zambézia inteira devia erguer monumentos a mulheres como tu, que deram a sua vida e o seu sangue para o nascimento desta nova nação.

A memória de José dos Montes percorre ondas sonoras de canções guerreiras. Quando os pés pisam o solo ao ritmo do tambor, a poeira se levanta e traz ao olfato o perfume da terra. José sente necessidade de se descalçar, de pisar o chão e sentir as vibrações da terra a fortificar os ossos. De abraçar o chão, rebolar como uma criança, até cobrir a pele inteira com areia e poeira. Nascer na Zambézia é uma bênção. Viver na Zambézia é uma sorte. Morrer na Zambézia é a maior dádiva do mundo. José sente que devia ter lutado pela sua terra e não contra ela. Felizmente houve homens valentes, videntes, que de tanto a amarem deram o sangue por ela e a trouxeram de volta. Para se ter a liberdade é preciso, primeiro, sonhar com ela. E quando se alcança deve ser preservada de todas as tormentas.

— Minha Delfina, os caminhos ainda estão cobertos de fogo e de espinhos. Nós, assimilados, ajudámos os poderosos a culparem a Deus porque julgávamos que tinha errado na fórmula da criação. Queríamos um mundo com uma só voz e uma só raça. Por isso decidíamos quem devia morrer e quem devia viver, como se as nossas mãos pudessem ajudar Deus a corrigir esse possível erro. Obrigámos uns a lutar pela sobrevivência e a pedir clemência. Colocámos os pretos e os brancos na batalha das raças, mas eles tanto se bateram até que se beijaram. E se apaixonaram pela bravura de um e de outro. Acabaram casados, numa só paixão, formando uma só família. Mataram-se, queimaram-se, até se tornarem o mesmo pó que a chuva molha e os artistas usam para esculpir monumentos da eternidade. No final desta guerra seremos um. Esses filhos metade pretos, metade brancos, metade asiáticos, serão os fósseis a partir dos quais se compreenderá a nossa História. Nas próximas gerações as raças se amarão, sem ódio nem raivas, inspiradas no nosso exemplo. A humanidade aventureira conquistará outras estações celestes com gente azul e verde. Terá chegado o momento de inventar novas raças e recriar novas humanidades. Os pretos, os brancos e seus mulatos deverão expurgar ódios, raivas e ressentimentos que ainda restem.

— O que será do futuro, José dos Montes? Que palavras mágicas se devem dizer a esta nova gente?

— Sejamos os que agradecem a refeição depois da boa digestão — adverte José dos Montes —, para não sermos de novo traídos pelo alimento.

— Como?

— Porque nós dois, assimilados, embriagados pelo pasto dos marinheiros, enlouquecemos e destruímos de livre vontade e com as nossas mãos o que recebemos dos antepassados, dos amigos e tudo o que construímos.

A paz assume o comando, no trono de pedra, e Delfina abraça todos os filhos e todos os netos. Reina um violento silêncio. São o passado e o presente beijando-se nas invisíveis fronteiras do futuro. Delfina cerra os lábios e balança. No peito, a mais doce canção de embalar.

35

As vozes das mães são mágicas, compõem a música dos anjos. Uma nota. Uma estrofe. Duas. Mais uma estrofe completando o poema. Finalmente o refrão. Canção de embalar, invocação do mel. Que reúne todas as forças benéficas do mundo e tece um manto de pétalas para colorir o destino de uma nova alma.

Mãe e filho. Voz chorosa e voz melódica. Trocando carinhos. Olhares. Confidências. Beijos e sonhos. Momentos únicos que deixarão de existir num futuro próximo, como o corte do cordão umbilical. Balanço da mãe. Balanço do filho. Código fechado, linguagem de sinais. O bebé ouve a canção de perto. E a canção se vai afastando à medida que as pálpebras se fecham e o sono vem. O paraíso reside nos braços de uma mãe.

O bebé adormece mas a mente da mãe flutua nas ondas. Viajando para tão longe e tão perto. Para o princípio e para o fim. Porque ela conhece a origem de todas as coisas. Conhece o número de células com que se molda uma criança. O esperma e o óvulo com que se produz uma alma. A dimensão da ansiedade, no percurso dos nove meses de espera. Será menino ou menina? Nascerá gordinha ou magrinha? Crescerá? Quem será? Uma prostituta ou uma santa? Um assassino ou um doutor? Vai casar? Vai ter filhos? Será normal? Será pobre ou rica? Qual será o seu destino? Balançando o bebé, a alma da mãe balança, cavalgando à retaguarda o rio rubro da vida. E recorda a dor da maternidade. As noites de vigília e de amargura pelas doenças da sua criatura. As bebedeiras e a violência do companheiro. As noites em que chora pela felicidade que não tem. As velas que acendeu por um amanhã diferente que ainda espera. Então segura-se à criança com a maior firmeza do mundo e se protege. Da separação que há de vir. Do desmame que vai acontecer. E sorri. Segurar um bebé é segurar o mundo. Embalar um bebé é embalar o futuro com braços de mulher.

Mulher nenhuma suspeita o destino do filho que embala nos seus braços. Não sabe se é a estrela que a fará sorrir ou o espinho que fará o seu coração sangrar. Uma mãe desafia todos os perigos e as sombras más e enche a alma de doces canções. Enquanto embala o filho, também se embala.

A minha tristeza é não ter
Onde repousar o meu cansaço
Se eu fosse um pássaro
Nada me faltaria

Ó pássaro, ó pássaro
Canta, canta
Embala-me na doçura do teu canto!

Coleção Gira

A língua portuguesa não é uma pátria, é um universo que guarda as mais variadas expressões. E foi para reunir esses modos de usar e criar através do português que surgiu a Coleção Gira, dedicada às escritas contemporâneas em nosso idioma em terras não brasileiras.

CURADORIA DE REGINALDO PUJOL FILHO

1. *Morreste-me*, de José Luís Peixoto
2. *Short movies*, de Gonçalo M. Tavares
3. *Animalescos*, de Gonçalo M. Tavares
4. *Índice médio de felicidade*, de David Machado
5. *O torcicologologista, Excelência*, de Gonçalo M. Tavares
6. *A criança em ruínas*, de José Luís Peixoto
7. *A coleção privada de Acácio Nobre*, de Patrícia Portela
8. *Maria dos Canos Serrados*, de Ricardo Adolfo
9. *Não se pode morar nos olhos de um gato*, de Ana Margarida de Carvalho
10. *O alegre canto da perdiz*, de Paulina Chiziane
11. *Nenhum olhar*, de José Luís Peixoto
12. *A Mulher-Sem-Cabeça e o Homem-do-Mau-Olhado*, de Gonçalo M. Tavares
13. *Cinco meninos, cinco ratos*, de Gonçalo M. Tavares
14. *Dias úteis*, de Patrícia Portela
15. *Vamos comprar um poeta*, de Afonso Cruz
16. *O caminho imperfeito*, de José Luís Peixoto
17. *Regresso a casa*, de José Luís Peixoto
18. *A boneca de Kokoschka*, de Afonso Cruz
19. *Nem todas as baleias voam*, de Afonso Cruz
20. *Atlas do corpo e da imaginação*, de Gonçalo M. Tavares
21. *Hífen*, de Patrícia Portela

Composto em MINION e impresso na IPSIS,
em PÓLEN SOFT 80g/m², em FEVEREIRO de 2022.